Você é o placebo

O poder de curar a si mesmo

Dr. Joe Dispenza

Elogios para

Você é o placebo

"*Você é o placebo* é o manual de instruções sobre como produzir milagres em seu corpo, sua saúde e sua vida. É simplesmente magnífico. Pode ser a única receita de que você precise."

– Christiane Northrup

Médica e autora de *Women's Bodies, Women's Wisdom* e *A sabedoria da menopausa*, *best-sellers* da lista do *New York Times*

"Sua mente é incrivelmente importante para o sucesso ou fracasso de praticamente tudo em que você se envolve, desde relacionamentos, estudo, trabalho e finanças até a felicidade como um todo. *Você é o placebo* é uma exploração poderosa de seu recurso mais importante e oferece muitas ferramentas práticas para otimizar sua mente a fim de melhorar seu sucesso geral. Adoro o estilo do Dr. Dispenza de comunicar ideias complexas de uma forma que todos nós podemos compreender e da qual podemos nos beneficiar."

– Daniel G. Amen

Médico e fundador da Amen Clinics e autor de *Change Your Brain, Change Your Life* e *Magnificent Mind at Any Age*, *best-sellers* da lista do *New York Times*

"A partir da experiência com pacientes com doenças potencialmente fatais, aprendi a verdade compartilhada em *Você é o placebo*. O corpo experimenta aquilo em que a mente acredita. Aprendi a enganar as pessoas em benefício da saúde delas. Os médicos podem matar ou curar com palavras quando estas se tornam espadas. Todos nós temos o potencial para a cura autoinduzida. A chave é saber como alcançar o seu potencial. Leia e aprenda."

– Bernie Siegel

Médico e autor de *A Book of Miracles* e *A arte de curar*

"Dr. Joe Dispenza entrelaça estudos científicos para apresentar uma abordagem verdadeiramente revolucionária do uso da mente para curar o corpo. Fiquei fascinada. Bravo!"

– Dra. Mona Lisa Schulz

Autora de *The Intuitive Advisor* e *Está tudo bem*

"O efeito placebo – nossa resposta à crença de que recebemos um catalisador para a cura – é estudado há tempos na medicina como um fenômeno curioso. Em *Você é o placebo*, um livro que quebra paradigmas, o Dr. Joe Dispenza nos catapulta além do pensamento do efeito como uma anomalia. Em doze capítulos concisos que se lê como um *thriller* científico da vida real, Dispenza nos dá razões sólidas para aceitar o fator decisivo de mudança de nossas vidas: o efeito placebo na verdade somos nós, que nos proporcionamos as maiores possibilidades de cura, milagres e longevidade! Adoro este livro e espero ansiosamente por um mundo onde o segredo do placebo seja a base da vida cotidiana."

– Gregg Braden

Autor de *Deep Truth* e *A matriz divina*, *best-sellers* da lista do *New York Times*

"Dr. Joe Dispenza é um professor que tem a habilidade de explicar a ciência em um nível muito simples, de modo que todos entendam."

– Don Miguel Ruiz, médico

Autor de *Os quatro compromissos*

"*Você é o placebo* é uma leitura obrigatória para quem quer gozar de perfeita saúde mental, física e espiritual. Dr. Joe Dispenza dissipa o mito de que nossa saúde está fora do nosso controle e restaura o nosso poder e direito de esperar ótima saúde e bem-estar ao longo da vida mostrando o caminho para criá-los. Ler este livro é aderir ao melhor plano de saúde disponível no mundo."

– Sonia Choquette

Médium e autora de *A resposta é simples*, *best-seller* da lista do *New York Times*

O material do encarte colorido contou com a ajuda de Jeffrey Fannin. Agradecimento especial ao Dr. Fannin por fornecer as imagens em cores do cérebro e contribuir para a sua interpretação.

Você é o placebo

4ª edição: Novembro 2022

Autor:
Joe Dispenza

Revisão:
3GB Consulting

Tradução e preparação de texto:
Lúcia Brito

Diagramação:
Jéssica Wendy

Capa:
Pâmela Siqueira

DADOS INTERNACIONAIS DE CATALOGAÇÃO NA PUBLICAÇÃO (CIP)

D612v Dispenza, Joe

Você é o placebo : o poder de curar a si mesmo / Joe Dispenza. – Porto Alegre: CDG, 2019.

384 p.; 23cm.

ISBN: 978-65-5047-004-3

1. Psicologia Aplicada. 2. Qualidade de Vida. 3. Meditação. 4. Mente e Corpo. 5. Hábito (Psicologia). I. Título.

CDD – 158.1

Ficha catalográfica elaborada pela bibliotecária
Cíntia Borges Greff - CRB 10/1437

Produção editorial e distribuição:

CITADEL Grupo Editorial

contato@citadel.com.br
www.citadel.com.br

Para minha mãe,

Francesca.

Sumário

Apresentação do Dr. Dawson Church 9

Prefácio: Despertar 13

Introdução: Da mente para a matéria 27

Parte 1: INFORMAÇÃO

Capítulo 1: Será possível? 39

Capítulo 2: Uma breve história do placebo 59

Capítulo 3: O efeito placebo no cérebro 83

Capítulo 4: O efeito placebo no corpo 111

Capítulo 5: Como os pensamentos modificam o cérebro e o corpo 133

Capítulo 6: Sugestão 149

Capítulo 7: Atitudes, crenças e percepções 181

Capítulo 8: A mente quântica 203

Capítulo 9: Três histórias de transformação pessoal 221

Capítulo 10: Informação para a transformação: a prova de que você *é* o placebo ... 253

Parte 2: TRANSFORMAÇÃO

Capítulo 11: Preparativos para a meditação 285

Capítulo 12: Meditação para mudar as crenças e percepções 299

Posfácio: Tornando-se sobrenatural 313

Apêndice: Roteiro da meditação para mudar as crenças e percepções 319

Agradecimentos 333

Sobre o autor 337

Notas 339

Encarte colorido 353

Apresentação

Como a maioria dos fãs, aguardo as ideias provocativas de Joe Dispenza com expectativa e prazer. Combinando evidências científicas sólidas com *insights* estimulantes, Joe alarga os horizontes do possível ampliando as fronteiras do conhecido. Ele leva a ciência mais a sério do que a maioria dos cientistas e, neste livro fascinante, extrapola as descobertas mais recentes em epigenética, plasticidade neural e psiconeuroimunologia até a conclusão lógica.

Esta conclusão é excitante: você e todos os outros seres humanos moldam o cérebro e o corpo pelos pensamentos que pensam, pelas emoções que sentem, pelas intenções que têm e pelos estados transcendentais que experimentam. *Você é o placebo* convida o leitor a aproveitar esse conhecimento para criar um novo corpo e uma nova vida.

Não é uma proposta metafísica. Joe explica cada elo da cadeia de causalidade que começa com um pensamento e termina com um fato biológico, tal como um aumento no número de células-tronco ou de moléculas de proteínas que conferem imunidade circulando em sua corrente sanguínea.

O livro começa com o relato de Joe sobre um acidente que destruiu seis vértebras de sua coluna. Em uma situação extrema, ele foi subitamente confrontado com a necessidade de colocar em prática a teoria na qual acreditava: nosso corpo tem uma inteligência inata que inclui o poder de cura milagrosa. A disciplina que aplicou no processo de visualização de sua coluna vertebral se reconstruindo é uma história de inspiração e determinação.

Somos todos inspirados por histórias de remissão espontânea e cura "milagrosa", mas o que Joe nos mostra neste livro é que todos nós somos capazes de experimentar tais milagres de cura. A renovação está incutida no tecido de nosso corpo; degeneração e doença são a exceção, não a regra.

Uma vez que entendamos como nosso corpo se renova, podemos começar a aproveitar esses processos fisiológicos de modo deliberado, direcionando os hormônios que nossas células sintetizam, as proteínas que constroem, os neurotransmissores que produzem e os caminhos neurais pelos quais enviam sinais. Ao contrário de apresentar uma anatomia estática, nosso corpo fervilha de mudanças momento a momento. Nosso cérebro está em ebulição, repleto de criação e destruição de conexões neurais a cada segundo. Joe nos ensina que podemos conduzir esse processo, assumindo a poderosa posição de motorista do veículo em vez do papel passivo de passageiro.

A descoberta de que o número de conexões em um feixe neural pode duplicar com a repetição do estímulo revolucionou a biologia nos anos de 1990 e rendeu um Prêmio Nobel ao descobridor, o neuropsiquiatra Eric Kandel. Mais tarde Kandel descobriu que, se não usamos as conexões neurais, elas começam a encolher em apenas três semanas. Dessa forma, podemos remodelar nosso cérebro mediante os sinais que transmitimos pela rede neural.

Na mesma década em que Kandel e outros mediram a neuroplasticidade, os cientistas também descobriram que poucos de nossos genes são estáticos. A maioria dos genes (as estimativas variam de 75% a 85%) é desligada e ativada por sinais de nosso ambiente, incluindo o ambiente dos pensamentos, crenças e emoções que cultivamos no cérebro. Uma classe desses genes, os genes de ativação imediata (IEGs, de *immediate early genes*), leva apenas três segundos para atingir a expressão máxima. Muitos IEGs são reguladores, controlando a expressão de centenas de outros genes e milhares de outras proteínas em pontos remotos de nosso corpo. Esse tipo de mudança generalizada e rápida é uma explicação plausível para algumas das curas radicais sobre as quais você lerá nestas páginas.

Joe é um dos poucos escritores de ciência que compreendem plenamente o papel da emoção na transformação. Emoções negativas podem ser literalmente um vício em altos níveis de hormônios do estresse, como cortisol e adrenalina. Hormônios do estresse e hormônios do relaxamento, como DHEA e oxitocina, têm pontos de ajuste, o que explica por que nos sentimos desconfortáveis quando entretemos pensamentos ou crenças que impulsionam nosso equilíbrio hormonal para fora da zona de conforto. Essa ideia está na fronteira da compreensão científica dos vícios e desejos exacerbados.

Ao mudar seu estado interno, você pode mudar sua realidade externa. Joe explica com mestria a cadeia de eventos que começa com intenções originadas no lobo frontal do cérebro e depois se traduz em mensageiros químicos, chamados neuropeptídeos, que enviam sinais para todo o corpo, ligando ou desligando os interruptores genéticos. Algumas dessas substâncias químicas, como a oxitocina, o "hormônio do aconchego", estimulada pelo toque, estão associadas a sentimentos de amor e confiança. Com a prática, você pode aprender a ajustar rapidamente seus pontos de referência para hormônios do estresse e hormônios de cura.

A noção de que você pode se curar simplesmente traduzindo pensamento em emoção de início pode parecer espantosa. Nem mesmo Joe esperava os resultados que começou a observar em participantes de seus *workshops* quando aplicavam plenamente as ideias: remissão espontânea de tumores, pacientes em cadeira de rodas caminhando e enxaquecas desaparecendo. Com o prazer sincero e a experimentação de mente aberta, como uma criança, Joe começou a ir mais longe, imaginando a rapidez com que a cura radical poderia ocorrer se as pessoas aplicassem o efeito placebo do corpo com total convicção. Assim, o título *Você é o placebo* reflete o fato de que são os seus pensamentos, emoções e crenças que geram cadeias de eventos fisiológicos em seu corpo.

Às vezes você se sentirá desconfortável ao ler este livro. Mas continue lendo. O desconforto é apenas o seu antigo eu protestando contra a inevitabilidade da mudança transformadora e a perturbação de seus pontos de referência hormonal. Joe garante que esse desconforto pode ser a mera sensação biológica da dissolução do antigo eu.

A maioria de nós não tem tempo ou inclinação para entender processos biológicos complexos. É aqui que este livro oferece um ótimo serviço. Joe mergulha fundo na ciência por trás das mudanças para apresentá-la de forma compreensível e digerível. Faz o trabalho pesado nos bastidores para apresentar explicações simples e elegantes. Usando analogias e relatos de casos, demonstra exatamente como podemos aplicar essas descobertas em nossa vida diária e ilustra os incríveis avanços na saúde experimentados por aqueles que levam a prática a sério.

Uma nova geração de pesquisadores cunhou um termo para a prática que Joe delineia: neuroplasticidade autodirigida. A ideia por trás do termo é que direcionamos a formação de novos caminhos neurais e a destruição dos antigos por meio da qualidade das experiências que cultivamos. Acredito que a neuroplasticidade autodirigida se tornará um dos conceitos mais potentes em transformação pessoal e neurobiologia na próxima geração, e este livro estará na vanguarda do movimento.

Nos exercícios de meditação da Parte II deste livro, a metafísica se transforma em manifestação concreta. Você pode fazer essas meditações facilmente, experimentando as possibilidades ampliadas de ser seu próprio placebo. O objetivo aqui é mudar as crenças e percepções sobre sua vida em nível biológico para que em essência você ame um novo futuro e assim o traga à existência material concreta.

Embarque nessa jornada encantada que expandirá seus horizontes do possível e o desafiará a adotar um nível radicalmente mais elevado de cura e funcionamento. Você não tem nada a perder ao se lançar com entusiasmo no processo e jogar fora os pensamentos, sentimentos e pontos de referência biológicos que limitaram seu passado. Acredite em sua capacidade de realizar seu potencial mais elevado e em tomar medidas inspiradoras e você se tornará o placebo que cria um futuro feliz e saudável para si e para o nosso planeta.

— Dr. Dawson Church

Autor de *The Genie in Your Genes*

Prefácio

Despertar

Nunca planejei fazer nada disso. O trabalho no qual estou atualmente envolvido como palestrante, autor e pesquisador meio que me encontrou. Para acordar, alguns de nós às vezes precisam de um chamado de despertar. Em 1986 recebi o chamado. Em um belo dia de abril no sul da Califórnia, tive o privilégio de ser atropelado por uma caminhonete em um triatlo em Palm Springs. Esse momento mudou minha vida e me iniciou em toda essa jornada. Eu tinha 23 anos na época, com uma prática de quiropraxia relativamente nova em La Jolla, Califórnia, e havia treinado duro para aquele triatlo durante meses.

Eu tinha terminado o segmento de natação e estava na parte de ciclismo da disputa quando aconteceu. Estava chegando a uma curva complicada, onde eu sabia que nos misturaríamos com o tráfego. Um policial de costas para os carros que se aproximavam acenou para eu virar à direita e seguir o trajeto. Como eu estava em pleno esforço e focado na corrida, não tirei os olhos dele. Quando passei por dois ciclistas naquela curva, um Bronco vermelho com tração nas quatro rodas deslocando-se a cerca de noventa quilômetros por hora bateu em minha bicicleta por trás. A seguir me vi catapultado no ar; então aterrissei com o traseiro em cheio na pista.

Por causa da velocidade do veículo e dos reflexos lentos da mulher de idade que dirigia, o Bronco continuou a vir em minha direção, e logo eu estava colado no para-choque. Agarrei o para-choque rapidamente para evitar ser atropelado e impedir que meu corpo passasse entre o metal e o asfalto. Aí fui arrastado pela estrada até a motorista perceber o que estava acontecendo. Quando ela enfim parou de supetão, caí e rolei aos trambolhões por cerca de vinte metros. Ainda me lembro do som das bicicletas zunindo e dos gritos e palavrões horrorizados dos ciclistas a passar por mim – sem saber se deveriam parar e ajudar ou continuar a corrida. Caído lá, tudo que pude fazer foi me render.

Logo descobri que havia quebrado seis vértebras; tinha fraturas por compressão nas torácicas 8, 9, 10, 11 e 12 e na lombar 1; o estrago estendia-se das minhas omoplatas até os rins. As vértebras são empilhadas como blocos individuais na espinha, e, quando bati no chão com aquela força, elas desmoronaram e se comprimiram com o impacto. A oitava vértebra torácica, o segmento mais alto que quebrei, estava mais de 60% danificada, e o arco circular que continha e protegia a medula espinhal estava partido e amontoado em formato semelhante a um *pretzel*. Quando uma vértebra se comprime e fratura, o osso tem que ir para algum lugar. No meu caso, um grande volume de fragmentos quebrados voltou-se na direção da medula espinhal. Definitivamente não era um bom cenário.

Como se eu estivesse em um sonho ruim fora de controle, acordei na manhã seguinte com uma série de sintomas neurológicos, incluindo vários tipos de dor, vários graus de dormência, formigamento, certa perda de sensibilidade nas pernas e algumas dificuldades desanimadoras para controlar meus movimentos.

Depois de fazer todos os exames de sangue, raios X, tomografia computadorizada e ressonância magnética no hospital, o cirurgião ortopédico me mostrou os resultados e deu a notícia: para conter os fragmentos ósseos alojados em minha medula espinhal, eu precisaria de cirurgia para implantar uma haste de Harrington. Isso significaria cortar as partes traseiras das vértebras de dois a três segmentos acima e abaixo das fraturas e depois parafusar e fixar duas hastes de aço inoxidável de trinta centímetros em ambos os lados da minha coluna vertebral. Então rapariam alguns fragmentos do meu osso do quadril e os colariam nas hastes. Seria uma grande cirurgia, mas significaria que eu teria pelo menos uma chance de andar novamente. Mesmo assim, eu sabia que provavelmente ainda seria um pouco deficiente e teria que conviver com dor crônica pelo resto da vida. Desnecessário dizer que não gostei dessa opção.

Mas, se eu não quisesse fazer a cirurgia, a paralisia parecia certa. O melhor neurologista da região de Palm Springs, que concordou com a opinião do primeiro cirurgião, disse que não conhecia nenhum outro paciente nos Estados Unidos em minha condição que tivesse recusado. O impacto do acidente comprimiu minha vértebra T-8 em forma de cunha, o que impediria que minha coluna suportasse o peso do corpo se eu me levantasse; minha coluna desmoronaria, empurrando os estilhaços da vértebra para dentro da medula espinhal, causando paralisia instantânea do peito para baixo. Essa também não era uma opção atraente.

Fui transferido para um hospital em La Jolla, mais perto de casa, onde recebi duas opiniões adicionais, incluindo a do principal cirurgião ortopédico do sul da Califórnia. Não foi surpreendente os dois concordarem que eu deveria fazer a cirurgia da haste de Harrington. Era um prognóstico bastante consistente: fazer a cirurgia ou ficar paralisado, nunca mais andar de novo. Se eu fosse o profissional médico fazendo a recomendação, teria dito a mesma coisa: era a opção mais segura. Mas não foi a opção que escolhi.

Talvez eu fosse apenas jovem e ousado naquele tempo, mas decidi contra o modelo médico e as recomendações dos especialistas. Acredito que haja uma inteligência, uma consciência invisível dentro de cada um de nós que concede a vida. Ela cria quase cem trilhões de células especializadas (começando com apenas duas), mantém nosso coração pulsando centenas de milhares de vezes por dia e consegue organizar centenas de milhares de reações químicas em cada célula a cada segundo, entre muitas outras funções assombrosas. Na época raciocinei que, se essa inteligência era real e demonstrava essas capacidades assombrosas de modo intencional, atento e amoroso, talvez eu pudesse retirar minha atenção do mundo exterior e começar a me voltar para dentro e me conectar com ela, desenvolvendo um relacionamento.

Embora intelectualmente eu entendesse que o corpo muitas vezes tem a capacidade de se curar, agora eu teria de aplicar cada fragmento dessa filosofia de que eu tinha conhecimento para levar essa compreensão um passo adiante, a fim de criar uma verdadeira experiência de cura. E, como eu não iria a lugar nenhum e não estava fazendo nada além de ficar deitado de bruços, decidi duas coisas. Primeiro, todos os dias eu colocaria toda a minha atenção consciente nessa inteligência dentro de mim e forneceria um plano, um modelo, uma visão com ordens muito específicas e entregaria minha cura a essa mente maior de poder ilimitado, permitindo que realizasse a cura para mim. Segundo, não deixaria nenhum pensamento sobre o que eu não queria experimentar infiltrar-se na minha consciência. Parece fácil, certo?

Uma decisão radical

Contra o conselho da equipe médica, saí do hospital em uma ambulância que me levou à casa de dois amigos chegados, onde eu ficaria pelos três meses seguintes para me concentrar na cura. Eu estava em uma missão. Decidi que começaria a reconstruir minha espinha dia a dia, vértebra por vértebra, e mostraria a essa consciência, se ela estivesse prestando atenção em meus esforços, o que eu queria. Eu sabia que isso exigiria minha presença absoluta, isto é, ficar presente no momento, não pensar no passado nem me arrepender, não me preocupar com o futuro, obcecado com as condições da minha vida externa, nem focar na dor ou nos sintomas.

Em qualquer relacionamento que tenhamos, todos sabemos quando alguém está presente ou não conosco, certo? Como consciência é estar consciente, estar consciente é prestar atenção, e prestar atenção é estar presente e percebendo, essa consciência estaria ciente de quando eu estava presente e quando não estava. Eu teria que estar totalmente presente quando interagisse com essa mente, minha presença teria que coincidir com sua presença, minha vontade teria que corresponder à sua vontade, e minha mente teria que combinar com sua mente.

Então, durante duas horas, duas vezes por dia, comecei a criar uma imagem do resultado pretendido: uma coluna totalmente curada. Claro que fiquei ciente do quanto eu estava inconsciente e desfocado. Foi irônico. Na época, percebi que, quando ocorrem crises ou traumas, gastamos muito de nossa atenção e energia pensando sobre o que não queremos em vez de pensar sobre o que queremos. Naquelas primeiras semanas, manifestei essa tendência como algo que parecia ocorrer o tempo todo.

No meio das meditações para criar a vida que eu queria, com uma coluna completamente curada, de repente ficava consciente de que inconscientemente estava pensando sobre o que os cirurgiões haviam dito algumas semanas antes: que era provável eu nunca voltar a caminhar. Eu estava no meio da reconstrução interna da minha espinha e, quando me dava conta, estava me afligindo a respeito de vender ou não o consultório de quiropraxia. Enquanto mentalmente ensaiava passo a passo caminhar outra vez, me pegava imaginando como seria viver o resto da vida sentado em uma cadeira de rodas; acho que já deu para você entender como era a coisa.

Então, cada vez que eu perdia a atenção e minha mente vagava por qualquer pensamento estranho, eu recomeçava e refazia todo o esquema de imagens. Era tedioso, frustrante e, para ser franco, foi uma das coisas mais difíceis que já fiz. Mas concluí que a imagem final que eu queria que o observador em mim notasse tinha que ser clara, imaculada e ininterrupta. Para que essa inteligência realizasse o que eu esperava, o que eu sabia que ela era capaz de fazer, eu tinha de ficar consciente do começo ao fim e não cair na inconsciência.

Depois de seis semanas lutando comigo mesmo e fazendo esforço para ficar presente com essa consciência, eu enfim era capaz de passar por meu processo de reconstrução interior sem ter que parar e recomeçar do início. Lembro-me do dia em que fiz isso pela primeira vez; foi como acertar uma bola de tênis no lugar exato. Houve algo de acerto naquilo. Deu um clique. Eu cliquei. E me senti completo, satisfeito e inteiro. Pela primeira vez, eu estava verdadeiramente relaxado e presente, em corpo e mente. Não havia tagarelice mental, análise, pensamento, obsessão, tentativa; algo se descerrou, e uma espécie de paz e silêncio prevaleceu. Foi como se eu não ligasse mais para todas as coisas com que deveria me preocupar quanto ao passado e futuro.

Essa constatação solidificou a jornada para mim, porque foi bem naquela época, enquanto eu criava a visão do que queria, reconstruindo minhas vértebras, que a coisa começou a ficar mais fácil a cada dia. Mais importante ainda, comecei a notar algumas mudanças fisiológicas bastante significativas. Foi naquele momento que comecei a correlacionar o que eu estava fazendo dentro de mim para criar a mudança com o que estava acontecendo fora de mim, no meu corpo. No instante em que fiz a correlação, prestei mais atenção ao que estava fazendo e fiz com mais convicção, mais e mais vezes. Como resultado, continuei fazendo com alegria e inspiração, em vez de ser um esforço terrível e obrigatório. De repente, o que de início levava duas ou três horas para ser realizado em uma sessão eu era capaz de fazer em um período mais curto.

Nesse estágio eu tinha bastante tempo livre. Então comecei a pensar em como seria ver um pôr do sol à beira-mar de novo ou almoçar com meus amigos em uma mesa de restaurante; refleti que nunca mais veria essas coisas como garantidas. Imaginava com todos os detalhes tomar uma ducha e sentir a água no rosto e no corpo, simplesmente sentar para usar o banheiro, dar um passeio pela praia em San Diego, o vento soprando no rosto. Essas eram algumas coisas que eu nunca havia apreciado plenamente antes do acidente, mas que agora tinham significado. Aproveitei para abraçá-las emocionalmente até sentir como se já estivessem ali.

Eu não sabia o que estava fazendo na época, mas agora sei; estava começando a pensar em todos os potenciais futuros que existiam no campo quântico e abraçando cada um deles emocionalmente. Como selecionei um futuro intencional e o combinei com a emoção exaltada de como seria estar naquele futuro, meu corpo começou a acreditar que de fato já estava na experiência futura. À medida que minha capacidade de observar o destino desejado se tornou mais e mais aguçada, minhas células começaram a se reorganizar. Comecei a sinalizar novos genes de novas maneiras, e meu corpo começou a melhorar mais rápido.

O que eu estava aprendendo é um dos grandes princípios da física quântica: mente e matéria não são elementos separados, nossos pensamentos e sentimentos conscientes e inconscientes são os projetos que controlam nosso destino. A persistência, a convicção e o foco para manifestar qualquer futuro potencial estão dentro da mente humana e dentro da mente dos potenciais infinitos do campo quântico. Ambas as mentes devem trabalhar juntas para produzir qualquer realidade futura que já exista como potencial. Percebi que dessa forma somos todos criadores divinos, independentemente de raça, gênero, cultura, *status* social, educação, crenças religiosas ou mesmo de erros do passado. Me senti realmente abençoado pela primeira vez na vida.

Tomei outras decisões importantes a respeito de minha cura. Montei um regime completo (descrito em detalhes em *Evolve Your Brain*), incluindo dieta, visitas de amigos que praticavam cura energética e um elaborado programa de reabilitação. Contudo, nada foi mais importante para mim nessa época do que entrar em contato com a inteligência dentro de mim e, por meio dela, usar minha mente para curar meu corpo.

Nove semanas e meia após o acidente, levantei-me e caminhei de volta à minha vida – sem órteses ou cirurgia. Havia alcançado a recuperação total. Em dez semanas recomecei a atender meus pacientes;

em doze semanas estava de volta ao treinamento e levantando pesos, enquanto continuava a reabilitação. Hoje, quase trinta anos depois do acidente, posso dizer honestamente que, desde aquela época, quase nunca tive dor nas costas.

Começa a pesquisa para valer

Mas a aventura não acaba aí. Como era de se esperar, não pude voltar à minha vida sendo o mesmo de antes. Eu estava mudado em vários aspectos. Eu fora iniciado em uma realidade que nenhum conhecido meu conseguia entender de verdade. Eu não conseguia me relacionar com muitos amigos e com certeza não poderia voltar à mesma vida. As coisas que antes eram muito importantes não me interessavam mais. Comecei a fazer perguntas grandiosas, como "quem sou eu?", "qual o significado dessa vida?", "o que estou fazendo aqui?", "qual o meu propósito?", "o que ou quem é Deus?".

Fui embora de San Diego em seguida, me mudei para o noroeste do Pacífico, abrindo uma clínica de quiropraxia perto de Olympia, em Washington. Mas no começo eu praticamente me retirei do mundo e me dediquei ao estudo da espiritualidade.

Com o tempo, também fiquei muito interessado em remissões espontâneas, quando as pessoas se curam de doenças graves ou de condições consideradas terminais ou permanentes sem intervenções médicas tradicionais, como cirurgia ou drogas. Nas longas noites solitárias da minha recuperação, quando eu não conseguia dormir, fiz um acordo com aquela consciência de que, se eu conseguisse andar de novo, passaria o resto da vida investigando e pesquisando a conexão mente-corpo e o conceito de a mente se impor à matéria. E é basicamente isso que tenho feito nas quase três décadas desde então.

Viajei para vários países à procura de muitas pessoas diagnosticadas com doenças que, tratadas de forma convencional ou não convencional, permaneceram na mesma ou pioraram, até melhorar de repente. Comecei a entrevistar essas pessoas para descobrir o que suas experiências tinham em comum, a fim de conseguir entender e documentar o que as fez melhorar, pois eu tinha o desejo de casar ciência com espiritualidade. O que descobri foi que cada um daqueles casos miraculosos tinha por base um forte elemento mental.

O cientista em mim começou a se empolgar, ficando ainda mais curioso. Voltei a frequentar aulas na universidade e a estudar as pesquisas mais recentes em neurociência, fiz pós-graduação em imagens cerebrais, neuroplasticidade, epigenética e psiconeuroimunologia. Agora que eu sabia o que aquelas pessoas tinham feito para melhorar e sabia tudo sobre a ciência de modificar a mente (ou pelo menos pensava que sabia), imaginei que teria condições de reproduzir aquilo, tanto em doentes quanto em pessoas que estivessem bem e quisessem fazer mudanças para favorecer não só a saúde, mas também os relacionamentos, a carreira, a família e a vida em geral.

Fui convidado para ser um dos quatorze cientistas e pesquisadores apresentados no documentário *Quem somos nós?*, de 2004, que virou sensação da noite para o dia. *Quem somos nós?* convidou as pessoas a questionar a natureza da realidade e testar na própria vida se sua observação importava ou, para ser mais exato, se sua observação se tornava matéria. Pessoas de todo o mundo falavam do filme e dos conceitos defendidos. Na sequência, meu primeiro livro, *Evolve Your Brain: The Science of Changing Your Mind*, foi publicado, em 2007. Depois de *Evolve Your Brain* circular por um tempo, começaram a me perguntar: "Como você faz isso? Como você muda e como você cria a vida que quer?". Essa logo se tornou a pergunta mais comum que me faziam.

Montei uma equipe e comecei a ministrar *workshops* nos Estados Unidos e em outros países sobre como o cérebro está conectado e como você pode reprogramar seu pensamento usando princípios neurofisiológicos. De início os *workshops* eram basicamente um compartilhamento de informações. Mas as pessoas queriam mais, então acrescentei meditações para sinergizar e complementar as informações, dando aos participantes passos práticos para fazerem mudanças na mente e no corpo e, por conseguinte, mudanças na vida.

Depois de ministrar meus *workshops* introdutórios em diferentes partes do mundo, as pessoas perguntaram: "O que vem a seguir?". Então comecei a ministrar outro nível do *workshop* introdutório. Concluído este, mais gente perguntou se eu poderia ensinar outro nível, um *workshop* mais avançado. Isso se repetiu na maioria dos lugares onde dei o curso. Eu achava que havia chegado ao fim, que havia ensinado tudo o que podia ensinar, mas as pessoas continuavam a pedir mais. Então aprendi mais e aprimorei as apresentações e meditações.

A coisa tomou impulso, e tive um bom retorno; as pessoas conseguiam eliminar alguns hábitos autodestrutivos e levar uma vida mais feliz. Embora até essa época eu e meus associados tivéssemos visto apenas pequenas mudanças, nada realmente significativo, as pessoas adoravam as informações e queriam continuar a prática. Então continuei indo aonde era convidado. Calculei que, quando chegasse o dia em que parassem de me convidar, eu saberia que havia encerrado esse trabalho.

Cerca de um ano e meio depois do nosso primeiro *workshop*, eu e minha equipe começamos a receber vários *e-mails* de participantes comentando as mudanças positivas que estavam experimentando ao fazer as meditações de forma constante. Uma enxurrada de mudanças começara a se manifestar na vida das pessoas, e elas estavam exultantes. O *feedback* que recebemos ao longo do ano seguinte também chamou nossa atenção. Os participantes começaram a relatar não apenas mudanças subjetivas na saúde física, mas também melhorias nos dados objetivos dos exames médicos. Às vezes as taxas voltavam totalmente ao normal. Essas pessoas conseguiam reproduzir as exatas mudanças físicas, mentais e emocionais que eu havia estudado, observado e por fim descrito em *Evolve Your Brain*.

Para mim foi incrivelmente excitante testemunhar isso, porque eu sabia que qualquer coisa repetível tem chance de se tornar uma lei científica. Muita gente enviava *e-mails* começando mais ou menos com a mesma declaração: "Você não vai acreditar nisso". E àquela altura as mudanças eram mais do que coincidência.

Um pouco mais tarde naquele ano, durante dois eventos em Seattle, algumas coisas surpreendentes aconteceram. No primeiro evento, uma mulher com esclerose múltipla que chegou de andador saiu caminhando sem auxílio no fim do *workshop*. No segundo evento, uma mulher que havia sofrido com esclerose múltipla por dez anos começou a dançar, declarando que a paralisia e dormência que experimentara no pé esquerdo haviam desaparecido por completo. (Você vai ler mais sobre uma dessas mulheres e sobre outras como elas nos próximos capítulos.)

A pedidos, em 2010 ministrei um *workshop* mais avançado no Colorado. Nesse os participantes começaram a perceber que estavam mudando para melhor ali mesmo, durante o evento. As pessoas se levantavam, pegavam o microfone e relatavam algumas histórias bem inspiradoras.

Nessa época também fui convidado a falar com muitos líderes empresariais sobre a biologia da mudança, a neurociência da liderança e o conceito de transformar indivíduos para transformar uma cultura. Depois de uma palestra para um grupo, vários executivos me sondaram a respeito de adaptar as ideias para um modelo de transformação corporativa. Então criei um curso de oito horas que poderia ser adaptado para empresas e organizações; foi tão bem-sucedido que gerou nosso programa corporativo "30 Days to Genius". Me vi trabalhando com clientes empresariais como Sony Entertainment Network, Gallo Family Vineyards, a empresa de telecomunicações WOW! (originalmente chamada Wide Open West) e muitos outros. Isso levou à oferta de treinamento particular para executivos de alto escalão.

A demanda por nossos programas corporativos ficou tão grande que comecei a treinar uma equipe de *coaching*; hoje tenho mais de trinta facilitadores ativos, incluindo ex-CEOs, consultores corporativos, psicoterapeutas, advogados, médicos, engenheiros e profissionais com doutorado que viajam por toda parte, ensinando esse modelo de transformação em diferentes empresas. (Agora temos planos de começar a certificar *coaches* independentes para que usem o modelo de mudança com os próprios clientes.) Nunca imaginei esse tipo de futuro para mim, nem em meus sonhos mais loucos.

Escrevi meu segundo livro, *Quebrando o hábito de ser você mesmo*, publicado em 2012, para servir como um guia prático para acompanhar *Evolve Your Brain*. Não apenas expliquei mais sobre neurociência da mudança e epigenética, como também incluí um programa de quatro semanas com instruções passo a passo para implementar essas mudanças, tendo por base os *workshops* que ministrava na época.

Fiz outro evento mais avançado no Colorado, onde tivemos sete remissões espontâneas de várias condições. Uma mulher que vivia à base de alface por causa de severas alergias alimentares foi curada naquele fim de semana. Outras pessoas foram curadas de intolerância ao glúten, doença celíaca, problema na tireoide, dor crônica severa e outras condições. De repente comecei a ver algumas mudanças realmente significativas na saúde e na vida das pessoas à medida que se afastavam de sua realidade atual para criar uma nova. Aquilo estava acontecendo bem diante dos meus olhos.

Informação para transformação

O evento no Colorado em 2012 foi o ponto de virada na minha carreira, porque enfim pude ver que as pessoas não só estavam sendo ajudadas a mudar sua noção de bem-estar, como também estavam sinalizando novos genes de novas maneiras bem ali, durante as meditações, em tempo real, de forma significativa. Para que alguém que durante anos sofrera com um problema de saúde como lúpus ficasse bem durante uma meditação de uma hora algo significativo tinha de ocorrer em sua mente e corpo. Eu queria descobrir como medir essas mudanças enquanto aconteciam nos *workshops*, para que pudéssemos ver exatamente o que estava se passando.

Por isso, no início de 2013 ofereci um tipo de programação que alçou nossos *workshops* a um nível inteiramente novo. Convidei uma equipe de pesquisadores, incluindo neurocientistas, técnicos e físicos quânticos com instrumentos especializados, para se unir a mim em um *workshop* de quatro dias no Arizona, com mais de duzentos participantes. Os especialistas usaram seus equipamentos para medir o campo eletromagnético do ambiente na sala do *workshop* e verificar se a energia se alterava no decorrer do curso. Também mediram o campo energético do corpo e centros de energia (chacras) dos participantes para ver se as pessoas eram capazes de influenciar esses centros.

Para realizar as medições, utilizaram meios muito sofisticados, incluindo eletroencefalograma (EEG) para medir a atividade elétrica do cérebro, eletroencefalograma quantitativo (EEGQ) para fazer uma análise computadorizada dos dados do EEG, variabilidade da frequência cardíaca (VFC) para documentar a variação no intervalo entre os batimentos cardíacos e a coerência cardíaca (uma medição do ritmo cardíaco que reflete a comunicação entre coração e cérebro) e visualização da descarga de gás (GDV) para medir mudanças no campo bioenergético.

Fizemos varreduras cerebrais em muitos participantes antes e depois do evento a fim de ver o que se passava no mundo interior de seus cérebros. Também selecionamos pessoas aleatoriamente durante o *workshop* a fim de ver se conseguíamos medir quaisquer alterações nos padrões cerebrais em tempo real durante as três meditações que eu conduzia a cada dia. Foi um evento maravilhoso. Uma pessoa com doença de Parkinson não teve mais tremores. Outra com lesão cerebral traumática foi curada. Participantes com tumor no cérebro e em outros órgãos verificaram o desaparecimento das excrescências. Muitos com dor artrítica experimentaram alívio pela primeira vez em anos. Essas foram algumas entre muitas mudanças profundas.

Durante esse evento incrível, por fim conseguimos captar alterações objetivas no âmbito da medição científica e documentar as mudanças subjetivas na saúde relatadas pelos participantes. Não considero exagero dizer que o que observamos e registramos foi um marco. Mais adiante mostrarei o que você é capaz de fazer, compartilhando algumas dessas histórias; histórias de pessoas comuns fazendo coisas extraordinárias.

Minha ideia ao desenvolver o *workshop* era fornecer informações científicas e as instruções necessárias para a utilização dessas informações, de modo que as pessoas pudessem alcançar graus elevados de transformação pessoal. Afinal, a ciência é a linguagem contemporânea do misticismo. Descobri que, no momento em que você começa a falar na língua da religião ou da cultura, no momento em que começa a citar tradições, você divide a plateia. Mas a ciência unifica e desmistifica o místico.

Descobri que, se eu pudesse ensinar o modelo científico de transformação (trazendo um pouco de física quântica para ajudar na compreensão da ciência da possibilidade), combinado com as informações mais recentes em neurociência, neuroendocrinologia, epigenética e psiconeuroimunologia, se conseguisse fornecer o tipo certo de instrução e proporcionar a oportunidade de aplicar essa informação, as pessoas experimentariam uma transformação. Se conseguisse fazer isso em um cenário em que eu pudesse medir a transformação no momento em que acontecia, a medição se tornaria mais informação que eu poderia usar para instruir os participantes sobre a transformação que tinham acabado de experimentar. Com essa informação, eles poderiam ter outra transformação, pois é isso o que acontece quando as pessoas começam a fechar a lacuna entre quem pensam que são e quem realmente são – criadoras divinas. Fica mais fácil continuar mudando. Chamei esse conceito de "informação para transformação", e ele se tornou minha nova paixão.

Agora ofereço um curso *on-line* intensivo de sete horas e todo ano ministro nove ou dez *workshops* progressivos presenciais de três dias em todo o mundo, além de um ou dois *workshops* avançados de cinco dias em que temos cientistas com equipamentos para medir mudanças no cérebro, na atividade cardíaca, na expressão genética e na energia em tempo real. Os resultados são impressionantes e formam a base deste livro.

Introdução

Da mente para a matéria

Os resultados incríveis que vi nos *workshops* avançados que ofereço e todos os dados científicos que surgiram me levaram à ideia do placebo – as pessoas ingerem uma pílula de açúcar ou recebem uma injeção de solução salina e então a crença em algo externo faz com que melhorem.

Comecei a me perguntar: "E se as pessoas começassem a acreditar em si, em vez de em algo externo? E se acreditassem que podem mudar algo dentro de si e se transportar para a mesma condição de alguém que utiliza um placebo? Não é isso que os participantes do nosso *workshop* têm feito para melhorar? As pessoas precisam mesmo de uma pílula ou injeção para mudar sua condição? Podemos ensinar as pessoas a realizar a mesma coisa ensinando como o placebo funciona?".

Afinal de contas, o pregador que manipula serpentes e ingere estricnina sem apresentar efeitos biológicos com certeza alterou sua condição, não é? (Você vai ler mais sobre isso no primeiro capítulo.) Então, se pudermos medir o que ocorre no cérebro e analisar todas essas informações, podemos ensinar as pessoas a fazer isso sozinhas, sem depender de algo externo – sem um placebo? Podemos ensinar que elas são o placebo? Em outras palavras, podemos convencê-las de que, em vez de investir sua crença no conhecido, como uma pílula de açúcar ou uma injeção salina, podem depositar sua crença no desconhecido e tornar o desconhecido conhecido?

Este livro aborda o seguinte: como capacitá-lo a perceber que você tem todo o aparato biológico e neurológico para fazer isso. Meu objetivo é desmistificar conceitos com a nova ciência sobre como as coisas realmente são, de modo que fique ao alcance de mais pessoas modificar seu estado interno a fim de criar mudanças positivas na saúde e no mundo externo. Se parece incrível demais para ser verdade, no final do livro, como eu já disse, você verá algo da pesquisa compilada a partir de nossos *workshops* que mostra como isso é possível.

O que este livro não aborda

Quero dedicar um momento para falar sobre algumas coisas que este livro não aborda, para esclarecer de saída equívocos potenciais. Primeiro, você não vai ler sobre a ética do uso de placebos no tratamento médico. Há muito debate sobre a questão moral de tratar um paciente que não faz parte de um teste clínico com substâncias inócuas. Embora uma discussão sobre os fins justificarem os meios possa ser válida em uma conversa mais ampla sobre placebos, esse tema é completamente alheio à mensagem que este livro pretende transmitir. *Você é o placebo* aborda como colocá-lo no assento do motorista para criar a sua mudança e não discute se é certo outras pessoas o enganarem com esse fim.

Este livro também não tem a ver com negação. Nenhum dos métodos sobre os quais você vai ler envolve negar qualquer problema de saúde que você possa ter. Muito pelo contrário, este livro é sobre transformar doenças e enfermidades. Meu interesse é medir as mudanças que as pessoas fazem quando passam da doença para a saúde. Em vez de rejeitar a realidade, *Você é o placebo* projeta o que é possível quando você adentra uma nova realidade.

Você descobrirá que *feedbacks* honestos na forma de exames médicos revelarão se o que você está fazendo está funcionando. Depois de ver os efeitos que criou, você pode prestar atenção ao que fez para chegar àquele estado e fazer de novo. Se o que você está fazendo não está funcionando, está na hora de mudar até que funcione. Isso é combinar ciência e espiritualidade. A negação ocorre quando você não olha para a realidade do que está acontecendo dentro e ao redor de você.

Este livro também não questionará a eficácia das várias modalidades de cura. Existem muitas modalidades, e muitas funcionam muito bem. Todas têm algum tipo de efeito benéfico mensurável em pelo menos algumas pessoas, mas não quero focar em uma catalogação completa neste livro. Meu objetivo é apresentar a modalidade particular que mais chamou minha atenção: a cura por intermédio apenas do pensamento. Encorajo-o a seguir usando todas e quaisquer modalidades de cura que funcionem para você – medicamentos prescritos, cirurgia, acupuntura, quiropraxia, *biofeedback*, massagem terapêutica, suplementos nutricionais, ioga, reflexologia, medicina energética, terapia de som e tudo o mais. *Você é o placebo* não pretende rejeitar nada, exceto suas limitações autoimpostas.

O que este livro contém?

Você é o placebo divide-se em duas partes.

A **Parte 1** fornece todo o conhecimento detalhado e as informações subjacentes necessárias para se entender o efeito placebo, como ele funciona no cérebro e no corpo e como criar o mesmo tipo de mudança milagrosa no próprio cérebro e corpo sozinho, apenas pelo pensamento.

O **Capítulo 1** compartilha algumas histórias incríveis que demonstram o assombroso poder da mente humana. Algumas são relatos de como pensamentos curaram pessoas; outras mostram como os pensamentos deixaram-nas doentes (e às vezes até apressaram a morte). Você vai ler sobre um homem que morreu depois de ouvir que tinha câncer, embora a autópsia tenha revelado erro de diagnóstico; uma mulher atormentada havia décadas por depressão que melhorou drasticamente durante um teste com antidepressivos, apesar de estar no grupo que recebeu um placebo; e alguns veteranos coxos por causa de osteoartrite milagrosamente curados por uma falsa cirurgia no joelho. Você lerá até mesmo algumas histórias surpreendentes sobre maldições vodus e manejo de cobras. Meu objetivo ao compartilhar essas histórias impressionantes é mostrar a ampla gama do que a mente humana é capaz de fazer sozinha, sem ajuda da medicina moderna. E espero que isso o leve a perguntar: "Como é possível?".

O **Capítulo 2** apresenta uma breve história do placebo, registrando relatos de descobertas científicas de 1770, quando um médico vienense usou ímãs para induzir o que considerava convulsões terapêuticas, até os dias de hoje, em que neurocientistas resolvem mistérios excitantes sobre as complexidades do funcionamento da mente. Você vai conhecer um médico que desenvolveu técnicas de hipnotismo depois de chegar atrasado para uma consulta e encontrar o paciente mesmerizado pela chama de uma lamparina, um cirurgião da Segunda Guerra Mundial que usou com sucesso injeções salinas como analgésico em soldados feridos quando ficou sem morfina e os primeiros pesquisadores de psiconeuroimunologia do Japão, que trocaram folhas de hera venenosa por folhas inofensivas e verificaram que o grupo de teste reagiu mais ao que disseram que estavam experimentando do que ao que realmente experimentaram.

Você também lerá sobre como Norman Cousins recuperou a saúde rindo, como o pesquisador de Harvard Herbert Benson conseguiu reduzir os fatores de risco dos pacientes cardíacos ao descobrir o funcionamento da meditação transcendental e como o neurocientista italiano Fabrizio Benedetti ministrou uma droga aos sujeitos de seu estudo, depois substituiu a droga por um placebo e observou o cérebro dos indivíduos continuar a sinalizar a produção dos mesmos neuroquímicos que a droga produzia sem interrupção. Também lerá sobre um novo estudo surpreendente, um divisor de águas, que mostra que pacientes com síndrome do intestino irritável conseguiram melhorar drasticamente dos sintomas tomando placebos, embora tivessem pleno conhecimento de que a medicação era um placebo, não uma droga ativa.

O **Capítulo 3** irá conduzi-lo pela fisiologia do que acontece no cérebro quando o efeito placebo opera. Você vai ler que em certo sentido o placebo funciona porque você pode adotar ou entreter um novo pensamento de que está bem e usá-lo para substituir o pensamento de que sempre estará doente. Isso significa que você pode mudar o pensamento de prever inconscientemente que seu futuro é o mesmo passado familiar para começar a antecipar e esperar um novo resultado potencial. Se concordar com essa ideia, você terá de examinar como pensa, o que é a mente e como essas coisas afetam o corpo.

Vou explicar como pensar os mesmos pensamentos levará às mesmas escolhas, que causam os mesmos comportamentos, que criam as mesmas experiências, que produzem as mesmas emoções, que por sua vez incitam os mesmos pensamentos, de modo que neuroquimicamente você continua o mesmo. Na verdade você fica se recordando de quem você pensa que é. Mas espere aí: você não está programado para ser o mesmo o resto da vida. Vou então explicar o conceito de neuroplasticidade e como sabemos que o cérebro é capaz de mudar ao longo de nossa vida, criando novos caminhos neurais e novas conexões.

O **Capítulo 4** entra na discussão do efeito placebo no corpo, explicando a etapa seguinte da fisiologia da resposta ao placebo. Começa com a história de um grupo de homens idosos que participam de um retiro de uma semana organizado por pesquisadores de Harvard que pedem a eles para fazer de conta que são vinte anos mais jovens. Até o fim da semana, os idosos produzem numerosas mudanças fisiológicas mensuráveis, retrocedendo o relógio de seus corpos, e você aprenderá o segredo por trás de como fizeram isso.

Para explicar o fenômeno, o capítulo também discute o que são os genes e como são sinalizados no corpo. Você vai ficar sabendo como a epigenética, uma ciência relativamente nova e excitante, basicamente incinera a antiga ideia de que seus genes são seu destino, ensinando-nos que a mente pode instruir novos genes a se comportar de novas maneiras. Você descobrirá como o corpo tem mecanismos sofisticados para ativar e desativar alguns genes, o que significa que você não está condenado a expressar os genes que herdou. Isso significa que você pode aprender a mudar sua rede neural para selecionar novos genes e criar mudanças físicas reais. Você também lerá sobre como nosso corpo acessa as células-tronco – a matéria física por trás de muitos milagres do efeito placebo – para criar novas células saudáveis em áreas danificadas.

O **Capítulo 5** une os dois capítulos anteriores, explicando como os pensamentos alteram seu cérebro e seu corpo. Começa com a pergunta: "Se o seu ambiente muda e aí você sinaliza novos genes de novas maneiras, seria possível sinalizar o novo gene antes da mudança do ambiente real?". Vou explicar então como você pode usar uma técnica chamada ensaio mental para combinar intenção clara com emoção exaltada (para dar ao corpo uma mostra da experiência futura) a fim de experimentar o novo evento futuro no momento presente.

A chave é tornar seus pensamentos internos mais reais do que o ambiente externo, porque então o cérebro não saberá a diferença entre os dois e mudará como se o evento tivesse ocorrido. Se conseguir fazer isso com sucesso por um número suficiente de vezes, você transformará seu corpo e começará a ativar novos genes de novas maneiras, produzindo mudanças epigenéticas – como se o evento futuro imaginado fosse real. E então você pode ir direto para a nova realidade e se tornar o placebo. Esse capítulo não apenas descreve a ciência por trás de como isso acontece, mas também inclui histórias de muitas figuras públicas de diferentes áreas que usaram essa técnica (tivessem ou não plena consciência do que estavam fazendo na época) para tornar realidade os sonhos mais loucos.

O **Capítulo 6**, que se concentra no conceito da sugestão, começa com a história fascinante, porém assustadora, de uma equipe de pesquisadores que começou a testar se uma pessoa comum, respeitadora das leis, mentalmente saudável e muitíssimo suscetível à hipnose poderia ser programada para fazer algo que normalmente consideraria impensável: dar um tiro em um estranho com a intenção de matar.

Você verá que as pessoas têm diferentes graus de sugestionabilidade, e, quanto mais sugestionável você for, mais apto a acessar sua mente subconsciente. Isso é fundamental para a compreensão do efeito placebo, pois a mente consciente é apenas 5% de quem somos. Os 95% restantes são um conjunto de estados subconscientes programados com os quais o corpo se tornou a mente. Você vai aprender que precisa ir além da mente analítica e entrar no sistema operacional de seus programas subconscientes se quiser que seus novos pensamentos resultem em novos resultados e alterem seu destino genético; vai aprender também que a meditação é uma ferramenta poderosa para fazer isso. O capítulo termina com uma breve discussão sobre os diferentes estados de ondas cerebrais e quais são os mais propícios para se ficar mais sugestionável.

O **Capítulo 7** esclarece como atitudes, crenças e percepções mudam seu estado de ser e criam sua personalidade – sua realidade pessoal – e como você pode mudá-los para criar uma nova realidade. Você vai ler sobre o poder que as crenças inconscientes exercem e terá a chance de identificar algumas das crenças que nutre sem perceber. Também lerá sobre como o ambiente e as memórias associativas podem sabotar sua capacidade de mudar suas crenças.

Explicarei em mais detalhes que, para mudar suas crenças e percepções, você deve combinar uma intenção clara com uma emoção exaltada, que condicione seu corpo a acreditar que o futuro potencial que você selecionou no campo quântico já aconteceu. A emoção exaltada é vital, pois apenas quando a escolha traz consigo uma amplitude de energia maior do que os programas conectados no cérebro e do que o vício emocional no corpo é que você terá condições de mudar os circuitos do cérebro e a expressão genética do corpo, bem como recondicionar o corpo para uma nova mente (apagando qualquer traço do antigo neurocircuito e do condicionamento).

No **Capítulo 8** apresentarei o universo quântico, o mundo imprevisível de matéria e energia que compõem os átomos e as moléculas de tudo no universo, que na verdade são mais energia (que parece um espaço vazio) do que matéria sólida. O modelo quântico, que afirma que todas as possibilidades existem no momento presente, é a chave para se usar o efeito placebo na cura, pois permite escolher um novo futuro para si e realmente observá-lo na realidade. Você vai entender como é possível atravessar o rio da mudança e tornar o desconhecido conhecido.

O **Capítulo 9** apresenta três pessoas de meus *workshops* que relataram alguns resultados verdadeiramente notáveis usando essas técnicas para melhorar a saúde. Primeiro você conhecerá Laurie, que aos 19 anos foi diagnosticada com uma rara doença óssea degenerativa que os médicos declararam incurável. Embora os ossos da perna e quadril esquerdos de Laurie tenham sofrido doze grandes fraturas ao longo de várias décadas, deixando-a dependente de muletas para se locomover, hoje ela caminha de modo perfeitamente normal, sem precisar nem sequer de uma bengala. Suas radiografias não mostram evidências de fraturas nos ossos.

A seguir apresentarei Candace, diagnosticada com a doença de Hashimoto – um grave problema de tireoide com inúmeras complicações – numa fase da vida em que estava ressentida e cheia de raiva. O médico de Candace disse que ela teria de usar medicação pelo resto da vida, mas ela o desmentiu quando enfim conseguiu mudar sua condição. Hoje Candace está totalmente apaixonada por sua nova vida e não toma remédios para a tireoide, que os exames de sangue mostram estar completamente normal.

Por fim você conhecerá Joann (mencionada no prefácio), mãe de cinco filhos, empresária e empreendedora bem-sucedida que muitos consideravam uma supermulher – antes de um colapso súbito e do diagnóstico de esclerose múltipla em estágio avançado. A saúde de Joann degringolou depressa, e ela acabou incapaz de mover as pernas. Quando começou a participar de meus *workshops*, fez apenas pequenas mudanças – até o dia em que a mulher que não movia as pernas havia anos caminhou pela sala sem qualquer auxílio depois de apenas uma hora de meditação.

O **Capítulo 10** compartilha mais histórias notáveis dos participantes dos *workshops*, acompanhadas de imagens do cérebro. Você conhecerá Michelle, que se curou completamente da doença de Parkinson, e John, um paraplégico que se levantou da cadeira de rodas depois de uma meditação. Você vai ler como Kathy (uma CEO que vive em ritmo frenético) aprendeu a encontrar o momento presente e como Bonnie curou-se de miomas e sangramento menstrual intenso. Por fim conhecerá Genevieve, que entrou em tamanho estado de êxtase em meditação que lágrimas de alegria escorreram por seu rosto, e Maria, cuja experiência só pode ser descrita como um orgasmo no cérebro.

Mostrarei os dados que minha equipe de cientistas coletou a partir dos exames cerebrais dessas pessoas para que você possa ver as mudanças que testemunhamos ao vivo nos *workshops*. O melhor de tudo é que esses dados provam que você não precisa ser monge, acadêmico, cientista ou líder espiritual para realizar proezas semelhantes. Você não precisa de doutorado ou diploma de médico. O pessoal deste livro é gente comum como você. Depois de ler esse capítulo, você entenderá que o que essas pessoas fizeram não é mágica, nem sequer muito milagroso; elas simplesmente aprenderam e aplicaram habilidades ensináveis. E, se praticar as mesmas habilidades, você poderá fazer alterações semelhantes.

A **Parte 2** do livro é sobre meditação. Inclui o Capítulo 11, que descreve alguns preparativos simples para a meditação e examina técnicas específicas que você considerará úteis, e o Capítulo 12, que fornece instruções passo a passo sobre como usar as técnicas de meditação que ensino em meus *workshops* – as mesmíssimas técnicas que os participantes usaram para produzir os resultados notáveis sobre os quais você leu.

Fico feliz em dizer que, embora ainda não tenhamos todas as respostas sobre como aproveitar o poder do placebo, pessoas de todos os tipos estão usando essas ideias neste momento para fazer mudanças extraordinárias em suas vidas, o tipo de mudança que muitas outras consideram praticamente impossível. As técnicas que compartilho neste livro não precisam se limitar à cura de um problema físico; também podem ser aplicadas para melhorar qualquer aspecto de sua vida. Minha esperança é que este livro também o inspire a experimentar as técnicas e possibilite o mesmo tipo de mudanças aparentemente impossíveis na sua vida.

Nota do autor: embora as histórias dos indivíduos que experimentaram a cura em meus *workshops* sejam verdadeiras, seus nomes e certos detalhes de identificação foram alterados para proteger sua privacidade.

Parte 1

Informação

Capítulo 1

Será possível?

Sam Londe, vendedor de sapatos aposentado que vivia nos arredores de St. Louis no início dos anos 1970, começou a ter dificuldade de engolir[1]. Acabou indo ao médico, que descobriu que Londe tinha câncer de esôfago metastático. Naquele tempo o câncer de esôfago metastático era considerado incurável; ninguém jamais havia sobrevivido. Era uma sentença de morte, e o médico de Londe deu a notícia em um tom adequadamente sombrio.

Para dar a Londe o máximo de tempo possível, o médico recomendou uma cirurgia para remoção do tecido canceroso no esôfago e no estômago, para onde o câncer se espalhara. Confiando no médico, Londe concordou e fez a cirurgia. Ele aguentou tão bem quanto se poderia esperar, mas as coisas logo foram de mal a pior. Um exame do fígado de Londe revelou mais notícias ruins: câncer disseminado por todo o lobo esquerdo do fígado. O médico disse que, na melhor das hipóteses, infelizmente Londe teria poucos meses de vida.

Então Londe e a nova esposa, ambos na faixa dos setenta anos, conseguiram se mudar para Nashville, a quinhentos quilômetros, onde ela tinha família. Logo após a mudança para o Tennessee, Londe foi internado no hospital e designado para Clifton Meador, especialista em medicina interna. Ao entrar no quarto de Londe pela primeira vez, o Dr. Meador encontrou um homenzinho com a barba por fazer enrolado debaixo de um monte de cobertores, parecendo quase morto. Londe foi grosseiro e pouco comunicativo; as enfermeiras explicaram que ele estava daquele jeito desde a internação, dias antes.

Embora Londe tivesse níveis elevados de glicose no sangue devido ao diabetes, o resto da química sanguínea era razoavelmente normal, exceto por níveis ligeiramente mais altos das enzimas hepáticas, o que era de se esperar em alguém com câncer no fígado. Um exame médico adicional não mostrou nada mais de errado – uma bênção, dada a situação desesperadora do paciente. Sob as ordens do novo médico, Londe fez fisioterapia a contragosto, recebeu uma dieta líquida fortificante e muitos cuidados e atenção da enfermagem. Depois de alguns dias, ficou um pouco mais forte, e a rabugice diminuiu. Ele começou a conversar com o Dr. Meador sobre sua vida.

Londe havia sido casado antes, e ele e a primeira esposa eram almas gêmeas. Não conseguiram ter filhos, mas, tirando isso, tiveram uma boa vida. Como amavam barcos, compraram uma casa junto a um grande lago artificial quando se aposentaram. Em uma madrugada, a barragem nas proximidades rebentou, e uma parede de água desabou sobre a casa e a levou de roldão. Londe sobreviveu por milagre agarrado aos destroços, mas o corpo da esposa nunca foi encontrado. "Perdi tudo o que amava", disse ele ao Dr. Meador. "Meu coração e alma se foram na enchente daquela noite."

Seis meses depois da morte da primeira esposa, ainda de luto e nas profundezas da depressão, Londe foi diagnosticado com câncer de esôfago e fez a cirurgia. Foi quando conheceu e se casou com a segunda esposa, uma mulher gentil que sabia de sua doença terminal e concordou em cuidar dele no tempo que restasse. Meses depois de se casarem, mudaram-se para Nashville, e o resto da história o Dr. Meador já sabia.

Quando Londe terminou a narrativa, o médico, impressionado com o que acabara de ouvir, perguntou em tom compassivo: "O que quer que eu faça por você?". O moribundo pensou um pouco, e por fim respondeu: "Gostaria de estar vivo no Natal para poder passá-lo com minha esposa e sua família. Eles têm sido bons para mim. Só me ajude a passar o Natal. É tudo o que quero". O Dr. Meador disse que faria o melhor que pudesse.

Ao receber alta no final de outubro, Londe estava em muito melhor forma do que ao chegar. O Dr. Meador ficou surpreso, mas satisfeito por seu paciente estar tão bem. O médico viu Londe uma vez por mês depois disso, e este parecia bem. Porém, exatamente uma semana depois do Natal (no dia de ano-novo), a esposa de Londe o levou de volta ao hospital.

O Dr. Meador ficou surpreso ao constatar que Londe parecia novamente à beira da morte. Tudo o que conseguiu encontrar foi uma febrícula e uma pneumonia leve na radiografia de tórax de Londe, embora ele não parecesse ter problemas respiratórios. Todos os exames de sangue de Londe pareciam bons, e as culturas solicitadas pelo médico voltaram negativas para qualquer outra doença. O Dr. Meador prescreveu antibióticos e colocou o paciente no oxigênio esperando o melhor, mas em 24 horas Sam Londe estava morto.

Você deve estar achando que essa é a história de um típico diagnóstico de câncer seguido da trágica morte por uma doença fatal, certo?

Não exatamente.

Uma coisa curiosa aconteceu quando o hospital realizou a autópsia de Londe. O fígado não estava tomado pelo câncer; havia apenas um pequeno nódulo no lobo esquerdo e outro ponto muito pequeno no pulmão. A verdade é que nenhum dos dois tumores era grande o suficiente para matá-lo. E a área ao redor do esôfago estava totalmente livre de doença. O exame anormal do fígado realizado no hospital de St. Louis aparentemente produziu um resultado falso positivo.

Sam Londe não morreu de câncer no esôfago, nem de câncer no fígado. Também não morreu da pneumonia leve que apresentava quando foi readmitido no hospital. Morreu simplesmente porque todos ao redor pensavam que ele estava morrendo. O médico em St. Louis pensou que Londe estivesse morrendo, e depois o Dr. Meador, em Nashville, achou que Londe estivesse morrendo.

A esposa e a família de Londe também pensaram que ele estivesse morrendo. E, mais importante, o próprio Londe achou que estivesse morrendo. É possível que Sam Londe tenha morrido só por causa do pensamento? É possível que o pensamento seja tão poderoso? Se for, esse caso é único?

Dá para ter overdose de placebo?

O estudante Fred Mason (não é o nome verdadeiro), de 26 anos de idade, ficou deprimido quando a namorada terminou com ele[2]. Viu o anúncio para o teste clínico de um novo medicamento antidepressivo e decidiu se inscrever. Ele tivera um surto de depressão quatro anos antes; na época o médico prescrevera o antidepressivo amitriptilina (Elavil), mas Mason foi forçado a interromper a medicação quando ficou excessivamente sonolento e desenvolveu dormência. Ele sentiu que a droga era forte demais para ele e agora esperava que a nova medicação tivesse menos efeitos colaterais.

Depois de cerca de um mês no estudo, Mason decidiu ligar para a ex-namorada. Os dois discutiram ao telefone, e após desligar, ele impulsivamente pegou o frasco de comprimidos do teste e engoliu os 29 que restavam, em uma tentativa de suicídio. Arrependeu-se no mesmo instante. Em desespero, saiu ventando pelo corredor do prédio, gritou por socorro e desabou no chão.

Uma vizinha ouviu o grito e o encontrou caído. Contorcendo-se, Mason disse a ela que cometera um erro terrível, que tomara todas as suas pílulas, mas não queria morrer. Pediu à vizinha para levá-lo ao hospital, e ela concordou. Mason chegou à emergência pálido e suando, com pressão arterial de 80/40 e frequência cardíaca de 140. Respirando rápido, repetia: "Não quero morrer".

Quando os médicos o examinaram, não encontraram nada errado, além da pressão arterial baixa e do pulso e respiração acelerados. Mesmo assim Mason parecia letárgico e a fala estava engrolada. A equipe médica administrou soro fisiológico, coletou amostras de sangue e urina e perguntou qual droga ele havia ingerido. Mason não conseguia lembrar o nome. Disse aos médicos que era um antidepressivo experimental. Entregou o frasco vazio, que trazia informações sobre o teste clínico impressas no rótulo, mas não o nome da droga. Não havia nada a fazer além de aguardar os resultados do laboratório, monitorar os sinais vitais para garantir que ele não piorasse e torcer para que a equipe do hospital conseguisse contatar os pesquisadores que conduziam o teste.

Quatro horas mais tarde, quando os testes de laboratório já haviam revelado resultados totalmente normais, chegou um médico participante do teste clínico da droga. Após checar o código no rótulo do frasco vazio e examinar os registros, ele anunciou que Mason estava tomando placebo e que as pílulas que engolira não continham drogas. A pressão sanguínea e o pulso de Mason voltaram ao normal milagrosamente em poucos minutos. Como que por magia, ele também não mais se mostrou excessivamente sonolento. Mason fora vítima do nocebo, uma substância inofensiva que, graças a fortes expectativas, causa efeitos nocivos.

Seria possível que os sintomas de Mason tivessem sido ocasionados unicamente por ser o que ele esperava que acontecesse ao engolir um grande número de antidepressivos? A mente de Mason, como a de Sam Londe, poderia ter tomado o controle do corpo a ponto de, guiada pelas expectativas do que parecia ser o cenário futuro mais provável, tornar o cenário real? Isso poderia acontecer mesmo significando que a mente teria de assumir o controle de funções que normalmente não estão sob controle consciente? Caso isso seja possível, e seja verdade que nossos pensamentos podem nos deixar doentes, será que também temos a capacidade de usar os pensamentos para ficar bem?

O sumiço mágico da depressão crônica

Janis Schonfeld, uma *designer* de interiores de 46 anos, esposa e mãe, residente na Califórnia, sofria de depressão desde a adolescência. Nunca procurara ajuda para a doença até ver um anúncio de jornal em 1997. O Instituto de Neuropsiquiatria da UCLA buscava voluntários para testar um novo antidepressivo chamado venlafaxina (Effexor). Schonfeld, cuja depressão havia escalado ao ponto de ela pensar em suicídio, entusiasmou-se com a oportunidade de participar do teste.

Na primeira ida ao instituto, um técnico ligou Schonfeld a um eletroencefalógrafo (EEG) para monitorar e registrar sua atividade cerebral por cerca de 45 minutos; não muito depois, ela foi embora com um frasco de comprimidos da farmácia do hospital. Schonfeld sabia que cerca de metade do grupo de 51 indivíduos receberia a droga e metade receberia um placebo, embora nem ela nem os médicos que conduziam o estudo tivessem ideia do grupo ao qual ela havia sido designada aleatoriamente. Na verdade, ninguém saberia até que o estudo terminasse. Para Schonfeld, àquela altura pouco importava. Após décadas lutando contra a depressão clínica, uma condição que às vezes fazia com que explodisse em lágrimas súbitas e sem motivo aparente, ela estava animada e esperançosa porque enfim poderia estar recebendo ajuda.

Schonfeld concordou em retornar uma vez por semana durante as oito semanas do estudo. Em todas as ocasiões respondeu perguntas sobre como estava se sentindo e várias vezes fez novos EEGs. Não muito tempo depois de começar a tomar os remédios, Schonfeld começou a se sentir drasticamente melhor pela primeira vez na vida. Ironicamente, também se sentiu nauseada, mas foi bom, pois ela sabia que náusea era um dos efeitos colaterais comuns da droga testada. Pensou que sem dúvida tinha recebido a droga ativa, já que a depressão estava recuando e ela estava experimentando efeitos colaterais. Até mesmo a enfermeira com quem ela falava toda semana ficou convencida de que Schonfeld estivesse recebendo a medicação, por causa das mudanças que experimentava.

Encerrado o estudo de oito semanas, um dos pesquisadores enfim revelou a verdade chocante: Schonfeld, que já não era suicida e sentia-se uma nova pessoa depois de tomar as pílulas, estava no grupo do placebo. Schonfeld ficou chocada. Teve certeza de que o médico cometera um erro. Simplesmente não acreditava que pudesse ter se sentido tão melhor depois de tantos anos de depressão sufocante só por tomar um frasco de pílulas de açúcar. E até sofrera os efeitos colaterais! Tinha de haver algum engano.

Ela pediu ao médico para verificar os registros de novo. Ele riu alegremente e assegurou que o frasco que Schonfeld levara para casa, o frasco que lhe devolvera a vida, de fato nada continha além de pílulas de placebo. Com Schonfeld sentada ali em choque, o médico frisou que, só porque não havia recebido qualquer medicação real, não significava que ela estivera imaginando a depressão ou a melhora; significava apenas que o que quer que a tivesse feito se sentir melhor não se devia ao Effexor.

Schonfeld não foi a única: os resultados do estudo logo mostraram que 38% do grupo do placebo se sentiu melhor, contra 52% do grupo que tomou Effexor. Porém, quando o resto dos dados foi divulgado, foi a vez de os pesquisadores ficarem surpresos: pacientes como Schonfeld, que havia melhorado com o placebo, não haviam imaginado se sentir melhor; eles realmente haviam modificado os padrões das ondas cerebrais. Os registros dos EEGs realizados meticulosamente ao longo do estudo mostraram um aumento significativo na atividade do córtex pré-frontal, que em pacientes deprimidos costuma ter uma atividade muito baixa[3].

Assim, o efeito placebo não estava alterando apenas a mente de Schonfeld, também estava provocando mudanças físicas em sua biologia. Em outras palavras, não era apenas na mente; era no cérebro dela. Ela não estava apenas se sentindo bem – ela estava bem. Schonfeld tinha um cérebro diferente ao final do estudo sem tomar nenhuma droga ou fazer algo diferente. Foi sua mente que mudou seu corpo. Mais de uma década depois, Schonfeld ainda se sentia muito melhor.

Como é possível uma pílula de açúcar não só dissipar os sintomas de uma depressão profundamente enraizada, mas também causar efeitos colaterais legítimos, como náusea? E o que significa dizer que uma substância inerte de fato tem o poder de alterar a forma como as ondas cerebrais disparam, aumentando a atividade bem na parte do cérebro mais afetada pela depressão? A mente subjetiva pode mesmo criar esse tipo de mudança fisiológica objetiva e mensurável? O que se passa na mente e no corpo que permite a um placebo imitar com tanta perfeição uma droga real? O mesmo efeito fenomenal de cura poderia ocorrer não apenas com doença mental crônica, mas também em uma enfermidade com risco de morte, como câncer?

Uma cura "milagrosa" que ora acontece, ora não acontece

Em 1957, o psicólogo da UCLA Bruno Klopfer publicou um artigo revisado por especialistas do periódico contando a história de um homem a quem se referia como "Sr. Wright", que apresentava linfoma (câncer das glândulas linfáticas) avançado[4]. O paciente tinha tumores enormes, alguns do tamanho de uma laranja, no pescoço, virilha e axilas, e o câncer não respondia aos tratamentos convencionais. Estava acamado havia semanas, "febril, arquejante, completamente prostrado". Seu médico, Philip West, havia perdido a esperança – mas Wright, não.

Quando descobriu que o hospital onde se tratava (em Long Beach, Califórnia) por acaso era um dos dez hospitais e centros de pesquisa do país que estavam avaliando uma droga experimental chamada Krebiozen, extraída do sangue de cavalos, Wright ficou muito empolgado. Infernizou o Dr. West implacavelmente por dias até o médico concordar em ministrar o novo remédio (embora Wright oficialmente não pudesse participar do teste, que exigia que os pacientes tivessem expectativa de vida de no mínimo três meses).

Wright recebeu a injeção de Krebiozen numa sexta-feira e na segunda-feira estava caminhando por lá, rindo e brincando com as enfermeiras, agindo como um novo homem. West relatou que os tumores "derreteram-se como bolas de neve em um fogão quente". Em três dias, os tumores tinham metade do tamanho original. Depois de mais dez dias, Wright foi mandado para casa. Estava curado. Parecia um milagre.

Dois meses depois, contudo, os meios de comunicação informaram que os dez experimentos demonstraram que Krebiozen era um fracasso. Ao ler as notícias, ter pleno conhecimento dos resultados e adotar o pensamento de que a droga era inútil, Wright sofreu uma recaída imediata, com o retorno dos tumores. O Dr. West suspeitou que a reação positiva inicial de Wright se devesse ao efeito placebo; sabendo que o paciente era terminal, concluiu que ele, como médico, tinha pouco a perder – e Wright tinha tudo a ganhar – testando a teoria. Assim, o médico disse a Wright para não acreditar nas reportagens do jornal e que a recidiva ocorrera porque o Krebiozen dado a ele fazia parte de um lote ruim. O que o Dr. West chamou de "uma nova versão, superaprimorada, duas vezes mais potente" da droga estava a caminho do hospital, e Wright poderia recebê-la assim que chegasse.

Antevendo a cura, Wright ficou exultante e dias depois recebeu a injeção. Dessa vez a seringa usada pelo Dr. West não continha droga, experimental ou não. A seringa foi enchida apenas com água destilada. Mais uma vez, os tumores de Wright desapareceram magicamente. Ele voltou para casa feliz da vida e se manteve bem por mais dois meses, livre de tumores.

Então a Associação Médica Americana anunciou que o Krebiozen era de fato inútil. O meio médico havia sido enganado. A "droga milagrosa" revelou-se uma farsa, nada além de óleo mineral contendo um aminoácido simples. Os fabricantes acabaram indiciados. Ao ouvir as notícias, Wright teve a derradeira recidiva – não mais acreditando na possibilidade da saúde. Voltou para o hospital sem esperança e dois dias depois estava morto.

É possível que de alguma forma Wright tenha mudado seu estado de ser em questão de dias, não uma, mas duas vezes, para o de um homem que não tinha câncer? Seu corpo respondera de modo automático a uma nova mente? E poderia ter retornado à condição de homem com câncer ao ouvir que a droga fora considerada inútil, com seu corpo criando exatamente a mesma química e retornando à condição doente habitual? Será possível alcançar um novo estado bioquímico não só quando se toma uma pílula ou uma injeção, mas também quando se passa por algo tão invasivo quanto uma cirurgia?

A cirurgia de joelho que nunca aconteceu

Em 1996, o cirurgião ortopédico Bruce Moseley, da Faculdade de Medicina Baylor, um dos maiores especialistas em medicina esportiva ortopédica de Houston, publicou um estudo baseado em experimento com dez voluntários, homens que haviam servido nas Forças Armadas e sofriam de osteoartrite no joelho[5]. Devido à gravidade do quadro, muitos mancavam de modo perceptível, caminhavam com bengala ou precisavam de algum tipo de auxílio para se locomover.

O estudo foi projetado para examinar a artroscopia, cirurgia popular em que o paciente recebe anestesia antes de ser feita uma pequena incisão para inserir o instrumento de fibra ótica chamado artroscópio, utilizado pelo cirurgião para dar uma boa olhada na articulação. Na cirurgia, o médico raspa e limpa a articulação para remover quaisquer fragmentos de cartilagem deteriorada que possam ser motivo de inflamação e dor. Naquela época, cerca de 750 mil de um milhão de pacientes faziam essa cirurgia todos os anos.

No estudo do Dr. Moseley, dois dos dez homens deveriam fazer a cirurgia padrão, chamada desbridamento (em que o cirurgião raspa fibras da cartilagem da articulação do joelho); três deveriam fazer um procedimento chamado lavagem (em que água pressurizada é injetada através da articulação do joelho, enxaguando e removendo o material artrítico deteriorado), e cinco seriam submetidos a uma cirurgia simulada, na qual o Dr. Moseley cortaria a pele habilmente com um bisturi e suturaria sem realizar nenhum procedimento médico. Para esses cinco homens não haveria artroscópio, nem raspagem da articulação, nem remoção de fragmentos ósseos, nem lavagem; apenas uma incisão e pontos.

O início dos dez procedimentos foi exatamente igual: o paciente foi levado para a sala de cirurgia e recebeu anestesia geral enquanto o Dr. Moseley lavava as mãos. Quando o cirurgião entrava no recinto da operação, encontrava um envelope lacrado informando para qual dos três grupos o paciente na mesa fora designado aleatoriamente. O Dr. Moseley não fazia ideia do que o envelope continha até abri-lo.

Após a cirurgia, os dez pacientes do estudo relataram maior mobilidade e menos dor. Na verdade, os homens submetidos à pretensa cirurgia ficaram tão bem quanto aqueles que fizeram o desbridamento ou a lavagem. Não houve diferença nos resultados – nem mesmo depois de seis meses. Passados seis anos, dois dos homens que sofreram a cirurgia placebo relataram que ainda caminhavam normalmente, sem dor, e tinham maior amplitude de movimento[6]. Disseram conseguir realizar atividades cotidianas que não eram capazes de fazer antes da cirurgia, seis anos antes. Os homens sentiam como se tivessem recuperado suas vidas.

Fascinado pelos resultados, o Dr. Moseley publicou outro estudo em 2002 envolvendo 180 pacientes acompanhados por dois anos após as cirurgias[7]. De novo os três grupos melhoraram, com os pacientes começando a andar sem dor nem claudicação logo após a cirurgia. E mais uma vez nenhum dos dois grupos que realmente fizeram cirurgias melhorou mais do que os pacientes da cirurgia placebo, e isso se manteve mesmo depois de dois anos.

É possível que esses pacientes tenham melhorado simplesmente porque tinham fé e crença no poder de cura do cirurgião, do hospital e até mesmo da sala de cirurgia moderna e reluzente? De alguma forma imaginaram uma vida com um joelho totalmente curado, simplesmente se renderam àquele resultado possível e literalmente caminharam ao encontro dele? Será que o Dr. Moseley não passa de um feiticeiro moderno em um jaleco branco? Será possível atingir o mesmo grau de cura diante de algo mais ameaçador, quem sabe algo tão sério quanto uma cirurgia cardíaca?

A cirurgia cardíaca que não houve

No final da década de 1950, dois grupos de pesquisadores realizaram estudos comparando a cirurgia padrão da época para angina com um placebo[8]. Isso foi bem antes da cirurgia de revascularização do miocárdio, a mais usada atualmente. Naquele tempo, a maioria dos pacientes cardíacos passava por um procedimento conhecido como ligação mamária interna, que consistia em expor as artérias danificadas e atá-las. Pensava-se que, ao fazer esse bloqueio, o corpo era forçado a criar novos canais vasculares, aumentando o fluxo sanguíneo para o coração. A cirurgia era extremamente bem-sucedida na grande maioria dos pacientes que a faziam, embora os médicos não tivessem provas sólidas de que novos vasos sanguíneos fossem realmente criados – daí a motivação para os estudos.

Os grupos de pesquisadores, um em Kansas City e outro em Seattle, seguiram o mesmo procedimento, dividindo os sujeitos em dois grupos. Um foi submetido à ligação mamária interna padrão; o outro, a uma operação simulada na qual os cirurgiões fizeram as mesmas pequenas incisões no peito dos pacientes, expondo as artérias, mas depois suturaram sem fazer mais nada.

Os resultados de ambos os estudos foram notavelmente semelhantes: 67% dos pacientes submetidos à cirurgia real sentiram menos dor e precisaram de menos medicação, e 83% daqueles que fizeram a cirurgia simulada tiveram o mesmo tipo de melhora. Ou seja, a cirurgia placebo funcionou melhor que a cirurgia real.

Será que de alguma forma os pacientes que fizeram a cirurgia simulada acreditavam tanto que ficariam melhores que de fato conseguiram melhorar por nada mais do que manter a expectativa de melhora? Se isso é possível, o que sugere a respeito dos efeitos de nossos pensamentos cotidianos, positivos ou negativos, sobre nosso corpo e nossa saúde?

Atitude é tudo

Existem agora pesquisas em profusão para mostrar que nossa atitude afeta mesmo a nossa saúde, incluindo a duração de nossa vida. A Clínica Mayo, por exemplo, publicou em 2002 um estudo que acompanhou 447 pessoas por mais de trinta anos, mostrando que os otimistas eram física e mentalmente mais saudáveis[9]. "Otimista" significa "melhor", sugerindo que aquele pessoal concentrava a atenção no melhor cenário futuro. Em termos específicos, os otimistas tinham menos problemas em atividades diárias como resultado da saúde física ou do estado emocional, experimentavam menos dor, sentiam-se mais energizados, tinham uma melhor experiência em atividades sociais e se sentiam mais felizes, mais calmos e pacíficos na maior parte do tempo. Isso veio logo após outro estudo da Clínica Mayo que acompanhou mais de oitocentas pessoas durante trinta anos, mostrando que os otimistas viviam mais do que os pessimistas[10].

Pesquisadores de Yale acompanharam 660 pessoas com 50 anos de idade ou mais por até 23 anos, descobrindo que aquelas com atitude positiva a respeito do envelhecimento viviam mais de sete anos além do que aquelas que tinham visão mais negativa sobre a velhice[11]. A atitude tinha mais influência na longevidade do que a pressão arterial, os níveis de colesterol, tabagismo, peso corporal ou quantidade de exercício.

Estudos adicionais analisaram de modo mais específico a saúde do coração e a atitude. Na mesma época, um estudo da Universidade de Duke com 866 pacientes cardíacos relatou que aqueles que rotineiramente sentiam mais emoções positivas tinham chance 20% maior de estar vivos dali a onze anos do que aqueles que habitualmente experimentavam mais emoções negativas[12]. Ainda mais impressionantes foram os resultados de um estudo com 255 alunos da Faculdade de Medicina da Geórgia acompanhados por 25 anos: aqueles que eram mais hostis tiveram incidência cinco vezes maior de doença cardíaca coronária[13].

Um estudo da Universidade Johns Hopkins apresentado nas Sessões Científicas da Associação Americana do Coração em 2001 mostrou que uma perspectiva positiva pode oferecer maior proteção contra doenças cardíacas em adultos com histórico familiar de risco[14]. Esse estudo sugere que ter a atitude certa pode funcionar tão bem quanto ou melhor do que ingerir a dieta adequada, praticar a quantidade certa de exercícios e manter o peso corporal ideal.

Como é que nossa mentalidade cotidiana – sejamos nós em geral mais alegres e amorosos ou mais hostis e negativos – pode ajudar a determinar a duração de nossa vida? Será possível mudar nossa atual mentalidade? Em caso afirmativo, ter uma nova mentalidade poderia anular a forma como nossa mente foi condicionada por experiências passadas? E será que esperar que algo negativo se repita pode realmente ajudar a ocasionar a coisa?

Náusea diante da agulha

De acordo com o Instituto Nacional do Câncer, uma condição chamada de náusea antecipatória ocorre em cerca de 29% dos pacientes submetidos a quimioterapia quando expostos a odores e visões que lembram o tratamento[15]. Cerca de 11% sentem-se tão enjoados antes do tratamento que de fato vomitam. Alguns pacientes com câncer começam a sentir náuseas no carro a caminho da quimioterapia, antes mesmo de entrar no hospital, enquanto outros vomitam na sala de espera.

Um estudo de 2001 do Centro de Câncer da Universidade de Rochester publicado no *Journal of Pain and Symptom Management* concluiu que a expectativa de náusea era o mais forte indício de que os pacientes a experimentariam[16]. Os dados dos pesquisadores revelaram que 40% dos pacientes de quimioterapia que pensavam que iriam enjoar – porque os médicos diziam que provavelmente teriam enjoo após o tratamento – desenvolveram náusea antes de o tratamento sequer ser administrado. Outros 13% que disseram não ter certeza do que esperar também ficaram nauseados. No entanto, nenhum paciente que não esperava enjoar teve náusea.

Como é que algumas pessoas ficam tão convencidas de que terão náusea com drogas quimioterápicas que enjoam antes mesmo de qualquer medicamento ser administrado? É possível que o poder de seus pensamentos seja o que as deixa nauseadas? Caso isso seja verdade em 40% dos pacientes de quimioterapia, poderia também ser verdade que 40% das pessoas conseguiriam melhorar fácil e simplesmente mudando os pensamentos sobre o que esperar da saúde ou do dia? Um único pensamento que uma pessoa aceitasse também poderia deixar essa pessoa melhor?

Dificuldades digestivas desaparecem

Não faz muito tempo, eu estava prestes a desembarcar de um avião em Austin quando conheci uma mulher que estava lendo um livro que chamou minha atenção. Estávamos de pé, aguardando o desembarque, e vi o livro saindo de sua bolsa; o título trazia a palavra "crença". Sorrimos um para o outro e perguntei sobre o que era o livro. "Cristianismo e fé", respondeu ela. "Por que pergunta?" Eu disse que estava escrevendo um novo livro sobre o efeito placebo que tinha tudo a ver com crença.

"Quero lhe contar uma história", disse ela. E me contou que anos antes havia sido diagnosticada com intolerância ao glúten, doença celíaca, colite e uma série de outros males, e sofria de dor crônica. Ela leu sobre as doenças e foi a vários profissionais de saúde em busca de conselhos. Eles recomendaram evitar certos alimentos e tomar certos remédios, o que ela fez, mas ainda sentia dores por todo o corpo. Também não conseguia dormir, tinha erupções cutâneas, distúrbios digestivos graves, sofria toda uma lista de outros sintomas desagradáveis. Anos depois, foi a um novo médico, que decidiu fazer alguns exames de sangue. Todos os resultados foram negativos.

"No dia em que descobri que eu era normal e que não havia nada de errado comigo, pensei 'Estou bem', e todos os sintomas desapareceram. Na mesma hora me senti ótima e pude comer o que queria", disse ela, enfática. Sorrindo, acrescentou: "Acredita nisso?".

Se é verdade que obter novas informações que levam a uma guinada de 180 graus no que acreditamos sobre nós mesmos pode fazer com que nossos sintomas desapareçam, o que se passa em nosso corpo que apoia os sintomas e faz com que apareçam? Qual a exata relação entre mente e corpo? Será possível que novas crenças realmente alterem nosso cérebro e química corporal, religuem fisicamente o circuito neurológico de quem pensamos que somos e modifiquem nossa expressão genética? Poderíamos de fato nos tornar pessoas diferentes?

Parkinson versus placebo

A doença de Parkinson é um distúrbio neurológico marcado pela degeneração gradual das células nervosas na porção do mesencéfalo chamada gânglios de base, que controla os movimentos do corpo. O cérebro dos portadores dessa doença desoladora não produz quantidade suficiente do neurotransmissor dopamina, necessário para o funcionamento adequado dos gânglios da base. Os primeiros sintomas de Parkinson, hoje considerada uma doença incurável, incluem problemas motores como rigidez muscular, tremores e alterações nos padrões de marcha e fala que passam por cima do controle voluntário.

Em um estudo, um grupo de pesquisadores da Universidade da Colúmbia Britânica em Vancouver informou a um grupo de pacientes com Parkinson que receberiam um medicamento que melhoraria significativamente seus sintomas[17]. Na realidade, os pacientes receberam um placebo, nada mais do que uma injeção salina. Mesmo assim, metade deles manifestou controle motor muito melhor depois de tomar a injeção.

Os pesquisadores então examinaram o cérebro dos pacientes para ter uma ideia melhor do que havia acontecido e descobriram que as pessoas que responderam positivamente ao placebo estavam produzindo dopamina em quantidade até 200% maior do que antes. Para obter efeito equivalente com uma droga, seria preciso administrar cerca de uma dose completa de anfetamina, substância que estimula o humor e também aumenta a dopamina. Parece que a mera expectativa de melhorar desencadeou um poder antes inexplorado nos pacientes com Parkinson, o que deflagrou a produção de dopamina, exatamente o que precisavam para melhorar.

Se isso é verdade, qual é o processo pelo qual o simples pensamento pode produzir dopamina no cérebro? Um novo estado interno, causado pela combinação de intenção clara e estado emocional exaltado, poderia realmente nos tornar invencíveis em certas situações, ativando nosso depósito interno de produtos farmacêuticos e anulando as circunstâncias genéticas de doença que outrora considerávamos fora de nosso controle consciente?

Às voltas com cobras mortais e estricnina

Em algumas localidades nos Apalaches existem focos de um ritual religioso centenário conhecido como manejo de cobras ou "pegar serpentes"[18]. Embora a Virgínia Ocidental seja o único estado onde a prática ainda é legal, isso não detém os fiéis, e é sabido que a polícia de outros estados fecha os olhos para o fato.

Nessas igrejinhas modestas, quando as congregações se reúnem para o culto, o pregador chega carregando uma ou mais caixas de madeira em formato de pasta, fechadas, com portas articuladas de plástico transparente e furinhos para ventilação, e cuidadosamente deposita as embalagens na plataforma diante do santuário ou sala de reunião, perto do púlpito. Em seguida começa a música ao vivo, uma mistura energética de melodias de *country* e *bluegrass* com letras profundamente religiosas sobre a salvação e o amor de Jesus. Os músicos soltam os lamentos em teclados, guitarras e até baterias de causar inveja a qualquer banda adolescente; os paroquianos sacodem pandeiros enquanto o espírito os inflama.

À medida que a energia se intensifica, o pregador pode acender uma chama em um recipiente em cima do púlpito e manter a mão sobre ela, permitindo que as línguas de fogo rocem a palma estendida antes de pegar o recipiente para passar a chama lentamente sobre os antebraços nus. Ele está só no "aquecimento". Os congregados logo começam a se balançar e colocar as mãos uns sobre os outros, falando em línguas estranhas e pulando para cima e para baixo, dançando ao ritmo da música em louvor ao seu salvador. São tomados pelo espírito, o que chamam de "ser ungido".

Então é hora de o pregador abrir uma das caixas, meter a mão lá dentro e tirar uma cobra mortal – em geral cascavel, boca-de-algodão ou cabeça-de-cobre. Ele também dança e transpira enquanto segura a serpente pela metade do corpo desta; a cabeça da cobra fica assustadoramente perto da cabeça e da garganta do pregador. Ele pode erguer a cobra no ar antes de trazê-la de volta para perto de si, dançando o tempo todo, enquanto a serpente enrola a sua metade inferior em torno do braço do homem e ondula livremente a sua metade superior no ar.

A seguir o pregador pode pegar uma segunda e até uma terceira cobra das outras caixas de madeira; os homens e mulheres da congregação podem juntar-se a ele no manuseio das serpentes ao sentirem a unção sobre si. Em alguns serviços, o pregador pode até mesmo ingerir veneno, como estricnina, sem sofrer qualquer efeito nocivo.

Embora os manipuladores de serpentes às vezes sejam picados, isso não acontece com frequência, considerando os milhares de serviços nos quais crentes febris metem a mão dentro daquelas caixas de madeira sem um pingo de dúvida ou medo. Mesmo quando são picados, nem sempre morrem – ainda que não corram para o hospital, preferindo que a congregação se junte a eles em prece.

Por que essas pessoas não são picadas com mais frequência? E por que não há mais mortes quando picadas? Como conseguem entrar em um estado mental em que não têm medo de criaturas venenosas de picada sabidamente mortal e como esse estado mental pode protegê-las?

Existem ainda demonstrações de força extrema em situações de emergência, conhecida como "força histérica". Em abril de 2013, por exemplo, Hannah Smith, de 16 anos, e sua irmã Haylee, de 14 anos, de Lebanon, no Oregon, levantaram um trator de 1.300 quilos para libertar o pai, Jeff Smith, preso embaixo do veículo[19]. E os *firewalkers* – sejam de tribos indígenas em rituais sagrados, sejam ocidentais em *workshops* – que caminham sobre brasas ardentes? Ou até mesmo artistas de circo ou dançarinos javaneses em transe que se sentem impelidos a mastigar e engolir vidro (um distúrbio conhecido como hialofagia)?

Como essas façanhas aparentemente sobre-humanas são possíveis? Será que têm algo essencial em comum? Será que, no auge de sua crença inabalável, essas pessoas de alguma forma modificam seu corpo de tal modo que se tornam imunes ao ambiente? Será que a crença ferrenha que empodera os manipuladores de cobras e os caminhantes do fogo também provoca o contrário, fazendo-nos causar mal a nós mesmos – e até mesmo morrer – sem que tenhamos consciência do que estamos fazendo?

Vitória sobre o vodu

Em 1938, na zona rural do Tennessee, um homem de 60 anos de idade passou quatro meses ficando cada vez mais doente, até que a esposa o levou a um hospital de quinze leitos na periferia da cidade[20]. Àquela altura, Vance Vanders (nome fictício) tinha perdido mais de vinte quilos e parecia à beira da morte. O médico, Drayton Doherty, suspeitou que Vanders tivesse tuberculose ou possivelmente câncer, mas repetidos testes e raios X deram negativos. O exame físico não mostrou nada que pudesse estar causando a moléstia de Vanders.

O paciente se recusava a comer, então foi colocada uma sonda alimentar, mas ele teimosamente vomitava tudo o que era dado via sonda. Vanders continuou piorando, insistindo na convicção de que iria morrer; por fim mal conseguia falar. O óbito parecia próximo, embora o Dr. Doherty ainda não tivesse ideia de qual o problema do homem.

Transtornada, a esposa de Vanders pediu para falar com o Dr. Doherty em particular e, fazendo-o jurar segredo, contou que o problema do marido era ser vítima de vodu. Parece que Vanders, que vivia em uma comunidade onde o vodu era uma prática comum, tivera uma discussão com um sacerdote da religião. O sacerdote convocara Vanders ao cemitério tarde da noite, onde lançara um feitiço acenando uma garrafa de líquido fedorento na cara de Vanders. O sacerdote havia dito que Vanders morreria em breve e ninguém poderia salvá-lo. Era isso. Vanders ficou convencido de que seus dias estavam contados, ou seja, acreditou em uma nova e funesta realidade. Derrotado, voltou para casa e dali em diante se recusou a comer. A esposa acabou levando-o para o hospital.

Depois que o Dr. Doherty ouviu a história toda, concebeu um plano pouco ortodoxo para tratar o paciente. De manhã, convocou a família de Vanders à cabeceira do doente e disse que já sabia como curá-lo. A família ouviu atentamente enquanto o Dr. Doherty desfiava sua fabulação. Ele contou que na noite anterior tinha ido ao cemitério, depois de passar uma conversa no sacerdote de vodu para que se encontrasse com ele e revelasse como havia enfeitiçado Vanders. Não tinha sido fácil, ressaltou Doherty. O sacerdote não queria cooperar, é claro, mas acabou cedendo quando o Dr. Doherty o imprensou contra uma árvore e o esganou.

O Dr. Doherty disse que o sacerdote confessou ter esfregado uns ovos de lagarto na pele de Vanders; os ovos foram parar no estômago e lá chocaram. A maioria dos lagartos havia morrido, mas um grande sobrevivera e agora estava comendo o corpo de Vanders por dentro. O médico anunciou que tudo o que tinha de fazer era remover o lagarto do corpo de Vanders, e o homem ficaria curado.

A seguir chamou a enfermeira, que chegou solenemente, trazendo uma grande seringa cheia do que o Dr. Doherty afirmou ser um remédio poderoso. A seringa estava cheia era de uma droga que provocava vômito. O Dr. Doherty inspecionou a seringa com cuidado para se certificar de que estava funcionando direito e depois injetou cerimoniosamente o fluido no paciente assustado. Saiu do quarto pomposamente, sem dizer mais uma palavra à família atordoada.

Não demorou muito para o paciente começar a vomitar. A enfermeira alcançou uma bacia; Vanders arquejou, gemeu e vomitou por um tempo. Quando o Dr. Doherty julgou que o vômito estivesse no fim, reentrou no quarto confiante. Aproximando-se da cabeceira, enfiou a mão na maleta preta de médico e pegou um lagarto verde, escondendo-o na palma da mão sem ninguém perceber. Então, quando Vanders vomitou de novo, largou o réptil dentro da bacia.

"Olhe, Vance!", gritou o médico na hora, no tom mais dramático possível. "Veja o que saiu! Você está curado! A maldição do vodu foi levantada!" O quarto ficou um rebuliço. Alguns membros da família tombaram no chão a gemer.

Vanders saltou para longe da bacia, zonzo e de olhos esbugalhados. Em questão de minutos, caiu em sono profundo por mais de doze horas. Quando enfim acordou, estava faminto; comeu tanto e com tamanha avidez que o médico temeu que seu estômago explodisse.

Dentro de uma semana, o paciente havia recuperado todo o peso e vigor. Deixou o hospital bem e viveu pelo menos mais dez anos.

Seria possível um homem se encolher num canto e morrer simplesmente por pensar que tinha sido enfeitiçado? O feiticeiro contemporâneo, adornado com um estetoscópio e segurando um receituário, fala conosco com a mesma convicção que o sacerdote de vodu falou com Vanders – e será que nossa crença é a mesma? Se for verdade que uma pessoa pode em algum nível decidir morrer, então será também verdade que uma pessoa com uma doença terminal pode tomar a decisão de viver? Uma pessoa pode mudar seu estado interno de modo permanente – abandonando a identidade de vítima de câncer ou de artrite, de paciente com doença cardíaca ou Parkinson – e simplesmente entrar em um corpo saudável com a mesma facilidade que tira um conjunto de roupas e veste outro? Nos próximos capítulos, vamos explorar o que é realmente possível e como isso se aplica a você.

Capítulo 2

Uma breve história do placebo

Como diz o ditado, tempos desesperados exigem medidas desesperadas. O cirurgião americano Henry Beecher, formado em Harvard, estava servindo na Segunda Guerra Mundial e ficou sem morfina. No final da guerra, a morfina era escassa nos hospitais militares de campanha, de modo que a situação não era incomum. Naquela ocasião, Beecher estava prestes a operar um soldado gravemente ferido. Ele temia que, sem um analgésico, o soldado pudesse entrar em choque cardiovascular fatal. O que aconteceu em seguida o surpreendeu.

Sem titubear, uma enfermeira encheu uma seringa com solução salina e a aplicou no soldado como se estivesse injetando morfina. O soldado se acalmou na hora. Reagiu como se tivesse realmente recebido a droga e não apenas um esguicho de água salgada. Beecher seguiu em frente com a operação, cortando a carne do soldado, fazendo os reparos necessários e suturando, tudo sem anestesia. O soldado sentiu pouca dor e não entrou em choque. Como podia a água salgada substituir a morfina, indagou-se Beecher.

Depois daquele sucesso espantoso, sempre que o hospital de campanha ficava sem morfina, Beecher fazia a mesma coisa: injetava soro fisiológico como se fosse morfina. A experiência convenceu-o do poder do placebo, e, quando retornou aos Estados Unidos depois da guerra, começou a estudar o fenômeno.

Em 1955, Beecher fez história ao escrever uma revisão clínica de quinze estudos publicados pelo *Journal of American Medical Association* que não apenas discutiu a enorme importância dos placebos, como também exigiu um novo modelo de pesquisa médica que atribuísse aleatoriamente ativos e placebos aos sujeitos – no que agora nos referimos como ensaios controlados e randomizados – para que o poderoso efeito placebo não distorcesse os resultados[21].

A ideia de que podemos alterar a realidade física unicamente por meio de pensamento, crença e expectativa (quer estejamos ou não plenamente conscientes do que estamos fazendo) com certeza não surgiu naquele hospital de campanha da Segunda Guerra Mundial. A Bíblia está cheia de histórias de curas milagrosas, e mesmo nos tempos atuais as pessoas se dirigem regularmente a lugares como Lourdes, no sul da França (onde uma camponesa de 14 anos chamada Bernadette teve uma visão da Virgem Maria em 1858), deixando para trás muletas, correias e cadeiras de rodas como prova de que foram curadas. Milagres semelhantes também são relatados em Fátima, Portugal (onde três pastorzinhos viram uma aparição da Virgem em 1917), e a respeito de uma estátua itinerante de Maria esculpida para o trigésimo aniversário da aparição. A estátua, que foi abençoada pelo papa Pio XII antes de ser enviada em viagem pelo mundo, baseou-se na descrição da criança mais velha, que na época já se tornara freira.

A cura pela fé por certo não se restringe à tradição cristã. O falecido guru indiano Sathya Sai Baba, considerado um *avatar* (a manifestação de uma divindade) pelos seguidores, era conhecido por manifestar cinzas sagradas, chamadas *vibhuti*, na palma das mãos. Dizem que essa cinza fina tem o poder de curar muitos males físicos, mentais e espirituais quando ingerida ou aplicada na pele como pomada. Dizem que os lamas tibetanos também têm poderes de cura, usando o hálito, soprando nos doentes. Até reis franceses e ingleses entre os séculos 4 e 9 usavam a imposição de mãos para curar súditos. O rei Carlos II da Inglaterra ficou conhecido por ser particularmente adepto disso, realizando a prática cerca de cem mil vezes.

O que causa esses chamados eventos milagrosos, seja o instrumento de cura a fé em uma divindade, seja a crença nos poderes extraordinários de uma pessoa, de um objeto ou mesmo de um lugar considerado sagrado ou santo? Qual é o processo pelo qual a fé e a crença podem produzir efeitos tão profundos? Será que o fato de atribuirmos significado a um ritual – seja rezar um rosário, esfregar uma pitada de cinzas na pele, seja tomar um novo remédio milagroso prescrito por um médico de confiança – pode desempenhar um papel no fenômeno do placebo? E se o estado mental das pessoas que recebem essas curas fosse influenciado ou alterado pelas condições no ambiente externo (uma pessoa, local ou coisa naquele momento) a tal ponto que o novo estado mental pudesse efetuar alterações físicas reais?

Do magnetismo ao hipnotismo

Na década de 1770, o médico vienense Franz Anton Mesmer fez grande fama ao desenvolver e demonstrar o que foi considerado um modelo médico de cura milagrosa. Expandindo a ideia de Sir Isaac Newton sobre o efeito da gravitação planetária no corpo humano, Mesmer acreditava que o corpo contivesse um fluido invisível que podia ser manipulado para curar as pessoas pelo uso de uma força que ele chamava de "magnetismo animal".

A técnica de Mesmer envolvia pedir aos pacientes que olhassem fundo dentro de seus olhos antes de mover ímãs sobre o corpo deles para direcionar e equilibrar o fluido magnético. Mais tarde, ele descobriu que podia produzir o mesmo efeito acenando com as mãos (sem os ímãs). Logo após o início de cada sessão, os pacientes começavam a tremer e se contrair antes de sofrer convulsões que Mesmer considerava terapêuticas. O médico prosseguia equilibrando os fluidos até o paciente ficar calmo outra vez. Mesmer usou essa técnica para curar uma variedade de doenças, desde quadros graves como paralisia e distúrbios convulsivos até dificuldades menores, como problemas menstruais e hemorroidas.

No que se tornou seu caso mais famoso, Mesmer curou parcialmente a pianista adolescente Maria Theresia von Paradis de "cegueira histérica", condição psicossomática que a afligia desde cerca dos 3 anos de idade. A jovem ficou na casa de Mesmer por semanas, e o médico ajudou-a a conseguir perceber movimentos e até distinguir cores. Mas os pais não ficaram nada contentes com o progresso, pois corriam risco de perder uma pensão do rei se a filha fosse curada. Além disso, quando a visão retornou, a habilidade de Maria Theresia ao piano se deteriorou, porque ela conseguia ver os dedos no teclado. Começaram a circular rumores nunca comprovados de que o relacionamento de Mesmer com a pianista era impróprio. Os pais a retiraram à força da casa do médico, a cegueira voltou, e a reputação de Mesmer diminuiu consideravelmente.

Amand-Marie-Jacques de Chastenet, aristocrata francês conhecido como marquês de Puységur, observou Mesmer e levou suas ideias um passo adiante. Puységur induzia um estado profundo que chamava de "sonambulismo magnético" (semelhante ao sonambulismo), no qual seus sujeitos tinham acesso a pensamentos profundos e até a intuições sobre sua saúde e a de outros. Nesse estado, as pessoas ficavam extremamente sugestionáveis e seguiam instruções, mas depois não tinham lembrança do que havia acontecido. Enquanto Mesmer achava que era o poder do praticante que agia sobre o sujeito, Puységur acreditava que o poder estava no pensamento do sujeito (dirigido pelo praticante) sobre o próprio corpo; essa foi talvez uma das primeiras tentativas terapêuticas de explorar a relação mente-corpo.

Nos anos 1800, o cirurgião escocês James Braid levou a ideia do mesmerismo ainda mais longe, desenvolvendo um conceito que chamou de "neuripnotismo" (o que hoje conhecemos como hipnotismo). Braid ficou intrigado com a ideia ao chegar atrasado para uma consulta e encontrar o paciente que o aguardava olhando calma e fixamente para a chama bruxuleante de uma lamparina a óleo, em estado de intensa fascinação. Braid descobriu que o paciente se manteve em um estado extremamente sugestionável enquanto sua atenção permaneceu presa, com isso "fatigando" certas partes do cérebro.

Depois de muitos experimentos, Braid aprendeu a fazer com que as pessoas se concentrassem em uma única ideia enquanto observavam um objeto, o que as colocava em um transe semelhante, que ele imaginou que pudesse usar para curar distúrbios como artrite reumatoide crônica, deficiência sensorial e várias complicações de lesões da coluna vertebral e de acidente vascular cerebral. *Neurypnology*, o livro de Braid, detalha muitos de seus sucessos, incluindo a história de como curou uma mulher de 33 anos cujas pernas estavam paralisadas e outra de 54 anos com uma doença de pele e fortes dores de cabeça.

A seguir o respeitado neurologista francês Jean-Martin Charcot analisou o trabalho de Braid e afirmou que a capacidade de entrar em tal transe só era possível a quem sofria de histeria, que ele considerava um distúrbio neurológico hereditário irreversível. Charcot usou a hipnose não para curar pacientes, mas para estudar seus sintomas.

Por fim um rival de Charcot, um médico chamado Hippolyte Bernheim, da Universidade de Nancy, insistiu que a sugestionabilidade, elemento central do hipnotismo, não se limitava a pessoas histéricas, mas era uma condição natural a todos os humanos. Ele implantava ideias nos pacientes, dizendo que, quando acordassem do transe, se sentiriam melhor e os sintomas desapareceriam; portanto, usava o poder da sugestão como ferramenta terapêutica. O trabalho de Bernheim continuou até o início dos anos 1900.

Embora esses primeiros exploradores da sugestionabilidade tivessem foco e técnica um pouco diferentes uns dos outros, todos conseguiram ajudar centenas e centenas de pessoas a curar uma grande variedade de problemas físicos e mentais ao modificar sua visão sobre as moléstias e sobre como estas se manifestavam em seu corpo.

Durante as duas guerras mundiais, médicos militares, em especial o psiquiatra do Exército Benjamin Simon, usaram o conceito de sugestão hipnótica (que discutirei mais adiante) para ajudar soldados que voltaram para casa sofrendo do trauma inicialmente chamado de *shell shock*, hoje conhecido como transtorno de estresse pós-traumático (TEPT). Os veteranos enfrentaram experiências de guerra tão horríveis que muitos entorpeceram as emoções como forma de autopreservação, desenvolveram amnésia a respeito dos eventos horripilantes ou, pior, continuaram revivendo as experiências em *flashbacks* – coisas que podem causar doenças físicas induzidas por estresse.

Simon e seus colegas descobriram que a hipnose era extremamente útil para ajudar os veteranos a encarar e lidar com os traumas de modo que não voltassem à tona como ansiedade e problemas físicos (incluindo náuseas, pressão alta e outros distúrbios cardiovasculares, e até queda da imunidade). Como os praticantes do século anterior, os médicos do Exército que empregaram a hipnose ajudaram os pacientes a alterar os padrões de pensamento a fim de melhorar e recuperar a saúde mental e física.

Essas técnicas de hipnose foram tão bem-sucedidas que médicos civis também se interessaram em usar a sugestão, embora muitos o fizessem não colocando os pacientes em transe, mas dando pílulas de açúcar e outros placebos e dizendo que as "drogas" fariam com que se sentissem melhor. Os pacientes muitas vezes melhoravam, respondendo à sugestão da mesma maneira que os soldados feridos de Beecher respondiam à crença de que estavam recebendo injeções de morfina. Aquela foi a era de Beecher, e, após ele escrever a revisão inovadora de 1955 demandando o uso de experimentos controlados e randomizados com placebos para testar drogas, o placebo tornou-se um elemento sério da pesquisa médica.

O argumento de Beecher era convincente. De início os pesquisadores esperavam que o grupo de controle de um estudo (o grupo que recebia o placebo) permanecesse neutro para que as comparações com o grupo que fizesse o tratamento mostrassem como o ativo funcionava. Só que em muitos estudos os sujeitos do grupo de controle de fato melhoravam – não apenas por conta própria, mas também por causa da expectativa e crença de que estivessem tomando um remédio ou fazendo um tratamento que os ajudaria. O placebo em si poderia ser inerte, mas seu efeito com certeza não era, e as crenças e expectativas provaram-se extremamente poderosas. Então esse efeito tinha de ser isolado dos dados para que estes pudessem ter algum significado real.

Com esse propósito e atendendo à petição de Beecher, os pesquisadores começaram a tornar norma o teste duplo-cego randomizado, indicando os participantes para o grupo do tratamento ativo ou do placebo de forma aleatória, certificando-se de que nenhum dos sujeitos ou dos pesquisadores soubesse quem pertencia a qual grupo. Dessa forma, o efeito placebo seria igualmente ativo em ambos os grupos e se eliminaria qualquer possibilidade de que os pesquisadores tratassem os sujeitos de maneira diferente em razão do grupo em que estivessem. (Hoje em dia os estudos às vezes são até mesmo triplos-cegos, ou seja, não só participantes e pesquisadores ficam no escuro sobre quem está tomando o que até o final do estudo, mas também os estatísticos que analisam os dados.)

Explorando o efeito nocebo

Claro que sempre existe o reverso da moeda. À medida que a sugestionabilidade atraiu mais atenção por causa da capacidade de curar, também ficou evidente que o fenômeno poderia ser usado para prejudicar. Práticas como feitiços e maldições de vodu ilustraram o lado negativo da sugestionabilidade.

Na década de 1940, o fisiologista de Harvard Walter Bradford Cannon (que em 1932 cunhou o termo *fight-or-flight*, lutar ou fugir) estudou a reação nocebo máxima – um fenômeno que chamou de "morte vodu"[22]. Cannon examinou vários relatos de pessoas com forte crença cultural no poder de feiticeiros ou sacerdotes de vodu que adoeceram e morreram de repente após um feitiço ou maldição, apesar de não haver ferimentos aparentes ou evidência de envenenamento ou infecção.

A pesquisa de Cannon lançou as bases para boa parte do que sabemos hoje sobre como os sistemas de resposta fisiológica permitem que as emoções (o medo em particular) criem doenças. A crença da vítima no poder mortal de uma maldição era apenas um ingrediente da salada psicológica que provocava sua morte, disse Cannon. Outro fator era ser ostracizado e rejeitado em sociedade, até mesmo pela própria família. Esses indivíduos rapidamente se tornavam mortos-vivos.

Efeitos nocivos de fontes inofensivas não se restringem ao vodu, é claro. Cientistas dos anos 1960 cunharam o termo *nocebo* ("eu prejudicarei" em latim, contraposição a "eu agradarei", a tradução do latim *placebo*) para se referir a uma substância inerte que causa efeito prejudicial simplesmente porque alguém acredita ou espera que aquilo irá prejudicá-lo[23]. O efeito nocebo costuma aparecer nos estudos sobre drogas quando indivíduos que estão tomando placebo esperam efeitos colaterais para a substância testada ou quando são especificamente avisados sobre possíveis efeitos colaterais – e então os experimentam por associar o pensamento sobre a droga a todas as possíveis decorrências, mesmo que nem sequer a tenham tomado.

Por motivos éticos óbvios, poucos estudos são projetados especificamente para examinar esse fenômeno, embora haja alguns. Um exemplo famoso é um estudo de 1962 no Japão com um grupo de crianças extremamente alérgicas à hera venenosa[24]. Pesquisadores esfregaram um antebraço das crianças com folha de hera venenosa, mas disseram que a planta era inofensiva. Como controle, esfregaram o outro antebraço das crianças com uma folha inofensiva que afirmaram ser hera venenosa. Todas as crianças desenvolveram erupção no braço esfregado com a folha inofensiva que pensavam ser hera venenosa. E onze das treze crianças não desenvolveram erupção alguma onde o veneno realmente as tocou.

Foi um achado surpreendente. Como crianças altamente alérgicas à hera venenosa não tinham erupção cutânea quando expostas à planta? E como desenvolviam erupção por causa de uma folha totalmente benigna? O novo pensamento de que a folha não iria machucá-las superou a memória e a crença de que eram alérgicas, tornando a hera venenosa inofensiva. E o inverso era válido na segunda parte do experimento: uma folha inofensiva tornou-se tóxica apenas pelo pensamento. Em ambos os casos, pareceu que o corpo das crianças respondeu instantaneamente a uma nova mente.

Nesse caso, poderíamos dizer que as crianças de alguma forma ficaram livres da expectativa de reação física à folha tóxica baseada nas experiências passadas de serem alérgicas. De alguma forma transcenderam uma linha de tempo previsível. Isso também sugere que de algum modo se tornaram maiores que as condições em seu ambiente (a folha de hera venenosa). Por fim, foram capazes de alterar e controlar sua fisiologia simplesmente mudando um pensamento. Essa evidência surpreendente de que o pensamento (na forma de expectativa) poderia ter um efeito maior sobre o corpo do que o ambiente físico "real" ajudou a inaugurar uma nova era do estudo científico chamado psiconeuroimunologia – o efeito dos pensamentos e emoções no sistema imunológico –, um importante segmento da conexão mente-corpo.

Outro estudo notável sobre o efeito nocebo dos anos 1960 examinou pessoas com asma[25]. Os pesquisadores forneceram a asmáticos 40 inaladores que não continham nada além de vapor de água, mas disseram conter um alérgeno ou irritante; 19 deles (48%) apresentaram sintomas como obstrução das vias aéreas, e 12 (30%) sofreram ataques de asma completos. Os pesquisadores então deram inaladores que disseram conter remédio para aliviar os sintomas, e as vias aéreas de todos se reabriram, embora os inaladores de novo contivessem apenas vapor de água.

Em ambas as situações – manifestar os sintomas da asma e revertê-los drasticamente –, os pacientes responderam apenas à sugestão, ao pensamento colocado em sua mente pelos pesquisadores, que funcionou exatamente conforme o esperado. Eles passaram mal quando pensaram que haviam inalado algo prejudicial, e ficaram melhores quando pensaram que estavam recebendo remédio, e esses pensamentos foram maiores do que o ambiente, maiores do que a realidade. Poderíamos dizer que os pensamentos criaram uma nova realidade.

O que isso diz sobre as crenças que mantemos e os pensamentos que pensamos todos os dias? Ficamos mais suscetíveis a contrair gripe ao longo do inverno porque vemos artigos sobre a temporada de gripe e avisos sobre a disponibilidade de vacina contra gripe por toda parte, e tudo isso nos faz recordar que, se não tomarmos uma vacina antigripe, ficaremos doentes? Seria possível ficarmos doentes simplesmente ao ver alguém com sintomas de gripe por pensarmos da mesma forma que as crianças do estudo da hera venenosa que tiveram erupção cutânea com a folha inofensiva ou os asmáticos que experimentaram uma reação brônquica significativa após inalar vapor de água?

Ficamos mais propensos a sofrer de artrite, rigidez articular, perda de memória, queda de energia e diminuição do desejo sexual à medida que envelhecemos simplesmente porque essa é a versão da verdade com que anúncios, comerciais, programas de televisão e reportagens da mídia nos bombardeiam? Que outras profecias que se realizam por si estamos criando em nossa mente sem estarmos cientes? E que "verdades inevitáveis" podemos reverter com sucesso ao simplesmente pensar novos pensamentos e escolher novas crenças?

Os primeiros grandes avanços

Um estudo inovador no final dos anos 1970 mostrou pela primeira vez que um placebo podia desencadear a liberação de endorfinas (os analgésicos naturais do corpo) da mesma maneira que certas drogas. No estudo, o doutor Jon Levine, da Universidade da Califórnia em San Francisco, deu placebos em vez de analgésicos para quarenta pessoas que tinham acabado de extrair dentes do siso[26]. Como os pacientes pensavam estar recebendo remédio para aliviar a dor, não surpreende que a maioria tenha relatado alívio. A seguir os pesquisadores deram um antídoto contra a morfina chamado naloxona, que bloqueia quimicamente os receptores de morfina e endorfina (morfina endógena) no cérebro. Quando os pesquisadores administraram a naloxona, a dor dos pacientes voltou. Isso comprovou que, quando tomaram os placebos, os pacientes criaram endorfinas, os analgésicos naturais. Foi um marco na pesquisa sobre o placebo, pois significou que o alívio experimentado pelos sujeitos do estudo não estava todo na mente; estava na mente e no corpo, no estado de ser.

Se o corpo humano pode atuar como sua própria farmácia, produzindo os próprios medicamentos contra a dor, então não seria totalmente capaz de também fornecer outras drogas naturais quando necessário a partir da infinita combinação de elementos químicos e curativos que abriga – drogas que agissem exatamente como ou talvez até melhor do que as que os médicos prescrevem?

Outro estudo dos anos 1970, este do psicólogo doutor Robert Ader, da Universidade de Rochester, adicionou nova e fascinante dimensão à discussão sobre o placebo: o condicionamento. Celebrizado pelo fisiologista russo Ivan Pavlov, o condicionamento depende da associação de uma coisa a outra, como os cães que associaram o som de uma campainha à comida depois que Pavlov começou a tocá-la todos os dias antes de alimentá-los. Com o tempo, os cães ficaram condicionados a salivar automaticamente em antecipação de uma refeição sempre que ouviam a campainha. Como resultado desse tipo de condicionamento, o corpo dos cães foi treinado para responder fisiologicamente a um novo estímulo no ambiente (a campainha), mesmo sem o estímulo original que provocava a resposta (a comida) estar presente.

Portanto, poderíamos dizer que, em uma resposta condicionada, um programa subconsciente alojado no corpo (falarei mais sobre isso nos próximos capítulos) aparentemente substitui a mente consciente e assume o controle. Assim, o corpo fica condicionado para se tornar a mente, pois o pensamento consciente não mais está no controle total.

No caso de Pavlov, os cães foram repetidamente expostos ao cheiro, visão e sabor da comida e ao som da campainha. Com o tempo, apenas o som da campainha fazia com que os cães automaticamente alterassem seu estado fisiológico e químico sem pensar sobre isso de modo consciente. O sistema nervoso autônomo – o sistema subconsciente do corpo que opera abaixo da percepção consciente – assumia o controle.

Assim, o condicionamento cria mudanças internas subconscientes no corpo, associando memórias passadas com a expectativa de efeitos internos (o que chamamos de memória associativa) até esses resultados esperados ou antecipados ocorrerem de forma automática. Quanto mais forte o condicionamento, menos controle consciente temos sobre esses processos e mais automática se torna a programação subconsciente.

Robert Ader tentou estudar por quanto tempo as respostas condicionadas durariam. Alimentou ratos de laboratório com água adoçada com sacarina na qual adicionou uma droga chamada ciclofosfamida, que causa dor de estômago. Depois de condicionar os ratos a associar o gosto adocicado da água à dor no intestino, esperava que em breve os animais se recusassem a beber a água batizada. A intenção era ver quanto tempo os ratos continuariam a recusar a água para medir o período que a resposta condicionada duraria.

Mas o que Ader de início não sabia era que a ciclofosfamida também suprime o sistema imunológico, então ficou surpreso quando os ratos começaram a morrer inesperadamente de infecções bacterianas e virais. Mudando o rumo da pesquisa, continuou a dar aos ratos água com sacarina (forçando com conta-gotas), mas sem a ciclofosfamida. Embora não mais recebessem a droga imunossupressora, os ratos continuaram a morrer de infecção (enquanto o grupo de controle que recebeu apenas a água doce o tempo todo continuava bem). Em parceria com Nicholas Cohen, imunologista doutor da Universidade de Rochester, Ader descobriu que, quando os ratos foram condicionados a associar o sabor da água adoçada ao efeito da droga imunossupressora, a associação foi tão forte que apenas beber a água adocicada produzia o mesmo efeito fisiológico que a droga, sinalizando o sistema nervoso para suprimir o sistema imunológico[27].

Como Sam Londe, cuja história foi contada no Capítulo 1, os ratos de Ader morreram unicamente por causa do pensamento. Os pesquisadores estavam começando a perceber que a mente era capaz de ativar o corpo de várias e poderosas formas subconscientes que nunca haviam imaginado.

O Ocidente encontra o Oriente

A essa altura, a meditação transcendental, prática oriental ensinada pelo guru indiano Maharishi Mahesh Yogi, era moda nos Estados Unidos, impulsionada pela entusiástica participação de várias celebridades (começando com os Beatles na década de 1960). O objetivo da técnica, que envolve acalmar a mente e repetir um mantra durante sessões de meditação de vinte minutos realizadas duas vezes ao dia, é a iluminação espiritual. A prática chamou a atenção do cardiologista de Harvard Herbert Benson, que se interessou em como essa meditação poderia ajudar a reduzir o estresse e diminuir os fatores de risco para doenças cardíacas.

Desmistificando o processo, Benson desenvolveu uma técnica semelhante, que chamou de "resposta de relaxamento", descrita em um livro lançado em 1975[28]. Benson descobriu que, pela simples alteração dos padrões de pensamento, as pessoas podiam desligar a resposta ao estresse, assim diminuindo a pressão arterial, normalizando a frequência cardíaca e atingindo estados de relaxamento profundo.

Além da meditação, que envolve manter uma atitude neutra, os efeitos benéficos de cultivar uma atitude mais positiva e estimular emoções positivas também começaram a chamar a atenção. O caminho havia sido pavimentado em 1952, quando o ex-pastor Norman Vincent Peale publicou o livro *O poder do pensamento positivo*, que popularizou a ideia de que nossos pensamentos podem ter efeito real, positivo e negativo, em nossa vida[29]. A ideia capturou a atenção da comunidade médica em 1976, quando o analista político e editor de revistas Norman Cousins publicou um relato no *New England Journal of Medicine* de como usara o riso para reverter uma doença potencialmente fatal[30]. Cousins também contou sua história no *best-seller Anatomy of an Illness*, publicado alguns anos depois[31].

O médico havia diagnosticado Cousins com um distúrbio degenerativo chamado espondilite anquilosante – uma forma de artrite que causa o colapso do colágeno, as proteínas fibrosas que mantêm as células do nosso corpo coesas – e lhe dera apenas uma chance em quinhentas de recuperação. Cousins sofria dores tremendas e tinha tanta dificuldade de mover seus membros que mal conseguia se virar na cama. Nódulos granulosos apareceram sob a pele, e na pior fase, sua mandíbula quase travou.

Convencido de que um estado emocional negativo persistente havia contribuído para a doença, Cousins decidiu que era igualmente possível que um estado emocional mais positivo pudesse reverter o estrago. Enquanto continuava a consultar o médico, Cousins começou um regime de doses maciças de vitamina C e filmes dos irmãos Marx (bem como outros filmes humorísticos e programas cômicos de TV). Descobriu que dez minutos de boas gargalhadas proporcionavam duas horas de sono sem dor. Por fim chegou à recuperação completa. Cousins muito simplesmente curou-se dando risadas.

Como? Embora os cientistas da época não tivessem meios de entender ou explicar uma recuperação tão milagrosa, as pesquisas de hoje dizem que é provável que processos epigenéticos estivessem em ação. A mudança de atitude de Cousins modificou a química de seu corpo, o que alterou seu estado interno, permitindo-lhe programar novos genes de novas maneiras; ele simplesmente inibiu (ou desligou) os genes que causavam a doença e ativou (ou ligou) os genes responsáveis pela recuperação. (Entrarei em mais detalhes sobre como ativar e desativar genes nos próximos capítulos.)

Muitos anos depois, a pesquisa da doutora Keiko Hayashi, da Universidade de Tsukuba, no Japão, mostrou a mesma coisa[32]. No estudo de Hayashi, pacientes diabéticos assistindo a programas cômicos de uma hora ativaram um total de 39 genes, 14 dos quais relacionados à atividade das células exterminadoras naturais. Embora nenhum dos genes estivesse diretamente envolvido na regulação da glicose, os níveis de glicose no sangue dos pacientes ficaram melhor do que depois de ouvirem uma palestra sobre diabetes em um outro dia.

Os pesquisadores concluíram que o riso influencia muitos genes envolvidos na resposta imune, o que por sua vez contribui para o melhor controle da glicose. A emoção alto-astral desencadeada pelo cérebro dos pacientes ativou as variações genéticas, que ativaram as células exterminadoras naturais e de alguma forma também melhoraram a resposta à glicose, provavelmente somados a muitos outros efeitos benéficos.

Como Cousins disse sobre os placebos em 1979: "O processo não funciona por causa de alguma mágica no comprimido, mas porque o corpo humano é o melhor farmacêutico para si mesmo e porque as receitas mais bem-sucedidas são prescritas pelo próprio corpo"[33].

Inspirado pela experiência de Cousins e com a medicina alternativa e os estudos corpo-mente em pleno andamento, Bernie Siegel, cirurgião da Universidade de Yale, começou a analisar por que alguns de seus pacientes com poucas chances sobreviviam ao câncer enquanto outros com melhores chances sucumbiam à doença. O trabalho de Siegel definiu sobreviventes de câncer em grande parte como aqueles que tinham um espírito combativo e destemido, e concluiu que não havia doenças incuráveis, apenas pacientes incuráveis. Siegel também começou a escrever sobre a esperança como uma força poderosa para a cura e sobre o amor incondicional e a farmácia natural de elixires que este fornece como os mais poderosos estimulantes do sistema imunológico[34].

Placebos superam antidepressivos

A profusão de antidepressivos surgidos no final dos anos 1980 e anos 1990 deflagraria uma controvérsia que acabaria por aumentar (embora não de imediato) o respeito pelo poder dos placebos. Ao rever uma meta-análise de 1998 a respeito de estudos publicados sobre antidepressivos, o psicólogo doutor Irving Kirsch, então na Universidade de Connecticut, ficou chocado ao descobrir que, em dezenove testes clínicos randomizados e duplos-cegos envolvendo mais de 2,3 mil pacientes, a maior parte da melhora deveu-se não aos antidepressivos, mas aos placebos[35].

Kirsch usou a Lei de Liberdade de Informação (Freedom of Information Act – FOIA) para obter acesso aos dados não publicados de testes clínicos dos fabricantes de medicamentos, que por lei tinham de ser reportados à Food and Drug Administration – FDA (organização americana equivalente à Anvisa no Brasil). Kirsch e seus colegas fizeram uma segunda meta-análise, dessa vez nos 35 testes clínicos realizados para quatro dos seis antidepressivos mais prescritos entre 1987 e 1999[36]. Ao analisar dados de mais de cinco mil pacientes, os pesquisadores mais uma vez constataram que os placebos haviam funcionado tão bem quanto os populares Prozac, Effexor, Serzone e Paxil em colossais 81% do tempo. Na maioria dos casos restantes em que as drogas tiveram melhor desempenho, o benefício foi tão pequeno que não chegou a ser estatisticamente significativo. Apenas em pacientes com depressão severa os medicamentos foram claramente melhores do que o placebo.

Não é de surpreender que o estudo de Kirsch tenha causado grande alvoroço, embora muitos pesquisadores parecessem dispostos a jogar fora o bebê placebo junto com a água do banho. Ainda que a maior parte da balbúrdia se concentrasse no fato de as drogas não serem melhores do que os placebos, os pacientes dos testes de fato melhoraram com os antidepressivos. As drogas funcionaram. Só que os pacientes que tomaram placebos também melhoraram. Em vez de ver o trabalho de Kirsch como prova de que os antidepressivos falharam, alguns pesquisadores escolheram ver o copo cheio pela metade, e exibiram os dados como prova de que os placebos foram bem-sucedidos.

No fim das contas, os testes forneceram uma prova impressionante de que pensar que se pode melhorar da depressão de fato pode curar a depressão tão bem quanto usar um medicamento. As pessoas dos estudos que melhoraram com placebos na verdade produziram antidepressivos naturais próprios, assim como os pacientes de Levine nos anos 1970 que tiveram os sisos extraídos produziram os próprios analgésicos naturais.

O que Kirsch trouxe à luz foi mais uma evidência de que nosso corpo tem uma inteligência inata que o capacita a operar com um sortimento de compostos químicos naturais de cura. Curiosamente, a porcentagem de pessoas que melhoram ao tomar placebos em testes de depressão aumentou ao longo do tempo, assim como a resposta à medicação ativa; alguns pesquisadores sugeriram que isso ocorre porque o público tem maiores expectativas em relação aos antidepressivos, o que torna os placebos mais eficazes nos testes cegos[37].

A neurobiologia do placebo

Foi apenas uma questão de tempo até os neurocientistas começarem a usar sofisticados exames cerebrais para olhar a fundo o que acontece em termos neuroquímicos quando um placebo é administrado. Um exemplo é o estudo de 2001 envolvendo pacientes com Parkinson que recuperaram as habilidades motoras após receber uma injeção de solução salina que pensavam ser medicação (descrito no Capítulo 1)[38]. O doutor italiano Fabrizio Benedetti, pesquisador pioneiro na pesquisa com placebo, fez estudo semelhante sobre Parkinson alguns anos depois e pela primeira vez conseguiu mostrar o efeito placebo em neurônios individuais[39].

Os estudos de Benedetti exploraram não apenas a neurobiologia da expectativa (como no caso de pacientes com Parkinson), mas também a neurobiologia em operação no condicionamento clássico – que Robert Ader vislumbrou anos antes com seus ratos de laboratório nauseados. Em um experimento, Benedetti deu aos participantes do estudo a droga sumatriptana para estimular o hormônio do crescimento e inibir a secreção de cortisol; a seguir, sem o conhecimento dos pacientes, substituiu o medicamento por um placebo. Ele verificou nos exames de imagem que o cérebro dos pacientes continuou a se iluminar nas mesmas áreas de quando recebiam a sumatriptana; isso foi uma prova de que o cérebro de fato estava produzindo por si o hormônio do crescimento[40].

O mesmo foi verificado em outras combinações de drogas e placebo; as substâncias químicas produzidas no cérebro acompanharam de perto aquelas que os indivíduos inicialmente receberam por meio de drogas administradas para tratar distúrbios do sistema imunológico, distúrbios motores e depressão[41]. Benedetti chegou a demonstrar até mesmo que os placebos causavam os mesmos efeitos colaterais dos medicamentos. Por exemplo, em um estudo sobre placebo e narcóticos, os participantes sofreram os efeitos colaterais de respiração lenta e superficial ao tomar o placebo, pois o efeito placebo imitou de maneira semelhante os efeitos fisiológicos da droga[42].

A verdade é que nosso corpo é capaz de criar uma variedade de substâncias químicas biológicas que podem curar, proteger da dor, ajudar a dormir profundamente, melhorar o sistema imunológico, nos fazer sentir prazer e até encorajar a nos apaixonarmos. Pense nisto: se determinado gene foi expresso de modo que produzimos substâncias químicas específicas em algum momento de nossa vida, mas paramos de produzir devido a algum tipo de estresse ou doença que desativou o gene, talvez seja possível reativarmos tal gene, pois nosso corpo já sabe como fazer isso a partir de experiência prévia. (Fique ligado para ver a pesquisa que comprova isso.)

Vamos começar a ver como isso acontece. As pesquisas neurológicas mostram algo verdadeiramente notável: se uma pessoa toma uma substância de modo contínuo, seu cérebro dispara os mesmos circuitos da mesma maneira – memorizando o que a substância faz. A pessoa pode facilmente ficar condicionada ao efeito de determinada pílula ou injeção por associá-la a uma mudança interna familiar da experiência. Devido a esse tipo de condicionamento, quando a pessoa toma um placebo, são acionados os mesmos circuitos de quando toma o medicamento. Uma memória associativa incita um programa subconsciente que faz a conexão entre a pílula ou injeção e a mudança hormonal no corpo, e então o programa automaticamente sinaliza o corpo para fazer as substâncias químicas encontradas na droga. Não é incrível?

A pesquisa de Benedetti também deixa bem claro outro ponto: diferentes tipos de tratamentos com placebo funcionam melhor com objetivos diferentes. Por exemplo, no estudo da sumatriptana, as sugestões verbais iniciais de que o placebo funcionaria não tiveram efeito sobre a produção de hormônio do crescimento. No uso de placebos para efetuar respostas fisiológicas inconscientes pela memória associativa (como secretar hormônios ou alterar o funcionamento do sistema imunológico), o condicionamento gera resultados, ao passo que, ao usar placebos para alterar respostas mais conscientes (como aliviar a dor ou diminuir a depressão), uma simples sugestão ou expectativa funciona. Portanto, não há apenas uma resposta ao placebo, insistiu Benedetti, mas várias.

Da mente para a matéria em suas mãos

Uma espantosa reviravolta nas pesquisas sobre placebo aconteceu em um estudo-piloto conduzido por Ted Kaptchuk, de Harvard, que mostrou que os placebos funcionavam mesmo quando as pessoas sabiam que estavam tomando placebo[43]. No estudo, Kaptchuk e seus colegas deram um placebo a quarenta pacientes com síndrome do intestino irritável (SII). Cada paciente recebeu um frasco nitidamente rotulado com "pílulas de placebo" e foi informado de que se tratava de "pílulas de placebo, feitas de uma substância inerte, como açúcar, que em estudos clínicos demonstraram produzir melhora significativa nos sintomas da SII mediante processos de autocura da mente e do corpo". Um segundo grupo de quarenta pacientes de SII que não recebeu pílulas serviu de controle.

Depois de três semanas, o grupo que tomou os placebos relatou alívio dos sintomas duas vezes maior do que o grupo sem tratamento – diferença que Kaptchuk observou ser comparável ao desempenho das melhores drogas para SII. Os pacientes não foram enganados para se autocurar. Eles sabiam muito bem que não estavam recebendo medicação; ainda assim, depois de ouvir a sugestão de que os placebos poderiam aliviar os sintomas e acreditar em um resultado independentemente da causa, o corpo deles foi influenciado a fazer a melhora acontecer.

Enquanto isso, uma linha paralela de estudos que examina o efeito de atitudes, percepções e crenças está liderando as pesquisas atuais sobre mente-corpo, mostrando que até mesmo algo aparentemente concreto como o benefício físico do exercício pode ser afetado pela crença. Um estudo das psicólogas doutoras Alia Crum e Ellen Langer, de Harvard, em 2007, envolvendo 84 camareiras de hotel é um exemplo perfeito[44].

No início do estudo, nenhuma das camareiras sabia que o trabalho de rotina que realizavam excedia a recomendação do Surgeon General de uma quantidade saudável de exercício diário (trinta minutos). De fato, 67% das mulheres disseram às pesquisadoras que não se exercitavam regularmente, e 37% disseram que não faziam nenhum exercício. Após a avaliação inicial, Crum e Langer dividiram as camareiras em dois grupos. Explicaram ao primeiro grupo como a atividade delas se relacionava à queima de calorias e disseram que, apenas fazendo o trabalho, elas se exercitavam mais do que o suficiente. As pesquisadoras não forneceram essas informações ao segundo grupo (que trabalhava em hotéis diferentes dos do primeiro grupo e, portanto, não se beneficiou de conversas com as outras camareiras).

Um mês depois, as pesquisadoras descobriram que o primeiro grupo havia perdido em média um quilo, reduzido a porcentagem de gordura corporal e baixado a pressão arterial sistólica em uma média de dez pontos – sem praticar nenhum exercício fora do trabalho ou mudar quaisquer hábitos alimentares. O outro grupo, fazendo o mesmo trabalho que o primeiro, permaneceu praticamente inalterado.

Isso ecoou pesquisa semelhante feita anteriormente em Quebec, onde 48 adultos jovens participaram de um programa de exercícios aeróbicos de dez semanas, frequentando três sessões semanais de exercício de noventa minutos[45]. O grupo foi dividido em dois. Os instrutores disseram aos primeiros que o estudo fora projetado especificamente para melhorar a capacidade aeróbica e o bem-estar psicológico. Para o segundo grupo, que serviu de controle, mencionaram apenas os benefícios físicos da prática aeróbica. No final das dez semanas, os pesquisadores descobriram que ambos os grupos haviam aumentado a capacidade aeróbica, mas apenas os sujeitos de teste, não os controles, também tiveram um aumento significativo na autoestima (uma medida do bem-estar).

Como esses estudos mostram, nossa consciência sozinha pode ter um importante efeito físico em nosso corpo e saúde. O que aprendemos, a linguagem usada para definir o que vamos experimentar e a forma como atribuímos sentido às explicações oferecidas afetam nossa intenção, e, quando colocamos uma intenção maior por trás do que estamos fazendo, naturalmente obtemos melhores resultados. Em suma, quanto mais você aprende "o que" e o "por que", mais fácil e eficaz é o "como". (Minha esperança é de que este livro faça o mesmo por você; quanto mais souber o que está fazendo e por que está fazendo, melhores os resultados que você pode obter.)

Também atribuímos significado a fatores mais sutis, como a cor do medicamento que tomamos e a quantidade de pílulas que ingerimos, como mostrado em um estudo mais antigo, porém clássico, da Universidade de Cincinnati. Nesse os pesquisadores forneceram a 57 estudantes de medicina uma ou duas cápsulas rosa ou azuis – todas inertes, embora os alunos tenham sido informados de que as cápsulas rosa eram estimulantes, e as azuis, sedativas[46]. Os pesquisadores relataram: "Duas cápsulas produziram alterações mais perceptíveis do que uma, e as cápsulas azuis foram associadas a efeitos mais sedativos do que as cápsulas rosa". Os estudantes classificaram as pílulas azuis como 2,5 vezes mais eficazes como sedativo do que as pílulas rosa, embora todas fossem placebos.

Pesquisas mais recentes mostram que crenças e percepções também podem afetar a pontuação do desempenho mental em testes padronizados. Em um estudo de 2006 no Canadá, 220 alunas leram relatos falsos de pesquisas afirmando que os homens tinham uma vantagem de 5% sobre as mulheres no desempenho em matemática[47]. O grupo foi dividido em dois, com um lendo que a vantagem se devia a fatores genéticos recentemente descobertos, e outro lendo que a vantagem resultava da forma como os professores estereotipam meninas e meninos no ensino fundamental. A seguir as participantes realizaram um teste de matemática. As mulheres que leram que os homens tinham vantagem genética tiveram uma pontuação menor do que as que leram que os homens tinham uma vantagem devido aos estereótipos. Em outras palavras, ao ser predispostas a pensar que a desvantagem era inevitável, as mulheres se comportaram como se realmente estivessem em desvantagem.

Efeito semelhante foi documentado em estudantes afro-americanos, que historicamente têm notas menores que os brancos em testes de vocabulário, leitura e matemática, incluindo o Teste de Aptidão Universitária (Scholastic Aptitude Test – SAT), mesmo quando a classe socioeconômica não é um fator. Estudantes negros em média pontuam entre 70% e 80% da pontuação dos brancos da mesma idade na maioria dos testes padronizados[48]. Claude Steele, psicólogo social da Universidade de Stanford, explica que a causa disso é um efeito chamado "ameaça estereotipada". Sua pesquisa mostra que os alunos que pertencem a grupos negativamente estereotipados têm desempenho pior quando pensam que suas pontuações serão avaliadas à luz do estereótipo do que quando não sentem tal pressão[49].

No estudo de referência de Steele, conduzido com o doutor Joshua Aronson, os pesquisadores ministraram uma série de testes de raciocínio verbal aos alunos de Stanford. Alguns estudantes receberam instruções que os predispuseram ao estereótipo de que negros pontuam menos do que brancos, informando que o teste que estavam prestes a realizar fora projetado para mensurar sua capacidade cognitiva, enquanto os outros foram informados de que o teste era apenas uma ferramenta de pesquisa sem importância. No grupo em que houve predisposição ao estereótipo, os negros pontuaram menos do que os brancos que tinham notas semelhantes no SAT. Quando não houve predisposição ao estereótipo, o desempenho de negros e brancos com pontuações semelhantes no SAT foi o mesmo – provando que a predisposição fazia uma diferença crítica.

O efeito *priming* ocorre basicamente quando alguém, algum lugar ou algo em nosso ambiente (por exemplo, fazer um teste) desencadeia todo tipo de associação programada em nosso cérebro (por exemplo, as pessoas que avaliam o teste acham que estudantes negros pontuam menos do que os brancos), nos levando a agir de determinadas maneiras (não pontuando tanto) sem termos consciência do que estamos fazendo. É chamado de *priming* porque funciona da mesma forma que o *priming* de uma bomba d'água. Você já tem que ter água no sistema de bombeamento para bombear mais água.

Nesse exemplo, a ideia ou crença de que os outros esperam que alunos negros pontuem menos do que os brancos é como a água que já está no sistema – está ali o tempo todo. Quando faz alguma coisa que estimula o sistema (agarrando e pegando a alavanca da bomba ou fazendo o teste), você estimula todos os pensamentos, comportamentos ou emoções relacionados e produz exatamente o que estava esperando que emergisse do sistema o tempo todo – a água no caso de uma bomba, ou pontuações mais baixas, se for um teste.

Pense nisto por um momento. A maioria dos comportamentos automáticos que o *priming* desencadeia é produzida por programação inconsciente ou subconsciente, que na maioria das vezes se desenrola nos bastidores de nossa percepção. Estamos então predispostos a nos comportar de forma inconsciente o dia inteiro, sem sequer saber?

Steele replicou esse efeito com outros grupos estereotipados. Quando aplicou um teste de matemática em um grupo de homens brancos e asiáticos que eram fortes em matemática, os brancos do grupo que foram informados de que os asiáticos eram um pouco melhores no teste não se saíram tão bem quanto os brancos do grupo de controle que não foram informados disso. Os experimentos de Steele com alunas fortes em matemática mostraram resultados semelhantes. Mais uma vez, quando a expectativa inconsciente das alunas era de que teriam pontuação menor, elas de fato tiveram.

O maior significado por trás da pesquisa de Steele é bastante profundo: aquilo que somos condicionados a acreditar sobre nós mesmos e aquilo que somos programados para pensar que os outros pensam de nós afeta nosso desempenho, incluindo o quanto somos bem-sucedidos. Com placebos é a mesma coisa: aquilo que estamos condicionados a acreditar acontecerá quando tomarmos uma pílula, e o que achamos que todos ao nosso redor (incluindo nossos médicos) esperam que aconteça quando o fizermos afeta o modo como nosso corpo responde à pílula. Será que muitas drogas e até mesmo cirurgias funcionam melhor porque somos repetidamente predispostos, educados e condicionados a acreditar em seus efeitos e, não fosse o efeito placebo, essas drogas poderiam não funcionar tão bem ou não funcionar em absoluto?

Você pode ser o seu placebo?

Dois estudos recentes da Universidade de Toledo talvez tenham lançado uma boa luz sobre como a mente sozinha pode determinar o que alguém percebe e experimenta[50]. Em ambos os estudos, os pesquisadores dividiram um grupo de voluntários saudáveis em duas categorias – otimistas e pessimistas – de acordo com as respostas a um questionário de diagnóstico. No primeiro estudo, deram um placebo aos participantes dizendo que se tratava de uma droga que os deixaria indispostos. Os pessimistas tiveram uma reação negativa mais forte à pílula do que os otimistas. No segundo estudo, deram um placebo aos participantes dizendo que os ajudaria a dormir melhor. Os otimistas relataram um sono muito melhor do que os pessimistas.

Assim, os otimistas eram mais propensos a responder de forma positiva a uma sugestão de que algo os faria se sentir melhor porque estavam predispostos a esperar o melhor cenário futuro. Os pessimistas eram mais propensos a responder de forma negativa a uma sugestão de que algo os faria se sentir pior porque consciente ou inconscientemente esperavam o pior resultado potencial. Foi como se os otimistas inconscientemente produzissem substâncias químicas específicas para ajudá-los a dormir, enquanto os pessimistas inconscientemente montassem uma farmácia de substâncias que os faziam sentir-se mal.

Em outras palavras, no mesmíssimo ambiente, aqueles com mentalidade positiva tendem a criar situações positivas, enquanto aqueles com mentalidade negativa tendem a criar situações negativas. Esse é o milagre da nossa engenharia biológica individual e espontânea.

Embora não saibamos exatamente quantas curas médicas se devem ao efeito placebo (o artigo de Beecher mencionado neste capítulo afirmou que seriam 35%, mas pesquisas atuais mostram que pode variar de 10% a 100%)[51], o número total com certeza é extremamente significativo. Dito isso, temos de perguntar: qual a porcentagem de doenças e enfermidades devida ao efeito nocebo de pensamentos negativos? Tendo em conta que as últimas pesquisas científicas em psicologia estimam que cerca de 70% de nossos pensamentos são negativos e redundantes, o número de doenças criadas de modo inconsciente pelo efeito nocebo pode ser impressionante – com certeza muito mais alto do que imaginamos[52]. Essa ideia faz muito sentido, dado que tantos problemas de saúde mental, física e emocional parecem surgir do nada.

Embora possa parecer incrível que sua mente seja tão poderosa, as pesquisas das últimas décadas apontam claramente para algumas verdades que dão força a essa ideia: você experimenta o que você pensa, e, quando se trata de sua saúde, isso é possível graças à incrível farmacopeia que você tem dentro do corpo e que se alinha a seus pensamentos de forma automática e sofisticada. Esse dispensário milagroso ativa moléculas curativas naturais que já existem em seu corpo – fornecendo diferentes compostos elaborados para provocar diferentes efeitos em diferentes tipos de circunstância. Claro que nos leva à pergunta: como fazemos isso?

Os próximos capítulos vão explicar como tudo se desenrola em nível biológico e como você pode aplicar essa aptidão inata de criar de modo consciente e intencional a saúde – e a vida – que deseja ter.

Capítulo 3

O efeito placebo no cérebro

Caso tenha lido meu livro anterior, *Quebrando o hábito de ser você mesmo*, você vai ver que este capítulo revisa muito daquele material. Se você acha que já tem um bom domínio das informações, pode optar por ignorar este capítulo no todo ou dar uma passada para revisar conceitos conforme necessário. Em caso de dúvida, recomendo a leitura, pois será necessário um entendimento total do que é apresentado aqui para compreender plenamente os capítulos a seguir.

Como as histórias dos dois capítulos anteriores ilustram, quando verdadeiramente mudamos nosso estado de ser, nosso corpo pode responder a uma nova mente. E mudar o nosso estado de ser começa pela mudança de nossos pensamentos. Por causa do enorme tamanho do prosencéfalo, nós humanos temos o privilégio de poder tornar o pensamento mais real do que qualquer outra coisa, e é assim que o placebo funciona. Para ver como o processo se desenrola, é vital examinar e revisar três elementos-chave: condicionamento, expectativa e significado. Como você verá, esses três conceitos parecem funcionar juntos na orquestração da resposta ao placebo.

Expliquei o condicionamento, o primeiro elemento, na discussão sobre Pavlov no capítulo anterior. Para recapitular, o condicionamento acontece quando associamos uma lembrança passada (por exemplo, tomar uma aspirina) com uma mudança fisiológica (livrar-se de uma dor de cabeça) porque a experimentamos muitas vezes. Pense nisso da seguinte forma: se você percebe que está com dor de cabeça, essencialmente fica consciente de uma mudança fisiológica no ambiente interno (você está sentindo dor). A próxima coisa que faz automaticamente é procurar algo no mundo externo (nesse caso, uma aspirina) para criar uma mudança no mundo interno. Poderíamos dizer que foi o estado interno (sentir dor) que o levou a pensar em alguma escolha passada, na ação tomada ou na experiência ocorrida na realidade externa que mudou como você se sentia (tomar uma aspirina e obter alívio).

Assim, o estímulo (ou pista) do ambiente externo chamado aspirina cria uma experiência específica. Quando a experiência produz uma resposta ou recompensa fisiológica, ela altera seu ambiente interno. No momento em que percebe uma mudança no ambiente interno, você presta atenção ao que estava no ambiente externo e causou a mudança. Esse evento – no qual algo fora muda algo dentro de você – é chamado de memória associativa.

Se continuarmos a repetir o processo vezes e mais vezes, o estímulo externo pode ficar tão forte ou reforçado pela associação que podemos substituir a aspirina por uma pílula de açúcar que se pareça com uma aspirina, e ela produzirá resposta interna automática (diminuição da dor de cabeça). Essa é uma das maneiras como o placebo funciona. As figuras 3.1A, 3.1B e 3.1C ilustram o processo de condicionamento.

A expectativa, o segundo elemento, entra em cena quando temos motivo para antecipar um resultado diferente. Por exemplo, se sofremos de dor crônica por causa de artrite e recebemos uma nova droga do médico, que nos explica entusiasmado que ela deve aliviar a dor, aceitamos a sugestão e esperamos que, ao tomar a nova medicação, algo diferente aconteça (não sentir mais dor). Assim, nosso médico nos influencia mediante sugestão.

Ao nos tornarmos mais sugestionáveis, naturalmente associamos algo externo (a nova medicação) a uma possibilidade diferente (ficar livre da dor). Em nossa mente, escolhemos um futuro potencial diferente e antecipamos e esperamos alcançar o resultado diferente. Se aceitarmos e abraçarmos com emoção o novo resultado selecionado e a intensidade de nossa emoção for grande o suficiente, nossos cérebro e corpo não saberão a diferença entre imaginar que mudamos nosso estado de ser para ficar livres da dor e o evento real que causou a mudança para um novo estado de ser. Para o cérebro e o corpo, ambos são a mesma coisa.

FIGURA 3.1 A

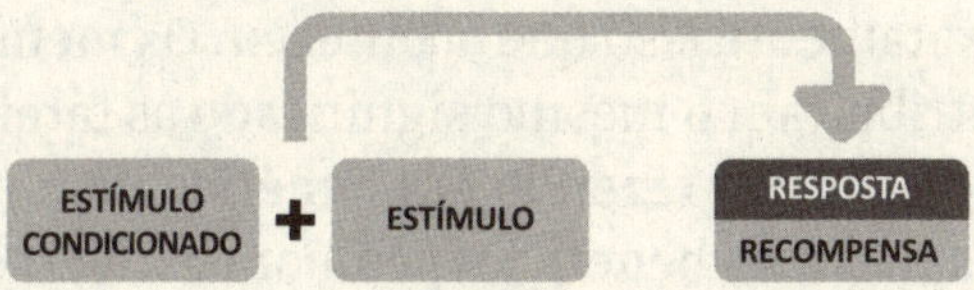

FIGURA 3.1 B

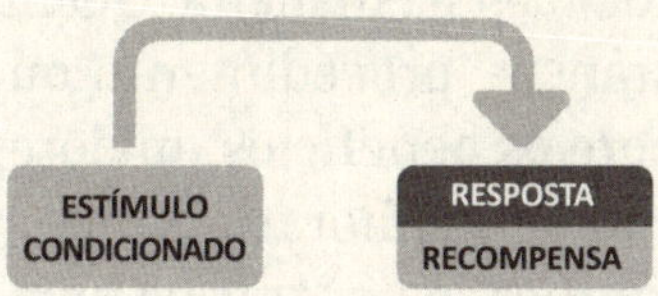

FIGURA 3.1 C

Na Figura 3.1A, um estímulo produz uma mudança fisiológica chamada resposta ou recompensa. A Figura 3.1B demonstra que, se você combinar um estímulo com um estímulo condicionado por vezes suficientes, ele ainda produzirá uma resposta. A Figura 3.1C mostra que, se você remove o estímulo e o substitui por um estímulo condicionado – como um placebo –, este pode produzir a mesma resposta fisiológica.

Consequentemente, o cérebro dispara os mesmos circuitos neurais que dispararia se o nosso estado tivesse mudado (se a droga funcionasse para aliviar a dor) enquanto libera substâncias químicas semelhantes no corpo. O que estamos esperando (ficar sem dor) realmente acontece porque cérebro e corpo criam o fármaco perfeito para alterar nossa condição interna. Estamos agora em um novo estado de ser, isto é, mente e corpo estão funcionando como um só. Temos poder para tanto.

O terceiro elemento, atribuir significado a um placebo, ajuda-o a funcionar porque, quando damos um novo significado a uma ação, acrescentamos intenção a ela. Em outras palavras, quando aprendemos e entendemos algo novo, colocamos mais de nossa energia consciente e intencional naquilo.

Por exemplo, no estudo sobre as camareiras de hotel do capítulo anterior, uma vez que as funcionárias entenderam o quanto de exercício físico faziam todos os dias apenas para realizar seu trabalho, bem como os benefícios daquele exercício, atribuíram mais significado às ações. Perceberam que não estavam apenas aspirando pó, esfregando e passando pano – também estavam trabalhando os músculos, aumentando a força e queimando calorias. Como aspirar pó, esfregar e passar pano adquiriram mais significado depois que os pesquisadores as instruíram sobre as vantagens físicas do exercício, a intenção ou objetivo das camareiras enquanto trabalhavam não era apenas completar as tarefas – era também fazer exercício físico e ficar mais saudável. E foi exatamente isso que aconteceu. Os membros do grupo de controle não atribuíram o mesmo significado às tarefas porque não sabiam que o que estavam fazendo era benéfico para a saúde, então não receberam os mesmos benefícios, embora estivessem realizando as mesmíssimas ações.

O placebo funciona da mesma maneira. Quanto mais você acreditar que determinada substância, procedimento ou cirurgia funcionará porque foi instruído sobre os benefícios, maiores serão suas chances de reagir ao pensamento de melhorar a saúde. Em outras palavras, se você colocar mais significado por trás de uma possível experiência com uma pessoa, lugar ou coisa em seu ambiente externo a fim de mudar seu ambiente interno, maior a probabilidade de mudar seu estado interno só pelo pensamento. Além disso, quanto mais você conseguir aceitar um novo resultado relacionado à sua saúde porque foi instruído sobre as possíveis recompensas do que está fazendo, mais claro o modelo que criará em sua mente e mais bem preparado seu cérebro e seu corpo para replicar esse modelo. Para simplificar: quanto mais você acredita na causa, melhor o efeito.

Placebo: a anatomia de um pensamento

Se o efeito placebo é uma função do pensamento que pode mudar a fisiologia – poderíamos chamá-lo de poder da mente sobre a matéria –, talvez devêssemos examinar nossos pensamentos e como interagem com nosso cérebro e corpo. Vamos começar com os pensamentos diários pessoais.

Somos criaturas de hábito. Pensamos em torno de 60 mil a 70 mil pensamentos por dia[53], e 90% são os mesmíssimos que tivemos no dia anterior. Levantamos pelo mesmo lado da cama, passamos pela mesma rotina no banheiro, penteamos o cabelo da mesma maneira, sentamos na mesma cadeira enquanto ingerimos o mesmo café da manhã e seguramos nossa caneca com a mesma mão, percorremos o mesmo trajeto para o mesmo trabalho e fazemos as mesmas coisas que sabemos como fazer muito bem com as mesmas pessoas (que apertam os mesmos botões emocionais) todos os dias. E então nos apressamos para voltar para casa, para podermos checar o *e-mail* apressados, para podermos jantar às pressas, para nos apressarmos para assistir a nossos programas de TV favoritos, para escovar os dentes na mesma rotina apressada antes de deitar e podermos nos apressar e ir para a cama no mesmo horário para que possamos nos apressar e fazer tudo de novo no dia seguinte.

Se parece que eu disse que vivemos grande parte de nossa vida no piloto automático, está corretíssimo. Pensar os mesmos pensamentos nos leva a fazer as mesmas escolhas. Fazer as mesmas escolhas nos leva a demonstrar os mesmos comportamentos. Demonstrar os mesmos comportamentos nos leva a criar as mesmas experiências. Criar as mesmas experiências nos leva a produzir as mesmas emoções. Essas mesmas emoções então impulsionam os mesmos pensamentos. Dê uma olhada na figura 3.2 e siga a sequência de como os mesmos pensamentos criam a mesma realidade de sempre.

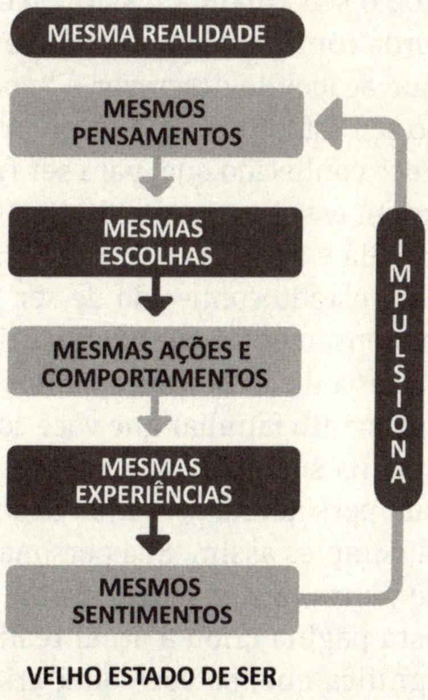

FIGURA 3.2

Como criamos a mesma realidade só pelo pensamento.

Como resultado desse processo consciente ou inconsciente, sua biologia permanece a mesma. Nem seu cérebro nem seu corpo mudam porque você pensa os mesmos pensamentos, realiza as mesmas ações e vive as mesmas emoções – mesmo que secretamente espere que sua vida mude. Você cria a mesma atividade cerebral, que ativa os mesmos circuitos cerebrais e reproduz a mesma química cerebral, o que afeta a química do seu corpo da mesma maneira. Essa mesma química sinaliza os mesmos genes da mesma maneira. A mesma expressão gênica cria as mesmas proteínas, os blocos de construção das células, que mantêm o corpo igual (vou falar mais sobre as proteínas depois). Como a expressão das proteínas é a expressão da vida ou da saúde, sua vida e saúde permanecem as mesmas.

Agora dê uma olhada na sua vida por um momento. O que isso significa para você? Se você está pensando os mesmos pensamentos de ontem, é mais do que provável que esteja fazendo as mesmas escolhas hoje. Essas mesmas escolhas de hoje vão levar ao mesmo comportamento amanhã. Os mesmos comportamentos habituais amanhã vão produzir as mesmas experiências em seu futuro. Os mesmos eventos em sua realidade futura vão criar as mesmas emoções previsíveis para você o tempo todo. Como resultado, você se sentirá igual todos os dias. Seu ontem se torna o seu amanhã. Assim, seu passado é seu futuro.

Se você concorda comigo até aqui, poderíamos dizer que o sentimento familiar que acabei de descrever é "você", sua identidade ou personalidade. É o seu estado de ser. E é confortável, livre de esforço e automático. É o você conhecido que, para ser franco, vive no passado. Quando você mantém esse processo redundante diariamente (porque você acorda de manhã e antecipa e recorda a sensação do "você" de todos os dias), esse estado conhecido de ser acaba por impulsionar apenas os mesmos pensamentos que o influenciarão a desejar o mesmo ciclo automático de escolhas, comportamentos e experiências a fim de chegar àquele sentimento familiar que você considera "você". Assim tudo continua igual na sua personalidade.

Se essa é a sua personalidade, então sua personalidade cria sua realidade pessoal. Simples assim. Sua personalidade é composta pela forma como você pensa, age e sente. Assim, a personalidade atual que está lendo esta página criou a atual realidade pessoal chamada sua vida; isso significa que, se você quer criar uma nova realidade pessoal – uma nova vida –, tem que começar a examinar ou pensar sobre os pensamentos que você tem pensado e mudá-los. Você deve se tornar consciente dos comportamentos inconscientes que escolheu demonstrar e que levaram às mesmas experiências, e a seguir deve fazer novas escolhas, adotar novas atitudes e criar novas experiências. A figura 3.3 mostra como sua personalidade influencia sua realidade pessoal.

FIGURA 3.3

Sua personalidade é composta de como você pensa, age e sente. É o seu estado de ser. Portanto, seus mesmos pensamentos, ações e sentimentos irão mantê-lo escravizado à mesma realidade pessoal do passado. No entanto, quando você, como personalidade, adota novos pensamentos, ações e sentimentos, inevitavelmente cria uma nova realidade pessoal no futuro.

Você deve observar e prestar atenção às emoções que memorizou e que vive todos os dias e decidir se viver de acordo com essas emoções dia após dia é amoroso para com você. Veja bem, a maioria das pessoas tenta criar uma nova realidade pessoal com a mesma velha personalidade, e isso não funciona. Para mudar sua vida, você tem literalmente que se tornar outra pessoa. Fique ligado na ciência de respeito que respalda esse processo. Dê uma olhada na figura 3.4 e siga a sequência.

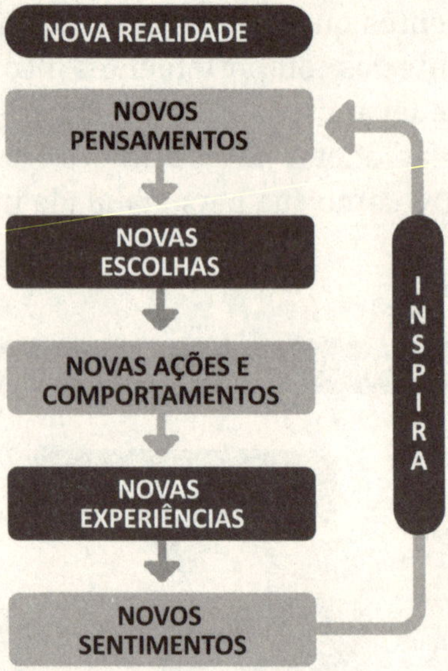

NOVO ESTADO DE SER

FIGURA 3.4

Como criamos uma nova realidade só pelo pensamento.

Se você entende esse modelo, há de concordar comigo que novos pensamentos devem levar a novas escolhas. Novas escolhas devem levar a novos comportamentos. Novos comportamentos devem levar a novas experiências. Novas experiências devem criar novas emoções, e novas emoções e sentimentos devem inspirá-lo a pensar de novas maneiras. Isso é chamado de "evolução". Sua realidade pessoal e sua biologia – circuitos cerebrais, química interna, expressão genética e, em última análise, sua saúde – devem mudar como resultado da nova personalidade, do novo estado de ser.

E tudo parece começar com um pensamento.

Uma rápida olhada em como o cérebro funciona

Até aqui, mencionei termos como circuitos cerebrais, redes neurais, química cerebral e expressão genética sem dar muita explicação sobre o que significam. No restante do capítulo, vou esboçar um pouco de explicação científica simples de como o cérebro e o corpo trabalham juntos a fim de construir um modelo completo de como você pode se tornar o seu placebo.

Seu cérebro, composto por pelo menos 75% de água, tem a consistência de um ovo mole e cerca de cem bilhões de células nervosas, chamadas neurônios, perfeitamente organizadas e suspensas em ambiente aquoso. Cada célula nervosa se assemelha a um carvalho sem folhas, mas elástico, com galhos retorcidos e sistemas radiculares que se conectam com e se desconectam de outras células nervosas. O número de conexões que determinada célula nervosa pode produzir pode variar de mil a mais de cem mil, dependendo de sua localização no cérebro. O neocórtex – o cérebro pensante – tem cerca de dez mil a quarenta mil conexões por neurônio, por exemplo.

Costumávamos pensar no cérebro como um computador e, embora haja semelhanças, sabemos que a coisa é bem mais complexa. Cada neurônio é um biocomputador único, com mais de sessenta *megabytes* de RAM. É capaz de processar enormes quantidades de dados, até centenas de milhares de funções por segundo. À medida que aprendemos coisas novas e temos novas experiências de vida, nossos neurônios fazem novas conexões, trocando informações eletroquímicas uns com os outros. Essas conexões são chamadas de conexões sinápticas, pois o local onde as células trocam informações – o espaço entre o ramo de um neurônio e a raiz do outro – é chamado de sinapse.

Se aprender é fazer novas conexões sinápticas, lembrar é conservar essas conexões. Uma memória é um relacionamento ou conexão de longo prazo entre as células nervosas. A criação dessas conexões e o modo como elas mudam com o tempo alteram a estrutura física do cérebro.

À medida que o cérebro faz essas mudanças, nossos pensamentos produzem uma mistura de várias substâncias químicas chamadas neurotransmissores (serotonina, dopamina e acetilcolina são algumas de que você talvez já tenha ouvido falar). Quando pensamos, os neurotransmissores de um ramo de uma árvore de neurônio cruzam a fenda sináptica para alcançar a raiz de outra árvore de neurônio. Depois de os neurotransmissores atravessarem essa lacuna, o neurônio dispara uma descarga elétrica de informação. Quando pensamos os mesmos pensamentos, o neurônio dispara da mesma maneira, fortalecendo a relação entre as duas células, de modo que possam transmitir um sinal com mais facilidade da próxima vez que dispararem. Como resultado, o cérebro mostra evidências físicas de que algo não só foi aprendido, mas também lembrado. O processo de fortalecimento seletivo é chamado de potenciação sináptica.

Quando selvas de neurônios disparam em uníssono para sustentar um novo pensamento, uma substância química adicional (uma proteína) é criada dentro da célula nervosa e faz o seu caminho até o centro ou núcleo da célula, onde aterrissa no DNA. A proteína então aciona vários genes. Como o trabalho dos genes é produzir proteínas que mantenham a estrutura e a função do corpo, a célula nervosa cria rapidamente uma nova proteína para criar novos ramos entre as células nervosas. Assim, quando repetimos um pensamento ou uma experiência por vezes suficientes, nossas células cerebrais fazem não apenas conexões mais fortes entre si (o que afeta nossas funções fisiológicas), como também um número maior de conexões totais (que afetam a estrutura física do corpo). O cérebro se torna mais rico em termos microscópicos.

Portanto, assim que pensa um novo pensamento, você se transforma – neurológica, química e geneticamente. Na verdade, você pode adquirir milhares de novas conexões em questão de segundos a partir de novas aprendizagens, novas formas de pensar e novas experiências. Isso significa que, apenas com o pensamento, você pode ativar novos genes imediatamente. Isso acontece apenas por mudar o raciocínio; é a mente sobre a matéria.

O Prêmio Nobel Eric Kandel mostrou que, quando novas memórias são formadas, o número de conexões sinápticas nos neurônios sensoriais estimulados duplica para 2,6 mil. No entanto, a menos que a experiência original de aprendizado seja repetida várias vezes, o número de novas conexões recua para os 1,3 mil originais em questão de apenas três semanas.

Portanto, se repetimos vezes suficientes o que aprendemos, fortalecemos as comunidades de neurônios para nos ajudar a lembrar na próxima ocasião. Do contrário, as conexões sinápticas logo desaparecem, e a memória é apagada. Por isso é importante atualizar, revisar e lembrar continuamente novos pensamentos, escolhas, comportamentos, hábitos, crenças e experiências se quisermos que se consolidem no cérebro[54]. A figura 3.5 o ajudará a se familiarizar com os neurônios e as redes neurais.

Para ter uma ideia da vastidão desse sistema, imagine uma célula nervosa conectando-se a quarenta mil outras células nervosas.

Digamos que ela esteja processando cem mil *bits* de informações por segundo e compartilhando essas informações com outros neurônios que também processam cem mil funções por segundo. Essa rede, formada a partir de grupos de neurônios trabalhando juntos, é chamada de rede neural. As redes neurais formam comunidades de conexões sinápticas. Também podemos chamá-las de neurocircuitos.

Como há mudanças físicas nas células nervosas que compõem a massa cinzenta do cérebro e como os neurônios são selecionados e instruídos para se organizar nessas vastas redes capazes de processar centenas de milhões de *bits* de informação, o *hardware* físico do cérebro também muda, adaptando-se às informações que recebe do ambiente. Com o tempo, com a repetida reativação das redes – propagações convergentes e divergentes de atividade elétrica, como uma tempestade alucinante de raios em nuvens espessas –, o cérebro continuará usando os mesmos sistemas de *hardware* (as redes neurais físicas), mas também criará um *software* (uma rede neural automática). É assim que os programas são instalados no cérebro. O *hardware* cria o *software*, o sistema de *software* é incorporado ao *hardware*, e, toda vez que é usado, o *software* reforça o *hardware*.

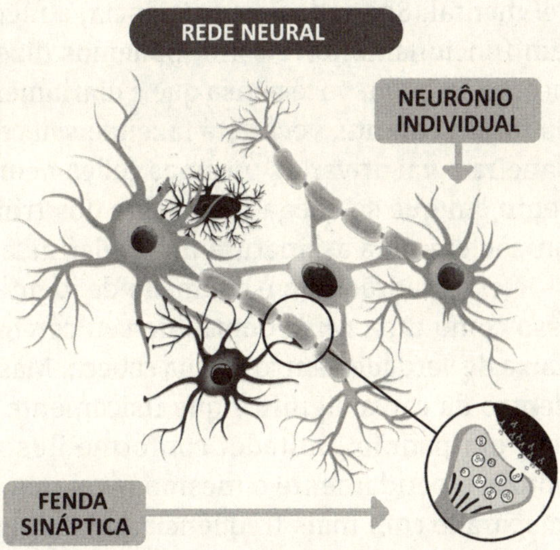

FIGURA 3.5

Essa é uma representação gráfica simplificada de neurônios em uma rede neural. O diminuto espaço entre os ramos de neurônios individuais que facilita a comunicação entre eles é chamado de fenda sináptica. Cerca de cem mil neurônios podem se encaixar no mesmo espaço que um grão de areia e ter mais de um bilhão de conexões entre eles.

Então, quando você pensa os mesmos pensamentos e sente os mesmos sentimentos o tempo todo porque não está aprendendo nem fazendo nada novo, seu cérebro dispara os neurônios e ativa as redes neurais nas mesmas sequências, padrões e combinações. Eles se tornam programas automáticos que você usa de modo inconsciente todos os dias. Você tem uma rede neural automática para falar um idioma, para fazer a barba ou se maquiar, para digitar no computador, para julgar seu colega de trabalho e assim por diante porque executou essas ações tantas vezes que elas se tornaram praticamente inconscientes. Você não precisa mais pensar de modo consciente a respeito. Acontece sem esforço.

Você reforça esses circuitos com tanta frequência que eles se tornam permanentes. As conexões entre os neurônios ficam mais coladas, formam-se circuitos adicionais, e os galhos se expandem e ficam mais espessos, do mesmo modo que podemos fortalecer e reforçar uma ponte, construir novas estradas ou ampliar uma via expressa para acomodar mais tráfego.

Um dos princípios mais básicos da neurociência afirma: "Células nervosas que disparam juntas se conectam juntas"[55]. À medida que seu cérebro dispara repetidamente da mesma maneira, você reproduz o mesmo nível mental. Segundo a neurociência, a mente é o cérebro em ação ou em funcionamento. Assim, podemos dizer que, se você lembra a si mesmo de quem você pensa que é diariamente mediante a reprodução da mesma mente, você está fazendo seu cérebro disparar da mesma maneira e vai ativar as mesmas redes neurais por anos a fio. No momento em que se chega na metade dos trinta anos, o cérebro se organizou em uma assinatura muito definida de programas automáticos – e esse padrão fixo é chamado de identidade.

Pense nisso como uma caixa dentro do seu cérebro. É claro que não há uma caixa de verdade dentro da sua cabeça. Mas é seguro dizer que pensar dentro da caixa significa que fisicamente você conectou seu cérebro em um padrão limitado, conforme ilustrado na figura 3.6. Ao reproduzir repetidamente o mesmo nível mental, o conjunto de circuitos disparado com mais frequência, neurologicamente mais conectado, predetermina quem você é como resultado de sua vontade.

NEURORRIGIDEZ

PENSANDO DENTRO DA CAIXA

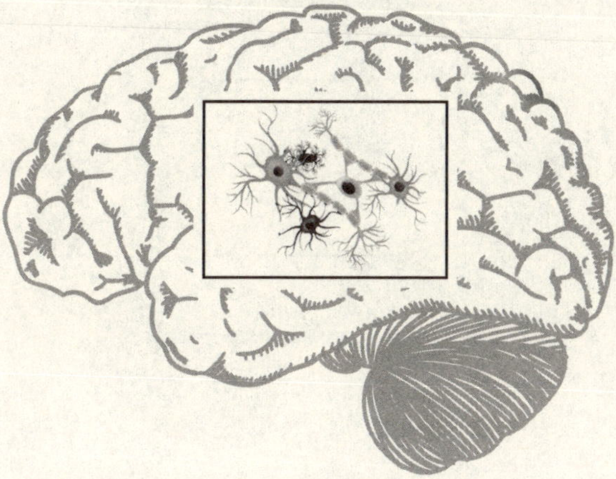

FIGURA 3.6

Se seus pensamentos, escolhas, comportamentos, experiências e estados emocionais permanecem os mesmos por anos a fio – e os mesmos pensamentos são sempre iguais aos mesmos sentimentos, reforçando o mesmo ciclo interminável –, seu cérebro fica conectado em uma assinatura definida. Isso porque você recria a mesma mente todos os dias por fazer seu cérebro disparar nos mesmos padrões. Com o tempo, isso reforça biologicamente um conjunto limitado específico de redes neurais, tornando seu cérebro fisicamente mais propenso a criar o mesmo nível de mente – aí você pensa dentro da caixa. A totalidade desses circuitos permanentes é o que se chama de sua identidade.

Neuroplasticidade

Nosso objetivo precisa ser pensar fora da caixa para fazer o cérebro disparar de novas maneiras, como ilustra a figura 3.7. É isso que significa ter uma mente aberta; sempre que você faz seu cérebro funcionar de maneira diferente, você está literalmente mudando sua mente.

Pesquisas mostram que, à medida que usamos o cérebro, ele cresce e muda graças à neuroplasticidade, a capacidade de se adaptar e mudar quando aprendemos novas informações. Por exemplo, quanto mais os matemáticos estudam matemática, mais ramos neurais brotam na área do cérebro usada para a matemática[56]. Depois de anos se apresentando em sinfonias e orquestras, músicos profissionais expandem a parte do cérebro associada a habilidades musicais e de linguagem[57].

NEUROPLASTICIDADE

PENSANDO FORA DA CAIXA

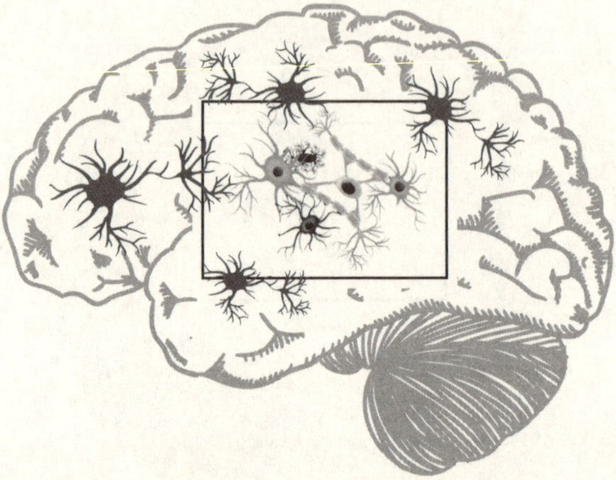

FIGURA 3.7

Quando você aprende coisas novas e começa a pensar de novas maneiras, faz seu cérebro disparar em diferentes sequências, padrões e combinações, ou seja, você ativa muitas e variadas redes de neurônios de diferentes maneiras. E, sempre que você faz seu cérebro funcionar de maneira diferente, você está mudando sua mente. Quando você começa a pensar fora da caixa, novos pensamentos devem levar a novas escolhas, novos comportamentos, novas experiências e novas emoções. Aí sua identidade também muda.

Os termos científicos oficiais para o funcionamento da neuroplasticidade são poda e brotamento, que significam exatamente o que parece: livrar-se de algumas conexões, padrões e circuitos neurais e criar novos. Em um cérebro em bom funcionamento, esse processo pode acontecer em questão de segundos. Pesquisadores da Universidade da Califórnia em Berkeley demonstraram isso em um estudo com ratos de laboratório. Descobriram que ratos que viviam em um ambiente enriquecido (compartilhando uma gaiola com irmãos e descendentes, tendo acesso a muitos brinquedos variados) tinham cérebro maior, com mais neurônios e mais conexões neurais do que ratos em ambientes menos enriquecidos[58]. Repetindo: quando aprendemos coisas novas e temos novas experiências, literalmente mudamos nosso cérebro.

Livrar-se das cadeias de programação rígidas e do condicionamento que mantém você igual requer esforço considerável. Também requer conhecimento, porque, quando você adquire informações vitais sobre si mesmo ou sua vida, você costura todo um novo padrão no bordado tridimensional de sua massa cinzenta. Você tem mais matéria-prima para fazer o cérebro funcionar de maneiras novas e diferentes. Você começa a pensar e perceber a realidade de maneira diferente porque começa a ver sua vida através das lentes de uma nova mente.

Atravessar o rio da mudança

A essa altura, você pode ver que, para mudar, é preciso ficar consciente do eu inconsciente (que agora você sabe que é apenas um conjunto de programas conectados). A parte mais difícil da mudança é não fazer as mesmas escolhas que fizemos no dia anterior. Isso é muito difícil porque, no exato instante em que não pensamos mais os mesmos pensamentos que levam às mesmas escolhas, ou seja, que nos levam a agir de maneira habitual e automática para que possamos experimentar os mesmos eventos a fim de reafirmar as mesmas emoções de nossa identidade, nos sentimos desconfortáveis. O novo estado de ser não é familiar; é desconhecido. Não parece "normal". Não nos sentimos mais como nós mesmos porque não somos mais nós mesmos. Como tudo parece incerto, não podemos mais prever o sentimento do eu familiar e como ele se reflete em nossa vida.

Por mais desconfortável que possa parecer no início, é nesse momento que sabemos que entramos no rio da mudança. Entramos no desconhecido. No instante em que não somos mais o velho eu, precisamos atravessar uma lacuna entre o antigo e o novo eu, que a figura 3.8 mostra com clareza. Em outras palavras, não saltitamos para uma nova personalidade em questão de instantes. Leva tempo.

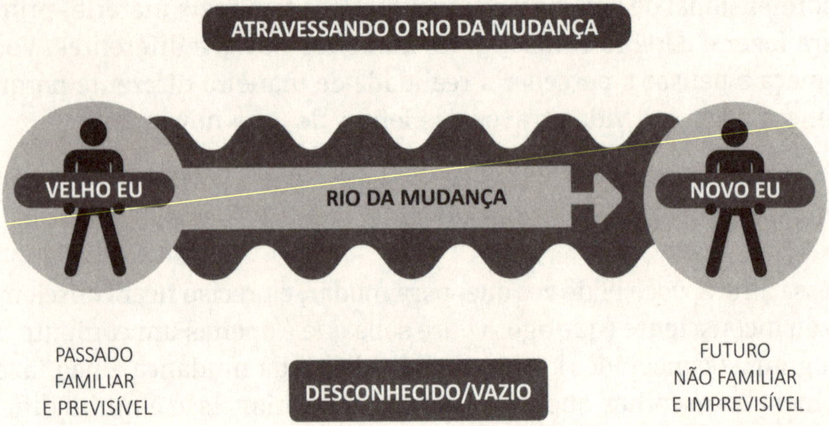

FIGURA 3.8

Atravessar o rio da mudança exige que você deixe o eu previsível e familiar de sempre – conectado aos mesmos pensamentos, mesmas escolhas, mesmos comportamentos e mesmos sentimentos – e adentre o desconhecido ou um vazio. A lacuna entre o velho e o novo eu é a morte biológica da velha personalidade. Para o antigo eu morrer, você tem de criar um novo eu com novos pensamentos, novas escolhas, novos comportamentos e novas emoções. Entrar nesse rio é rumar para um novo eu, imprevisível e não familiar. O desconhecido é o único lugar onde você pode criar – você não pode criar nada novo a partir do conhecido.

Quando as pessoas entram no rio da mudança, o vazio entre o antigo e o novo eu costuma ser tão desconfortável que elas voltam a ser o antigo eu no mesmo instante. Inconscientemente pensam: "Isso não parece estar certo, estou desconfortável, não me sinto muito bem". No momento em que aceitam esse pensamento ou autossugestão (e ficam sugestionáveis ao próprio pensamento), inconscientemente fazem as mesmas velhas escolhas que levarão aos mesmos comportamentos habituais para criar as mesmas experiências que automaticamente confirmam as mesmas emoções e sentimentos. E aí dizem para si mesmas: "Isso parece estar certo". Mas o que realmente querem dizer é que parece familiar.

Quando entendemos que atravessar o rio da mudança e sentir o desconforto é a morte biológica, neurológica, química e até mesmo genética do antigo eu, temos poder sobre a mudança e podemos manter o foco na outra margem do rio. Se aceitamos que a mudança é a desnaturação dos circuitos arraigados de anos dos mesmos pensamentos inconscientes, conseguimos lidar com a situação. Se entendemos que o desconforto que sentimos é o desmantelamento de velhas atitudes, crenças e percepções repetidamente gravadas em nossa arquitetura cerebral, conseguimos suportar. Se raciocinamos que os desejos que combatemos em meio à mudança são ocasionados pela abstinência das adições químicas e emocionais do corpo, podemos superá-los. Se compreendemos que ocorrem variações biológicas reais a partir de hábitos e comportamentos subconscientes que alteram nosso corpo em nível celular, conseguimos ir em frente. E, se lembramos que estamos modificando nossos genes desta vida e de incontáveis gerações anteriores, conseguimos permanecer focados e inspirados até o fim.

Algumas pessoas chamam essa experiência de noite escura da alma. É a fênix que arde até as cinzas. O velho eu tem que morrer para o novo renascer. Claro que isso é desconfortável. Mas tudo bem, porque o desconhecido é o lugar perfeito para criar, é onde as possibilidades existem. O que poderia ser melhor que isso? A maioria de nós foi condicionada a fugir do desconhecido, então agora temos de aprender a nos sentir à vontade no vazio ou no desconhecido, em vez de temê-lo.

Se você me dissesse que não gosta de estar no vazio porque é muito desorientador e você não consegue ver o que vem pela frente porque não pode prever seu futuro, eu diria que isso é ótimo, pois a melhor maneira de prever o futuro é criá-lo – a partir não do conhecido, mas do desconhecido.

À medida que o novo eu nasce, devemos ser diferentes também em termos biológicos. Novas conexões neuronais devem brotar e ser seladas pela escolha consciente de pensar e agir de novas maneiras todos os dias. Essas conexões devem ser reforçadas pela criação repetida das mesmas experiências até se tornarem um hábito. Novos estados químicos devem se tornar familiares a partir das emoções de novas experiências em quantidade suficiente. E novos genes devem ser sinalizados para produzir novas proteínas para alterar nosso estado de ser de novas maneiras. Se, como vimos, a expressão das proteínas é a expressão da vida, e a expressão da vida é igual à saúde do corpo, haverá então um novo nível de saúde e vida em termos estruturais e funcionais. Devem surgir uma mente e um corpo renovados.

Quando raia um novo dia após a longa noite escura e a fênix se ergue regenerada de suas cinzas, nós inventamos um novo eu. E a expressão física e biológica do novo eu torna-se literalmente outra pessoa. Essa é a verdadeira metamorfose.

Superar o ambiente

Outra maneira de ver o cérebro é dizer que ele é organizado para refletir tudo o que você conhece e experimentou na vida. Assim você pode entender que, cada vez que interagiu com o mundo externo, os eventos moldaram e formaram quem você é hoje. As complexas redes de neurônios que dispararam e se conectaram ao longo de seus dias na Terra formaram trilhões e trilhões de conexões porque você aprendeu e formou memórias. Como todo lugar onde um neurônio se conecta com outro é chamado de "memória", seu cérebro é um registro vivo do passado. As vastas experiências com cada pessoa e coisa em diferentes momentos e lugares em seu ambiente externo foram gravadas nos nichos de sua massa cinzenta.

Então, por natureza a maioria de nós pensa no passado, pois usamos o mesmo *hardware* e os mesmos *softwares* de nossas memórias. Se vivemos a mesma vida todos os dias, fazendo as mesmas coisas ao mesmo tempo, vendo as mesmas pessoas no mesmo lugar e criando as mesmas experiências de ontem, estamos escravizados a ter nosso mundo externo influenciando nosso mundo interno. Nosso ambiente controla o modo como pensamos, agimos e sentimos. Somos vítimas de nossa realidade pessoal, pois esta cria nossa personalidade, e isso se tornou um processo inconsciente. Isso reafirma, é claro, o mesmo pensamento e sentimento, e aí existe um tango ou uma combinação entre nossos mundos externo e interno, eles se fundem e se tornam o mesmo – e nós também.

Se nosso ambiente regula como pensamos e sentimos todos os dias, para mudar é preciso que algo em nós ou nossa vida seja maior do que as circunstâncias presentes em nosso ambiente.

Pensando e sentindo, sentindo e pensando

Assim como os pensamentos são a linguagem do cérebro, as sensações são a linguagem do corpo. O modo como você pensa e sente cria um estado de ser. Estado de ser significa mente e corpo trabalhando juntos. Portanto, seu presente estado de ser é sua genuína conexão mente-corpo.

Toda vez que você pensa, além de neurotransmissores seu cérebro produz outro elemento químico, uma pequena proteína chamada neuropeptídeo, que envia uma mensagem para o corpo. Seu corpo reage tendo uma sensação. O cérebro percebe que o corpo está tendo uma sensação e gera um pensamento idêntico à sensação, que produzirá mais das mesmas mensagens químicas que lhe permitem pensar de acordo com a forma como estava se sentindo.

Assim, o pensamento cria a sensação, e a sensação cria um pensamento igual às sensações. É um *loop* (que, para a maioria das pessoas, pode durar anos). Como o cérebro age nas sensações do corpo gerando os mesmos pensamentos que produzirão as mesmas emoções, fica claro que pensamentos redundantes conectam seu cérebro em um padrão fixo de neurocircuitos.

Mas o que acontece no corpo? Como as sensações são o *modus operandi* do corpo, as emoções que você sente de forma contínua com base no pensamento automático condicionarão o corpo a memorizar aquelas emoções que são iguais à mente e ao cérebro inconscientes. Isso significa que a mente consciente não está no comando. O corpo foi programado e condicionado de forma subconsciente, de uma maneira muito real, para se tornar a própria mente.

Tendo esse ciclo de pensar e sentir e sentir e pensar operado por tempo suficiente, nosso corpo memoriza as emoções que o cérebro sinalizou para o corpo sentir. O ciclo fica tão estabelecido e arraigado que cria um estado familiar de ser baseado em informações antigas que seguem em reciclagem. Essas emoções, que nada mais são do que registros químicos de experiências passadas, impulsionam nossos pensamentos e são repetidas vezes e mais vezes. Enquanto isso continuar, estaremos vivendo no passado. Não é de admirar que seja tão difícil mudarmos o nosso futuro.

Se os neurônios disparam da mesma maneira, eles desencadeiam a liberação dos mesmos neurotransmissores químicos e neuropeptídeos no cérebro e no corpo, e essas substâncias começam a treinar o corpo para lembrar-se ainda mais dessas emoções, alterando-o fisicamente mais uma vez. As células e tecidos recebem esses sinais químicos muito específicos em pontos receptores específicos. Os pontos receptores são parecidos com estações de acoplamento para mensageiros químicos. Os mensageiros encaixam-se com perfeição no lugar, como um quebra-cabeça infantil em que certas formas, como um círculo, um triângulo ou um quadrado, se encaixam em aberturas específicas.

Pense nos mensageiros químicos, que na realidade são moléculas de emoção, como portadores de códigos de barras que permitem aos receptores das células ler a energia eletromagnética dos mensageiros. Quando ocorre a correspondência exata, o ponto receptor se prepara. O mensageiro se acopla, a célula recebe as mensagens químicas e em seguida cria ou altera uma proteína. A nova proteína ativa o DNA da célula dentro do núcleo. O DNA abre e se desenrola, o gene é lido para aquela mensagem de fora da célula, e a célula produz uma nova proteína a partir de seu DNA (por exemplo, um hormônio) e a libera no corpo.

Aí o corpo está sendo treinado pela mente. Se o processo continua por anos e anos, porque os mesmos sinais de fora da célula provêm do mesmo nível de mente no cérebro (porque a pessoa pensa, age e sente do mesmo jeito todos os dias), faz sentido que os mesmos genes sejam ativados da mesma maneira, pois o corpo está recebendo os mesmos dados do ambiente. Não há novos pensamentos, escolhas, comportamentos, experiências e sentimentos. Quando os mesmos genes são repetidamente ativados pela mesma informação do cérebro, os genes continuam sendo selecionados vez após vez e, como as engrenagens de um carro, começam a se desgastar. O corpo produz proteínas com estruturas mais fracas e funções reduzidas. Ficamos doentes e envelhecemos.

Com o tempo, um de dois cenários pode ocorrer. No primeiro, a inteligência da membrana celular, que recebe constantemente a mesma informação, pode adaptar-se às necessidades e demandas do corpo, modificando seus receptores para acomodar mais dessas substâncias químicas. Basicamente, cria mais estações de acoplamento para satisfazer a demanda, assim como os supermercados abrem mais caixas de pagamento quando as filas ficam muito compridas. Se o negócio continuar indo bem (se as mesmas substâncias químicas continuarem chegando), você precisará contratar mais funcionários e manter mais caixas abertos. Aí o corpo é igual à mente e se tornou a mente.

No outro cenário, a célula fica sobrecarregada demais com o bombardeio contínuo de sensações e emoções a todo instante para permitir que todos os mensageiros químicos se acoplem. Como as substâncias químicas ficam meio que rondando do lado de fora das portas da estação de acoplamento da célula todos os dias, a célula se acostuma com as substâncias paradas por ali. Então, apenas quando o cérebro produz emoções muito mais intensas a célula fica disposta a abrir as portas. Quando você aumenta a intensidade da emoção, a célula é estimulada o suficiente para que as portas da estação de acoplamento se abram e a célula se ative. (Você ouvirá mais sobre a importância das emoções mais adiante – essa é uma parte fundamental da equação do placebo.)

No primeiro cenário, quando a célula cria novos pontos receptores, o corpo anseia por substâncias químicas específicas quando o cérebro não produz o suficiente, e com isso nossos sentimentos determinam nosso pensamento – nosso corpo controla nossa mente. É a isso que me refiro quando digo que o corpo memoriza a emoção. Ele foi biologicamente condicionado e alterado para ser um reflexo da mente.

No segundo cenário, uma vez que a célula é sobrecarregada pelo bombardeio e os receptores ficam dessensibilizados, o corpo exigirá uma vibração química maior para ativar a célula, assim como um viciado em drogas. Em outras palavras, para que o corpo seja estimulado e obtenha sua dose, você precisará ficar mais irritado, mais preocupado, mais culpado ou mais confuso do que da última vez. Aí você pode sentir a necessidade de começar um pequeno drama, gritando com seu cachorro sem motivo, apenas para dar ao corpo a droga preferida. Ou talvez não consiga deixar de falar sobre o quanto despreza sua sogra para que o corpo tenha substâncias químicas disponíveis com poder suficiente para despertar a célula. Ou você começa a ficar obcecado com algum resultado horrível imaginário, só para que o corpo possa obter um jorro de hormônios suprarrenais. Quando o corpo não tem as necessidades químicas emocionais atendidas, sinaliza o cérebro para produzir mais daquelas substâncias – o corpo controla a mente. Soa muito parecido com um vício. Então, quando eu usar o termo dependência emocional, você vai entender a que me refiro.

Quando os sentimentos se tornam a forma de pensar – ou quando não podemos pensar para além de como nos sentimos –, estamos no programa. Nosso pensamento é como nos sentimos, e nossos sentimentos são como pensamos. O que experimentamos é uma espécie de fusão de pensamentos e sentimentos – estamos *sentipensando* ou *pensentindo*. Como estamos presos nesse ciclo, nosso corpo, assim como a mente inconsciente, acredita que estamos vivendo a mesma experiência 24 horas por dia, sete dias por semana, 365 dias por ano. Nossa mente e corpo são um, alinhados a um destino predeterminado por nossos programas inconscientes. Portanto, mudar requer ser maior do que o corpo e todas as suas memórias, vícios e hábitos emocionais inconscientes, ou seja, deixar de ser definido pelo corpo como mente.

A repetição do ciclo de pensar e sentir e depois sentir e pensar é o processo de condicionamento do corpo produzido pela mente consciente. Uma vez que o corpo se torna a mente, isso é chamado de "hábito". Hábito é quando seu corpo é a mente. Quando chega aos 35 anos, 95% de sua pessoa é um conjunto de comportamentos, habilidades, reações emocionais, crenças, percepções e atitudes memorizados que funcionam como um programa de computador automático subconsciente.

Assim, 95% de sua pessoa é um estado de ser subconsciente ou até mesmo inconsciente. Isso significa que 5% de sua mente consciente está trabalhando, contra 95% do que você memorizou de modo inconsciente. Você pode pensar positivamente o quanto quiser, mas os 5% conscientes de sua mente vão sentir como se estivessem nadando contra a corrente dos outros 95% de sua mente, a química inconsciente de seu corpo que vem lembrando e memorizando qualquer negatividade que você tenha nutrido nos últimos 35 anos; isso é mente e corpo trabalhando em oposição. Não é de admirar que você não vá muito longe quando tenta lutar contra essa corrente.

Por isso chamei meu livro anterior de *Quebrando o hábito de ser você mesmo*, porque esse é o maior hábito que temos de quebrar – pensar, sentir e nos comportar da mesma forma, que reforça os programas inconscientes que refletem nossa personalidade e realidade pessoal. Não podemos criar um novo futuro enquanto vivermos no passado. É simplesmente impossível.

O que é preciso para ser o próprio placebo

Veja um exemplo que junta tudo isso. Escolhi um evento negativo de propósito, porque esses tendem a nos manter limitados, enquanto eventos mais bem-sucedidos, empoderadores e edificantes geralmente ajudam a criar um futuro melhor. (Esse processo ficará claro em breve.)

Digamos que no passado você teve uma experiência emocional horrível ao falar em público, ficando apavorado. (Sinta-se à vontade para substituir por qualquer experiência emocional danosa.) Devido a isso, agora você tem medo de parar diante de grupos de pessoas para falar. Isso o deixa inseguro, ansioso e qualquer coisa, menos confiante. Só de pensar em ter de encarar uma sala de reunião com umas vinte pessoas sua garganta fecha, as mãos ficam geladas e pegajosas, o coração dispara, o rosto e o pescoço ficam vermelhos, o estômago se revira e o cérebro congela.

Todas essas reações estão sob a jurisdição do sistema nervoso autônomo, que funciona de modo subconsciente, abaixo do controle consciente. Pense em autônomo como automático; essa é a parte do sistema nervoso que regula a digestão, os hormônios, a circulação, a temperatura corporal e assim por diante, sem que você tenha qualquer controle consciente sobre tais funções. Você não pode decidir alterar a frequência cardíaca, modificar o fluxo sanguíneo nas extremidades para resfriá-las, aquecer o rosto e o pescoço, alterar as secreções metabólicas de suas enzimas digestivas ou impedir que milhões de células nervosas disparem. Por mais que você tente alterar qualquer uma dessas funções de modo consciente, provavelmente vai descobrir que não será capaz de fazê-lo.

Assim, quando seu corpo realiza mudanças fisiológicas autônomas, é porque você associou o pensamento futuro de parar diante de uma plateia para fazer uma apresentação com a lembrança emocional da experiência fracassada de falar em público. Quando esse pensamento, ideia ou possibilidade futura estão consistentemente associados a sentimentos passados de ansiedade, fracasso ou constrangimento, a mente condiciona o corpo a responder de modo automático ao sentimento. É assim que nos movemos continuamente para estados familiares de ser – nossos pensamentos e sentimentos se tornam unos com o passado porque não podemos pensar em termos mais amplos do que como nos sentimos.

Agora vamos dar uma olhada em como isso funciona dentro do cérebro. O evento particular gravado e moldado neurologicamente como uma memória (lembre-se, a experiência enriquece os circuitos cerebrais) fica fisicamente conectado ao cérebro como uma pegada. Por conseguinte, você pode refazer seus passos e recordar a experiência negativa de falar em público como um pensamento. Para que seja prontamente lembrada, a experiência deve ter tido uma carga emocional significativa. Assim, você também pode trazer à mente todas as sensações relacionadas à tentativa frustrada de ser um orador bem-sucedido, pois é como se você fosse quimicamente alterado pela experiência.

Quero ressaltar que sensações e emoções são produtos finais de experiências passadas. Quando você fica preso em uma experiência, seus sentidos capturam o evento e em seguida retransmitem toda a informação vital para o cérebro por meio de cinco diferentes vias sensoriais. Quando os novos dados chegam ao cérebro, montes de células nervosas se organizam em novas redes para refletir o novo evento externo. No momento em que esses circuitos se solidificam, o cérebro produz uma substância química para sinalizar ao corpo e alterar sua fisiologia. Essa substância é chamada de sentimento ou emoção. Assim, podemos lembrar eventos passados porque podemos recordar a sensação que provocaram.

Então, quando sua palestra foi mal, todas as informações que seus cinco sentidos captaram no ambiente externo alteraram como você se sentia no ambiente interno. As informações que seus sentidos processaram – os rostos na plateia, a amplidão da sala, as luzes brilhantes acima de sua cabeça, o som ecoante do microfone e o silêncio ensurdecedor após sua primeira tentativa de piada, o aumento instantâneo da temperatura da sala no momento em que você começou a falar, o cheiro de perfume velho evaporando com sua transpiração – mudaram seu estado de ser interno. No momento em que você correlacionou esse evento singular no mundo exterior dos sentidos (a causa) com as mudanças no mundo interior de pensamentos e sentimentos (o efeito), você criou uma memória. Você associou uma causa a um efeito, e seu processo de condicionamento começou.

Então, depois da tortura autoinfligida daquele dia, que felizmente terminou sem frutas ou legumes podres jogados em sua direção, você foi para casa. No trajeto, rememorou o evento várias vezes. Em graus variados, cada vez que recordou a experiência (ou seja, que reproduziu o mesmo nível mental), você produziu as mesmas alterações químicas no cérebro e no corpo. De certo modo, você reafirmou o passado repetidamente e deu continuidade ao processo de condicionamento.

Como seu corpo age como sua mente inconsciente, ele não sabe a diferença entre o evento real em sua vida que criou o estado emocional e as emoções que você criou apenas pelo pensamento ao lembrar-se do evento. Seu corpo acreditou que estava vivendo a mesma experiência repetidamente, embora você estivesse sozinho no conforto do seu carro, e respondeu fisiologicamente como se você de fato estivesse revivendo a experiência no presente. Enquanto disparava e ligava em seu cérebro os circuitos derivados dos pensamentos relacionados à experiência, você mantinha as conexões sinápticas físicas e criava conexões ainda mais duradouras dentro dessas redes. Você estava criando uma memória de longo prazo.

Ao chegar em casa, você contou os acontecimentos do dia ao seu parceiro, amigos e talvez até a sua mãe. Ao descrever o trauma em detalhes penosos, você se alvoroçou em um chilique emocional. Como também reviveu as emoções do incidente, condicionou o corpo quimicamente ao ocorrido. Você treinou seu corpo fisiologicamente para se tornar sua história pessoal de forma subconsciente, inconsciente e automática.

Nos dias que se seguiram, você ficou baixo-astral. As pessoas não deixaram de notar, e, toda vez que alguém perguntava "o que há de errado?", você simplesmente não conseguia resistir. De modo oportunista, aceitava o convite para ficar mais viciado na carga de substâncias químicas do passado. O estado de ânimo criado a partir daquela experiência foi apenas uma longa reação emocional que durou dias. Quando as semanas se sentindo da mesma maneira toda vez que lembrava do evento se transformaram em meses, até anos, aquilo se tornou uma reação emocional prolongada. Já não é apenas uma parte do seu temperamento, caráter e natureza, mas também da sua personalidade. É quem você é.

Se alguém lhe pede para falar na frente de um grupo, você automaticamente estremece, se encolhe e fica ansioso. Seu ambiente externo controla seu ambiente interno, e você não consegue se impor. Como você espera o pensamento de que o futuro (uma oportunidade de falar em público) traga mais do sentimento do passado (um tormento intolerável), seu corpo, agindo como a mente, responde de modo automático e subconsciente, como que por mágica. Por mais que você tente, parece que sua mente consciente não consegue assumir o controle. Em questão de segundos, uma série de respostas condicionadas do cérebro e da farmácia do corpo se manifesta: suor profuso, boca seca, joelhos moles, náusea, tontura, falta de ar e fadiga incontrolável, tudo isso a partir de um único pensamento que muda sua fisiologia. Para mim, parece placebo.

Se pudesse, você recusaria a oportunidade de fazer a palestra, dizendo algo do tipo "Não sei falar em público", "Fico inseguro diante de uma plateia", "Sou um mau palestrante" ou "Tenho pavor de falar na frente de grandes audiências". Sempre que você diz "Eu (insira suas próprias palavras aqui)", o que está declarando é que sua mente e corpo estão alinhados com um futuro ou que seus pensamentos e sentimentos são unos com seu destino. Você está reforçando um estado de ser memorizado.

Se por acaso perguntassem por que você escolheu ser definido por seu passado, bem como por sua limitação, tenho certeza de que você contaria uma história igual às lembranças e emoções passadas, reafirmando a si mesmo para ser daquele jeito. Provavelmente até enfeitaria um pouco. De um nível biológico, o que você está proclamando é que foi alterado física, química e emocionalmente a partir daquele evento há vários anos e que não mudou muito desde então. Você escolheu ser definido por sua limitação.

Nesse exemplo, pode-se dizer que você foi escravizado por seu corpo (porque ele se tornou a mente), está preso pelas condições em seu ambiente (porque a experiência de pessoas e coisas em certo tempo e lugar influenciam como você pensa, age e sente) e está perdido no tempo (porque, ao viver no passado e antecipar o mesmo futuro, sua mente e corpo nunca estão no presente). Portanto, para mudar seu atual estado de ser, você precisa ser maior que estes três elementos: seu corpo, seu ambiente e seu tempo.

Recordando o início deste capítulo, onde leu que o placebo é criado a partir de três elementos (condicionamento, expectativa e significado), agora você pode ver que é o seu próprio placebo. Por quê? Porque todos os três elementos entraram em jogo no exemplo dado.

Primeiro, como um talentoso treinador de animais, você condicionou seu corpo a um estado subconsciente de ser no qual mente e corpo são unos (seus pensamentos e sentimentos se fundiram), e seu corpo foi programado para ser a mente automática, biológica e fisiologicamente apenas pelo pensamento. Sempre que um estímulo do ambiente externo se apresenta – como uma oportunidade para ensinar –, você condiciona seu corpo, assim como Pavlov condicionou seus cães, a responder subconsciente e automaticamente à mente da experiência passada.

Uma vez que a maioria dos estudos sobre placebo mostra que um único pensamento pode ativar o sistema nervoso autônomo e produzir mudanças fisiológicas significativas, você está regulando seu mundo interno pela simples associação de um pensamento a uma emoção. Todos os seus sistemas subconscientes e autônomos são neuroquimicamente reforçados pelos sentimentos e sensações corporais familiares relacionados a seu medo, e sua biologia reflete isso com perfeição.

Segundo, se a sua expectativa é de que o futuro será como o passado, você não está apenas pensando no passado, mas também selecionando um futuro conhecido baseado apenas no passado e acolhendo emocionalmente esse evento até seu corpo (como mente inconsciente) acreditar que já esteja vivendo naquele futuro no presente. Toda a sua atenção está em uma realidade conhecida e previsível, que faz com que você limite quaisquer novas escolhas, comportamentos, experiências e emoções. Você prevê seu futuro de modo inconsciente por se agarrar fisiologicamente ao passado.

Terceiro, se você atribui significado ou intenção consciente a uma ação, o resultado é amplificado. O que você diz a si mesmo todo dia (nesse caso, que não é um bom orador e que falar em público provoca uma reação de pânico) é o que tem significado para você. Você fica suscetível a autossugestões. Se o seu conhecimento atual é baseado em suas conclusões de experiências passadas, sem qualquer conhecimento novo você continuará criando para sempre o resultado que é igual à sua mente. Mude seu significado, mude sua intenção e, assim como as camareiras de hotel do capítulo anterior, você muda os resultados.

Então, quer esteja tentando realizar uma mudança positiva para criar um novo estado de ser, quer esteja no piloto automático, empacado no mesmo estado de ser, a verdade é que você sempre foi o seu placebo.

Capítulo 4

O efeito placebo no corpo

Em um dia friorento de setembro de 1981, um grupo de oito homens na faixa dos setenta e oitenta anos embarcou em *vans* que saíram de Boston rumo ao norte e rodaram por duas horas até um mosteiro em Peterborough, New Hampshire. Os homens estavam prestes a participar de um retiro de cinco dias, no qual foi solicitado que fingissem ser jovens outra vez – ou pelo menos 22 anos mais jovens. O retiro foi organizado por uma equipe de pesquisadores chefiada pela psicóloga doutora de Harvard Ellen Langer, que levaria outro grupo de oito homens idosos para o mesmo local na semana seguinte. Os homens da segunda leva, o grupo de controle, foram solicitados a se lembrar ativamente de serem 22 anos mais jovens, mas não a fingir que não tinham a idade atual.

Quando o primeiro grupo chegou ao mosteiro, viu-se cercado por todo tipo de pista ambiental para ajudar a recriar uma idade anterior. Folhearam antigas edições da *Life* e da *Saturday Evening Post*, assistiram a filmes e programas de televisão populares em 1959 e ouviram Perry Como e Nat King Cole no rádio. Também falaram sobre eventos "atuais", como a ascensão de Fidel Castro ao poder em Cuba, a visita do primeiro-ministro russo Nikita Khrushchev aos Estados Unidos e até das proezas da estrela do beisebol Mickey Mantle e do incrível boxeador Floyd Patterson. Todos esses elementos foram habilmente projetados para ajudar os homens a imaginar que eram 22 anos mais jovens.

Depois dos dois retiros de cinco dias, os pesquisadores fizeram várias medições e as compararam com as que haviam efetuado antes do início do estudo. Os corpos dos homens de ambos os grupos estavam fisiologicamente mais jovens, tanto em termos estruturais quanto funcionais, embora os do primeiro grupo de estudo (que fingiram ser mais jovens) melhorassem significativamente mais do que os do grupo de controle, cuja melhora era mais superficial[59].

Os pesquisadores descobriram melhorias na altura, peso e modo de andar. Os homens ficaram mais altos à medida que endireitaram a postura, as articulações tornaram-se mais flexíveis, e os dedos se alongaram com a diminuição da artrite. A visão e a audição melhoraram. A força de preensão aumentou. A memória se aguçou, e eles pontuaram melhor em testes de cognição mental (o primeiro grupo melhorou seu escore em 63%, contra 44% do grupo de controle). Os homens ficaram literalmente mais jovens naqueles cinco dias, bem diante dos olhos dos pesquisadores.

Langer relatou: "No final do estudo, eu estava jogando futebol - só toque de bola, mas ainda assim futebol - com esses homens, alguns dos quais abandonaram as bengalas"[60].

Como isso aconteceu? Sem dúvida os homens conseguiram ligar circuitos no cérebro que os lembraram de quem eram há 22 anos, e aí a química do corpo respondeu de alguma forma mágica. Eles não apenas se sentiram mais jovens; eles ficaram fisicamente mais jovens, como evidenciado pelas medições. A mudança não foi apenas na mente; foi no corpo.

Mas o que aconteceu no corpo deles para produzir as impressionantes transformações físicas? O que poderia ser responsável por todas aquelas mudanças mensuráveis na estrutura e função físicas? A resposta são os genes, que não são tão imutáveis quanto você poderia imaginar. Então, vamos dar uma olhada no que exatamente são os genes e como funcionam.

Desmistificando o DNA

Imagine uma escada ou um zíper enrolado em espiral e você terá uma boa imagem do que é o ácido desoxirribonucleico (mais conhecido como DNA). Armazenado no núcleo de todas as células vivas de nosso corpo, o DNA contém a informação bruta, ou as instruções, que nos torna quem e o que somos (embora, como veremos em breve, essas instruções não sejam um modelo imutável que nossas células sigam por toda a vida). Cada metade desse zíper de DNA contém ácidos nucleicos correspondentes que juntos são chamados de pares de bases, totalizando cerca de três bilhões por célula. Grupos de sequências longas de ácidos nucleicos são chamados genes.

Os genes são pequenas estruturas singulares. Se você tirasse o DNA do núcleo de uma única célula de seu corpo e o estendesse de ponta a ponta, ele teria 1,80 metro de comprimento. Se você tirasse todo o DNA de seu corpo e o esticasse de ponta a ponta, o filamento iria ao Sol e voltaria 150 vezes[61]. Porém, se você tirasse todo o DNA dos quase sete bilhões de pessoas no planeta e o triturasse, ele caberia em um espaço tão diminuto quanto um grão de arroz.

Nosso DNA usa as instruções impressas em suas sequências individuais para produzir proteínas. A palavra "proteína" é derivada do grego *protas*, significando "de importância primária". As proteínas são a matéria-prima que nosso corpo usa para construir não apenas estruturas tridimensionais coerentes (nossa anatomia física) como também as intrincadas funções e as interações complexas que compõem nossa fisiologia. Nosso corpo é uma máquina produtora de proteínas. As células musculares produzem actina e miosina, as células da pele produzem colágeno e elastina, as células do sistema imunológico produzem anticorpos, as células da tireoide produzem tiroxina, certas células do olho produzem queratina, as células da medula óssea produzem hemoglobina, as células pancreáticas produzem enzimas como protease, lipase e amilase. Todos os elementos que essas células produzem são proteínas.

As proteínas controlam nosso sistema imunológico, digerem nossa comida, curam nossas feridas, catalisam reações químicas, garantem a integridade estrutural de nosso corpo, fornecem moléculas refinadas para a comunicação entre as células e muito mais. Em resumo, as proteínas são a expressão da vida (e da saúde de nosso corpo). Dê uma olhada na figura 4.1 para uma compreensão simplista dos genes.

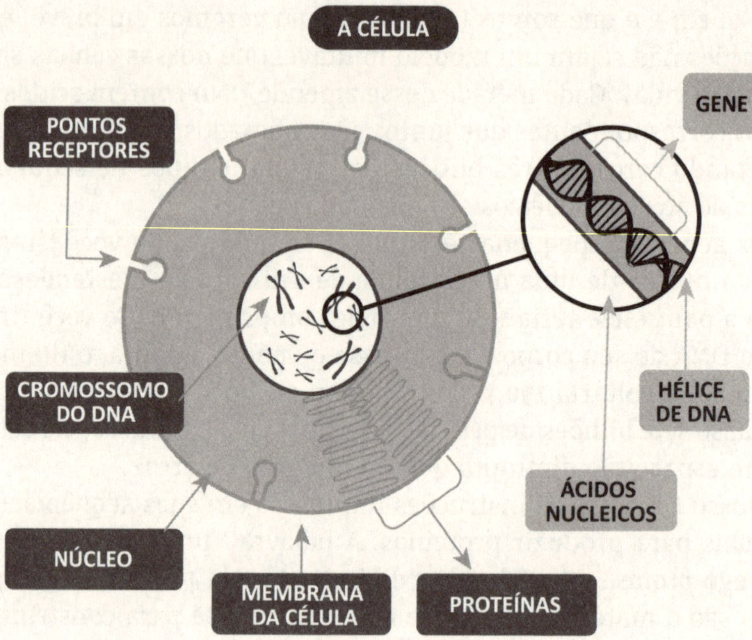

FIGURA 4.1

Essa é uma representação bastante simplista de uma célula com DNA alojado dentro do núcleo. O material genético, uma vez esticado em filamentos individuais, parece um zíper ou uma escada torcida, chamada de hélice de DNA. Os degraus da escada são os pares de ácidos nucleicos, que funcionam como códigos para a produção de proteínas. Um comprimento e sequência diferentes da cadeia de DNA é chamado de gene. Um gene é expresso quando produz uma proteína. As células produzem diferentes proteínas para a estrutura e as funções do corpo.

Desde que os doutores James Watson e Francis Crick descobriram a dupla hélice do DNA, há sessenta anos, aquilo que Watson proclamou em uma edição de 1970 da *Nature*[62] como "dogma central" – que os genes de um indivíduo determinam tudo – se manteve inabalado. Houve uma tendência dos pesquisadores de descartar evidências contraditórias que pipocavam aqui e ali como meras anomalias dentro de um sistema complexo[63].

Cerca de quarenta anos depois, o conceito de determinismo genético ainda reina na mente do público. A maioria das pessoas acredita na concepção errônea de que nosso destino genético é predeterminado e que, se herdamos os genes para certo tipo de câncer, doença cardíaca, diabetes ou qualquer outro problema de saúde, temos tanto controle sobre isso quanto sobre a cor dos nossos olhos ou a forma de nosso nariz (excluindo-se lentes de contato e cirurgia plástica).

A mídia reforça isso sugerindo repetidamente que genes específicos causam determinada condição ou doença. Fomos programados para acreditar que somos vítimas de nossa biologia e que nossos genes têm poder supremo sobre nossa saúde, bem-estar, personalidade e até mesmo que nossos genes ditam nossos assuntos humanos, determinam nossas relações interpessoais e preveem nosso futuro. Mas somos quem somos e fazemos o que fazemos porque nascemos assim? Esse conceito implica o determinismo genético profundamente arraigado em nossa cultura e a existência de genes para a esquizofrenia, genes para a homossexualidade, genes para a liderança e assim por diante.

Tudo isso são crenças datadas, baseadas nas notícias do passado. Antes de mais nada, não existe gene para dislexia, TDAH ou alcoolismo, por exemplo. Assim, nem todo problema de saúde ou variação física estão associados a um gene. Menos de 5% das pessoas no planeta nascem com alguma condição genética – como diabetes tipo 1, síndrome de Down ou anemia falciforme. Os outros 95% desenvolvem alguma condição por causa do estilo de vida e do comportamento[64]. O contrário também é verdadeiro: nem todo mundo que nasce com genes associados a uma condição (digamos, Alzheimer ou câncer de mama) acaba desenvolvendo-a. Não é como se nossos genes fossem ovos que um dia eclodirão. Não é assim que funciona. As verdadeiras questões são se algum gene que portamos já foi expresso ou não e o que estamos fazendo que poderia sinalizar o gene para ligá-lo ou desligá-lo.

Uma tremenda guinada na maneira como vemos os genes aconteceu quando os cientistas enfim mapearam o genoma humano. Em 1990, no início do projeto, os pesquisadores esperavam descobrir que temos 140 mil genes diferentes. Calcularam esse número porque os genes fabricam (e supervisionam a produção de) proteínas, e o corpo humano produz cem mil proteínas diferentes, além de quarenta mil proteínas reguladoras necessárias para produzir outras proteínas. Os cientistas que mapearam o genoma humano previam encontrar um gene por proteína; contudo, no final do projeto, em 2003, ficaram chocados ao descobrir que os humanos têm apenas 23.688 genes.

Do ponto de vista do dogma central de Watson, não só não há genes suficientes para criar nosso corpo complexo e mantê-lo funcionando, como tampouco há genes suficientes para manter o cérebro em funcionamento. Se não está contida nos genes, de onde vem toda a informação necessária para criar tantas proteínas e sustentar a vida?

O gênio dos seus genes

A resposta para essa pergunta levou a uma nova ideia: os genes devem trabalhar juntos em cooperação sistêmica, de modo que muitos sejam expressos (ligados) ou suprimidos (desligados) ao mesmo tempo dentro da célula; é a combinação de genes ativados em dado momento que produz todas as diferentes proteínas das quais nossa vida depende. Imagine uma sequência de lâmpadas a piscar na árvore de Natal, com algumas acendendo juntas enquanto outras se apagam. Ou imagine o horizonte de uma cidade à noite, com as luzes das salas de cada prédio sendo ligadas ou desligadas à medida que a noite avança.

Isso não acontece de forma aleatória, é claro. Todo genoma ou filamento de DNA sabe o que cada parte está fazendo de uma forma interconectada, intimamente coreografada. Cada átomo, molécula, célula, tecido e sistema do corpo funciona em um nível de coerência energética igual ao estado de ser intencional ou não intencional (consciente ou inconsciente) da personalidade individual[65]. Portanto, faz sentido que os genes possam ser ativados (ligados) ou desativados (desligados) pelo ambiente externo à célula, o que às vezes significa o ambiente dentro do corpo (estados emocionais, biológicos, neurológicos, mentais, energéticos e até mesmo espirituais do ser) e às vezes se refere ao ambiente fora do corpo (trauma, temperatura, altitude, toxinas, bactérias, vírus, alimentos, álcool e assim por diante).

Os genes são classificados pelo tipo de estímulo que os liga e desliga. Por exemplo, genes dependentes de experiência ou dependentes de atividade são ativados quando temos novas experiências, aprendemos novas informações e nos curamos. Esses genes geram síntese proteica e mensageiros químicos para instruir as células-tronco a se transformar em quaisquer tipos de células necessárias no momento da cura (logo veremos mais sobre as células-tronco e seu papel na cura).

Os genes dependentes do estado comportamental são ativados durante períodos de alta excitação emocional, estresse ou diferentes níveis de consciência (incluindo o sonhar). Eles fazem a ligação entre nossos pensamentos e nosso corpo, isto é, são a conexão mente-corpo.

Esses genes oferecem uma compreensão de como podemos influenciar nossa saúde com estados mentais e corporais que promovam bem-estar, resiliência física e cura.

Os cientistas agora acreditam ser possível até mesmo que nossa expressão genética flutue a cada momento. As pesquisas estão revelando que nossos pensamentos e sentimentos, assim como nossas atividades (nossas escolhas, comportamentos e experiências), têm efeitos profundos de cura e regeneração em nosso corpo, como os homens do estudo do mosteiro descobriram. Assim, seus genes são afetados pelas interações com a família, os amigos, os colegas de trabalho e por suas práticas espirituais, bem como por seus hábitos sexuais, nível de exercício e tipos de detergente que você usa.

As pesquisas mais recentes mostram que cerca de 90% dos genes estão envolvidos em cooperação com sinais do meio ambiente[66]. Se nossa experiência ativa um grande número de genes, nossa natureza é influenciada pela nutrição. Então, por que não aproveitar o poder dessas ideias a fim de fazer todo o possível para maximizar nossa saúde e minimizar nossa dependência do receituário médico?

Como o doutor Ernest Rossi escreve em *The Psychobiology of Gene Expression*, "nossos estados mentais subjetivos, nosso comportamento de motivação consciente e nossa percepção do livre-arbítrio podem modular a expressão gênica para otimizar a saúde"[67]. Indivíduos podem alterar seus genes em uma única geração, de acordo com o mais recente pensamento científico. Embora o processo de evolução genética possa levar milhares de anos, um gene pode alterar com sucesso sua expressão por meio de uma mudança de comportamento ou de uma nova experiência em questão de minutos, e isso pode ser passado para a próxima geração.

É bom pensar em nossos genes menos como tábuas de pedra nas quais nosso destino foi cerimoniosamente esculpido e mais como depósitos de uma enorme quantidade de informações codificadas ou até bibliotecas gigantescas de possibilidades para a expressão de proteínas. Mas não podemos buscar as informações armazenadas para utilizá-las da forma como uma empresa pode mandar vir algo do seu depósito. É como se não soubéssemos o que há no depósito nem como acessá-lo, por isso acabamos usando apenas uma pequena parte do que está disponível. De fato, expressamos apenas cerca de 1,5% de nosso DNA, enquanto os outros 98,5% jazem latentes no corpo.

(Os cientistas chamaram isso de "DNA lixo", mas não é realmente lixo; eles simplesmente ainda não sabem como todo esse material é usado, embora saibam que pelo menos parte dele é responsável pela produção de proteínas reguladoras.)

"Na realidade, os genes contribuem para as nossas características, mas não as determinam", escreve o doutor Dawson Church no livro *The Genie in Your Genes*. "As ferramentas de nossa consciência, incluindo nossas crenças, orações, pensamentos, intenções e fé, com frequência se correlacionam muito mais intensamente com nossa saúde, longevidade e felicidade do que nossos genes."[68] O fato é que, assim como nosso corpo é mais do que um saco de ossos e carne, nossos genes são mais do que meras informações armazenadas.

A biologia da expressão gênica

Agora vamos dar uma olhada mais a fundo em como os genes são ativados. (Vários fatores diferentes podem ser responsáveis, mas vamos simplificar para nossa discussão sobre a conexão mente-corpo.)

Uma vez que um mensageiro químico (por exemplo, um neuropeptídeo) de fora da célula (do ambiente) se fixa na estação de acoplamento da célula e passa pela membrana celular, viaja até o núcleo, onde encontra o DNA. O mensageiro químico modifica ou cria uma nova proteína, e então o sinal que estava transportando é traduzido em informação dentro da célula. A seguir, ele entra no núcleo da célula através de uma janelinha e, dependendo do conteúdo da mensagem de proteína, procura um cromossomo específico (um pedaço único do DNA enroscado que contém muitos genes), exatamente como você pode procurar um livro específico na prateleira de uma biblioteca.

Cada filamento é revestido por uma capa proteica que atua como filtro entre a informação contida no DNA e o restante do ambiente do núcleo celular. Para que o código de DNA seja selecionado, a capa deve ser removida ou aberta a fim de que o DNA possa ser exposto (assim como um livro escolhido de uma prateleira da biblioteca deve ser aberto antes que se possa lê-lo). O código genético do DNA contém informações a serem lidas e ativadas para a criação de determinada proteína. Até essa informação ser exposta no gene ao se abrir a capa proteica, o DNA fica latente. É um depósito potencial de informações codificadas esperando para ser desbloqueado ou aberto. Você poderia pensar no DNA como uma lista de componentes potenciais aguardando instruções para construir proteínas que regulam e mantêm todos os aspectos da vida.

Uma vez que a proteína seleciona o cromossomo, ela o abre removendo o revestimento em torno do DNA. Outra proteína então regula e prepara uma sequência genética inteira dentro do cromossomo (pense nisso como um capítulo de um livro) para ser lida do início até o final. Uma vez que o gene é exposto e a capa de proteína é removida e lida, outro ácido nucleico, chamado ácido ribonucleico (RNA), é produzido a partir da proteína reguladora que lê o gene.

Agora o gene é expresso ou ativado. O RNA sai do núcleo da célula para ser montado em uma nova proteína a partir do código que ele carrega. Ele deixou de ser um potencial latente para ser uma expressão ativa. A proteína que o gene cria agora pode construir, reunir, interagir, restaurar, manter e influenciar muitos aspectos diferentes da vida, tanto dentro quanto fora da célula. A figura 4.2 fornece uma visão geral do processo.

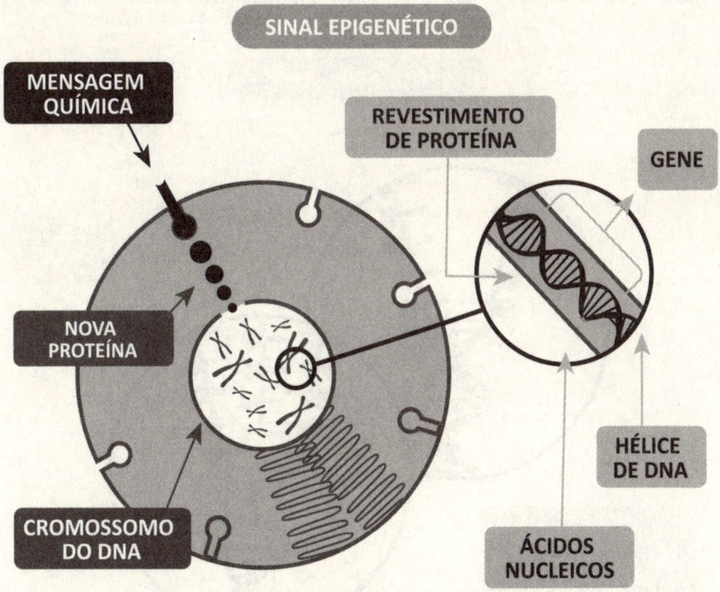

FIGURA 4.2A

A Figura 4.2A mostra o sinal epigenético entrando no ponto receptor da célula. Uma vez que o mensageiro químico interage no nível da membrana celular, outro sinal na forma de uma nova proteína é enviado ao núcleo da célula para selecionar uma sequência genética. O gene ainda tem um revestimento de proteína protegendo-o do ambiente externo, e essa cobertura tem de ser removida para que ele seja lido.

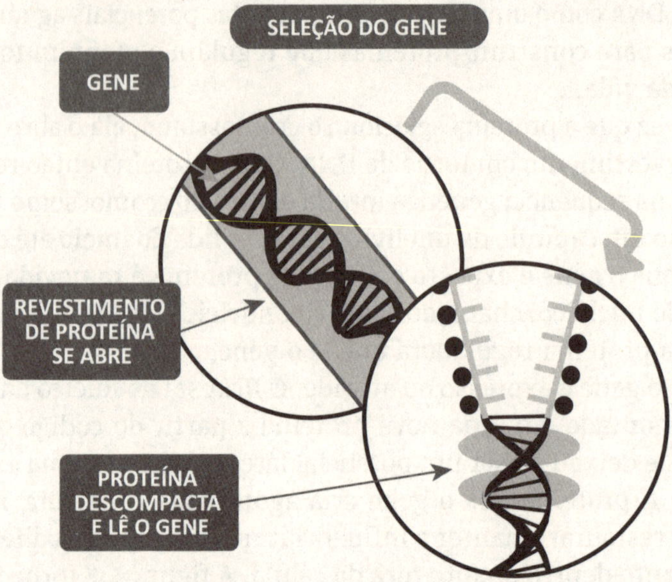

FIGURA 4.2B

A Figura 4.2B ilustra como o revestimento de proteína ao redor da sequência do gene do DNA é aberto, de modo que outra proteína, chamada de proteína reguladora, possa descompactar e ler o gene em um local preciso.

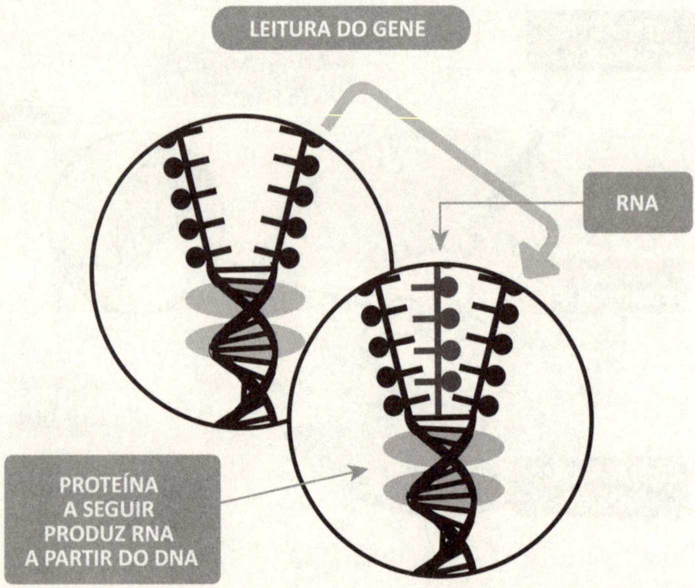

FIGURA 4.2C

A Figura 4.2C demonstra como a proteína reguladora cria outra molécula, chamada RNA, que organiza a tradução e a transcrição do material geneticamente codificado em uma proteína.

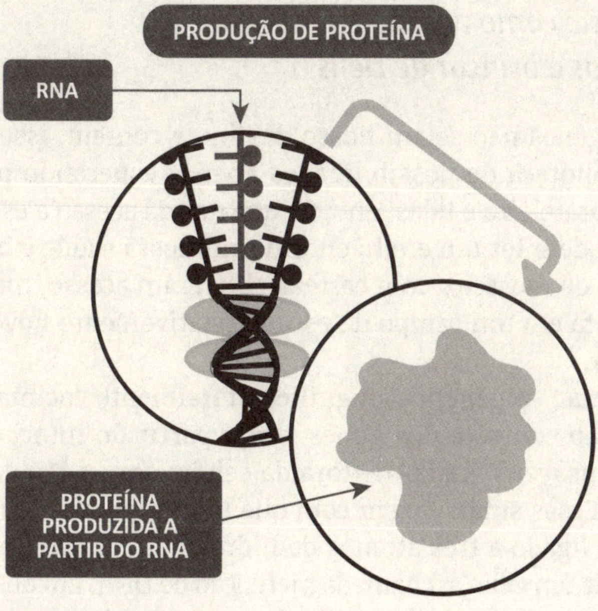

FIGURA 4.2D

A Figura 4.2D mostra a produção de proteína. O RNA monta uma nova proteína a partir dos tijolos individuais de proteínas chamados aminoácidos.

Assim como um arquiteto obtém todas as informações necessárias para construir uma estrutura a partir de uma planta, o corpo recebe todas as instruções necessárias para criar moléculas complexas que nos mantêm vivos e operantes a partir dos cromossomos de nosso DNA. Contudo, antes que o arquiteto leia a planta, esta deve ser retirada de seu tubo de papelão e desenrolada. Até então, são apenas informações latentes esperando para ser lidas. Com a célula é a mesma coisa: o gene fica inerte até seu revestimento proteico ser removido, e a célula optar pela leitura da sequência.

Os cientistas acreditavam que tudo de que o corpo necessitava era a informação em si (a planta) para iniciar a construção, e foi nisso que a maioria deles se concentrou. Deram pouca atenção ao fato de que toda a cascata de eventos começa com o sinal de fora da célula, que é responsável por quais genes de sua biblioteca a célula escolhe ler. Esse sinal, como sabemos agora, inclui pensamentos, escolhas, comportamentos, experiências e sentimentos. Portanto, faz sentido que, se você conseguir alterar esses elementos, também consiga determinar sua expressão genética.

Epigenética: como nós, meros mortais, começamos a brincar de Deus

Se nossos genes não selam nosso destino e contêm, isso sim, uma imensa biblioteca de possibilidades apenas esperando para serem tiradas da prateleira e lidas, então o que nos dá acesso a esses potenciais que podem ter um efeito enorme em nossa saúde e bem-estar? Os homens do mosteiro com certeza obtiveram acesso, mas como? A resposta está em um campo de estudo relativamente novo chamado epigenética.

A palavra "epigenética" significa literalmente "acima do gene". Refere-se ao controle dos genes não a partir do interior do DNA, mas de mensagens vindas de fora da célula; em outras palavras, do ambiente. Esses sinais fazem com que um grupo metila (um átomo de carbono ligado a três átomos de hidrogênio) se ligue a um ponto específico de um gene, a chamada metilação de DNA, um dos principais processos que ativam ou desativam os genes. (Dois outros processos, modificação de histona covalente e RNA não codificador, também ligam e desligam genes, mas os detalhes destes não são necessários para esta discussão.)

A epigenética ensina que não estamos condenados por nossos genes e que uma mudança na consciência pode produzir mudanças físicas no corpo, tanto na estrutura quanto na função. Podemos modificar nosso destino genético ativando os genes que queremos e desativando os que não queremos, trabalhando com os diversos fatores do ambiente que programam os genes. Alguns sinais vêm de dentro do corpo, como sentimentos e pensamentos, enquanto outros vêm da resposta do corpo ao ambiente externo, como poluição ou luz solar.

A epigenética estuda todos os sinais externos que dizem à célula o que fazer e quando fazer, analisando as fontes que ativam ou ligam a expressão gênica (regulação positiva) e aquelas que suprimem ou desligam a expressão gênica (regulação negativa), bem como a dinâmica da energia que ajusta o processo da função celular momento a momento. A epigenética sugere que, mesmo que nosso código de DNA nunca mude, milhares de combinações, sequências e variações padronizadas em um único gene são possíveis (assim como milhares de combinações, sequências e padrões de redes neurais são possíveis no cérebro).

Olhando para a totalidade do genoma humano, existem tantos milhões de variações epigenéticas possíveis que os cientistas ficam zonzos só de pensar. O Projeto Epigenoma Humano, iniciado em 2003, quando o Projeto Genoma Humano chegou ao fim, está em andamento na Europa[69], e alguns pesquisadores dizem que, quando estiver concluído, "fará com que o Projeto Genoma Humano pareça a lição de casa que as crianças do século 15 faziam com um ábaco"[70]. Voltando ao exemplo da planta, podemos mudar a cor do que construímos, o tipo de material que usamos, a escala da construção e até mesmo o posicionamento da estrutura, efetuando um número quase infinito de variações, todas sem alterar a planta.

Um ótimo exemplo de epigenética em ação envolve gêmeos idênticos, que compartilham exatamente o mesmo DNA. Se adotarmos a ideia de predeterminação genética – a ideia de que todas as doenças são genéticas –, gêmeos idênticos deveriam ter exatamente a mesma expressão gênica. No entanto, eles nem sempre manifestam as mesmas doenças da mesma maneira, e às vezes um manifestará uma doença genética que o outro não manifesta de forma alguma. Os gêmeos podem ter genes iguais, mas resultados diferentes.

Um estudo espanhol ilustra isso perfeitamente. Pesquisadores do Laboratório de Epigenética do Câncer, no Centro Nacional de Câncer da Espanha, estudaram quarenta pares de gêmeos idênticos com idades entre 3 e 74 anos. Eles descobriram que gêmeos mais jovens que tinham estilo de vida semelhante e passavam mais anos juntos tinham padrões epigenéticos semelhantes, enquanto gêmeos mais velhos, em particular aqueles com estilos de vida diferentes e que passavam menos anos juntos, tinham padrões epigenéticos muito diferentes[71]. Para dar um exemplo, os pesquisadores encontraram quatro vezes mais genes expressos de modo diferente entre um par de gêmeos de 50 anos de idade do que entre um par de gêmeos de 3 anos de idade.

Os gêmeos haviam nascido com o mesmíssimo DNA, mas aqueles com estilos de vida diferentes (e vidas diferentes) acabaram expressando seus genes de maneira muito diferente, especialmente com o passar do tempo. Para usar uma analogia, os pares de gêmeos mais velhos eram como cópias exatas do mesmo modelo de computador. Os computadores vieram carregados com um *software* inicial semelhante, mas, com o passar do tempo, cada um baixou programas adicionais muito diferentes. O computador (o DNA) permanece o mesmo, mas, dependendo do *software* que a pessoa baixe (as variações epigenéticas), o que o computador faz e o modo como ele opera podem ser bastante diferentes. Assim, quando pensamos nossos pensamentos e sentimos nossos sentimentos, nosso corpo responde com uma fórmula complexa de mudanças e alterações biológicas, e cada experiência pressiona os botões de mudanças genéticas reais dentro de nossas células.

A velocidade dessas mudanças pode ser verdadeiramente notável. Em apenas três meses, um grupo de 31 homens com câncer de próstata de baixo risco conseguiu ativar 48 genes (a maioria relacionada à supressão de tumor) e desativar 453 genes (a maioria relacionada à promoção do tumor) seguindo um programa intensivo de nutrição e estilo de vida[72]. Os homens, inscritos em um estudo do Dr. Dean Ornish, da Universidade da Califórnia em São Francisco, perderam peso e reduziram a obesidade abdominal, a pressão arterial e o perfil lipídico ao longo do estudo. Ornish observou: "Não se trata tanto da redução do fator de risco ou de impedir que algo ruim aconteça. Essas mudanças podem ocorrer tão depressa que você não precisa esperar anos para ver os benefícios"[73].

Ainda mais impressionante é o número de mudanças epigenéticas ocorridas em um período de seis meses em um estudo sueco com 23 homens saudáveis, levemente acima do peso, que passaram de relativamente sedentários a frequentadores de aulas de *spinning* e aeróbica em média duas vezes por semana. Pesquisadores da Universidade de Lund descobriram que os homens alteraram epigeneticamente sete mil genes, quase 30% do genoma humano[74].

Essas variações epigenéticas podem até mesmo ser herdadas por nossos filhos e transmitidas aos nossos netos[75]. O primeiro pesquisador a mostrar isso foi o Dr. Michael Skinner, diretor do Centro de Biologia Reprodutiva da Universidade Estadual de Washington. Em 2005 Skinner liderou um estudo que expôs ratas prenhes a pesticidas[76]. Os filhotes machos de mães expostas tiveram maiores taxas de infertilidade e diminuição na produção de espermatozoides, com alterações epigenéticas em dois genes. As mudanças também estavam presentes em cerca de 90% dos machos em cada uma das quatro gerações que se seguiram, embora nenhum outro rato tenha sido exposto a pesticidas.

Contudo, nossas experiências a partir do ambiente externo são apenas parte da história. Como já vimos, a maneira como atribuímos significado a essas experiências inclui um bombardeio de respostas físicas, mentais, emocionais e químicas que também ativam os genes. A forma de perceber e interpretar os dados que recebemos de nossos sentidos como informações factuais (sejam essas informações verdadeiras ou não) e o significado que damos a eles produzem mudanças biológicas significativas em nível genético. Nossos genes, portanto, interagem com nossa consciência em relacionamentos complexos. Poderíamos dizer que o significado afeta continuamente as estruturas neurais que influenciam quem somos em nível microscópico, o que por sua vez influencia quem somos em nível macroscópico.

O estudo da epigenética também levanta a seguinte questão: e se nada mudar em seu ambiente externo? E se você fizer as mesmas coisas com as mesmas pessoas exatamente na mesma hora todos os dias – coisas que levam às mesmas experiências, que produzem as mesmas emoções, que sinalizam os mesmos genes da mesma maneira?

Poderíamos dizer que, enquanto perceber sua vida através das lentes do passado e reagir às condições com a mesma arquitetura neural e a partir do mesmo nível mental, você estará na rota de um destino genético muito específico e predeterminado. Além disso, o que você acredita sobre si, sua vida e as escolhas que faz como resultado dessas crenças também enviam as mesmas mensagens para os mesmos genes.

Apenas quando a célula é ativada de uma nova maneira, por novas informações, ela pode criar milhares de variações do mesmo gene para reescrever uma nova expressão de proteínas, o que muda seu corpo. Você pode não ter condições de controlar todos os elementos do mundo exterior, mas pode gerenciar muitos aspectos do seu mundo interior. Suas crenças, percepções e a forma como interage com seu ambiente externo influenciam seu ambiente interno, que ainda é o ambiente externo da célula. Isso significa que você, e não sua biologia pré-programada, detém as chaves de seu destino genético. É só uma questão de encontrar a chave certa que se encaixe na fechadura certa para liberar seu potencial.

Por que não ver seus genes como realmente são? Provedores de possibilidades, fontes de potencial ilimitado, um sistema de código de comandos pessoais; na verdade, nada menos do que ferramentas para transformação, que significa literalmente "mudar a forma".

O estresse nos mantém no modo de sobrevivência

O estresse é uma das maiores causas de mudança epigenética, porque desequilibra o corpo. Ele vem em três modalidades: estresse físico (trauma), estresse químico (toxinas) e estresse emocional (medo, preocupação, sobrecarga e assim por diante). Cada tipo pode desencadear mais de 1,4 mil reações químicas e produzir mais de trinta hormônios e neurotransmissores. Quando essa cascata química de hormônios do estresse é acionada, a mente influencia o corpo por meio do sistema nervoso autônomo, e você experimenta a máxima conexão mente-corpo.

A ironia é que o estresse foi projetado para ser adaptativo. Todos os organismos na natureza, incluindo seres humanos, são programados para lidar com o estresse de curto prazo, a fim de que tenham os recursos necessários para situações de emergência. Quando você detecta uma ameaça no ambiente externo, a resposta de lutar ou fugir do sistema nervoso simpático (uma subdivisão do sistema nervoso autônomo) é ativada, sua frequência cardíaca e pressão sanguínea aumentam, os músculos ficam tensos, e hormônios como adrenalina e cortisol disparam através do seu corpo para prepará-lo para fugir ou enfrentar seu inimigo na batalha.

Se você for perseguido por uma matilha de lobos selvagens famintos ou por um grupo de guerreiros violentos e os deixar para trás, seu corpo retornará à homeostase (o estado normal e equilibrado) logo após alcançar a segurança. É assim que nosso corpo foi projetado para operar quando estamos no modo de sobrevivência. O corpo fica desequilibrado, mas só por um curto período, até o perigo passar. Pelo menos é assim que deveria ser.

A mesma coisa acontece em nosso mundo moderno, embora o cenário seja geralmente um pouco diferente. Se outro veículo cortar sua frente na estrada, você pode ficar momentaneamente assustado; porém, quando perceber que está tudo bem e o medo de sofrer um acidente passar, seu corpo voltará ao normal – a menos que essa seja apenas uma das inúmeras situações estressantes com que você deparou naquele dia.

Se você é como a maioria das pessoas, uma série de incidentes enervantes o mantém na reação de lutar ou fugir – e fora da homeostase – grande parte do tempo. Talvez o carro que corte sua frente seja a única situação real de ameaça à vida com que você depare no dia, mas o trânsito a caminho do trabalho, a pressão de se preparar para uma grande apresentação, a discussão com o cônjuge, a fatura do cartão de crédito que chegou pelo correio, o colapso do HD do computador e o novo fio de cabelo branco que você notou no espelho mantêm os hormônios do estresse circulando em seu corpo em uma base quase constante.

Recordação de experiências estressantes do passado, antecipação de situações estressantes que vão aparecer no futuro e todas as tensões repetitivas de curto prazo se juntam e confundem em estresse no longo prazo. Bem-vindo à versão do século 21 da vida no modo de sobrevivência.

No modo de luta ou fuga, a energia que sustenta a vida é mobilizada para que o corpo possa fugir ou lutar. Quando o retorno à homeostase não acontece (porque você continua percebendo uma ameaça), a energia vital é perdida. Quando a energia é canalizada para outras coisas, sobra menos em seu ambiente interno para crescimento, reparo celular e projetos de construção de longo prazo em nível celular e para a cura. As células se desligam, não mais se comunicam umas com as outras e ficam "egoístas". Não é hora de manutenção de rotina (que dirá de melhorias), é hora de defesa. É cada célula por si, de modo que a comunidade celular em trabalho conjunto fica fraturada. Os sistemas imunológico e endócrino (entre outros) enfraquecem à medida que os genes das células relacionadas ficam comprometidos quando os sinais de fora das células são desativados.

É como viver em um país onde 98% dos recursos vão para a defesa e não sobra nada para escolas, bibliotecas, construção e reparo de estradas, sistemas de comunicação, cultivo de alimentos e assim por diante. As estradas ficam com buracos que não são consertados. As escolas sofrem cortes no orçamento, por isso os alunos acabam aprendendo menos. Os programas de assistência social que cuidam dos pobres e dos idosos são fechados. E não há comida suficiente para alimentar o povo.

Portanto, não é de surpreender que o estresse de longo prazo seja associado a ansiedade, depressão, problemas digestivos, perda de memória, insônia, hipertensão, doenças cardíacas, derrames, câncer, úlceras, artrite reumatoide, resfriado, gripe, envelhecimento acelerado, alergia, dor no corpo, fadiga crônica, infertilidade, impotência, asma, problemas hormonais, erupções cutâneas, perda de cabelo, espasmos musculares e diabetes, para citar apenas algumas condições (todas elas, a propósito, resultantes de alterações epigenéticas). Nenhum organismo na natureza é projetado para suportar os efeitos do estresse de longo prazo.

Vários estudos oferecem fortes evidências de que as instruções epigenéticas para a cura são interrompidas durante emergências. Por exemplo, pesquisadores do Centro Médico da Universidade Estadual de Ohio descobriram que mais de 170 genes foram afetados pelo estresse, com cem deles desligando-se por completo (incluindo muitos produtores diretos de proteínas que facilitam a cicatrização de feridas). Os pesquisadores relataram que as feridas de pacientes estressados demoraram 40% mais para cicatrizar e que "o estresse inclinou o equilíbrio genômico para genes que codificavam proteínas responsáveis pela parada do ciclo, morte e inflamação celular"[77]. Outro estudo que examinou os genes de cem cidadãos de Detroit concentrou-se em 23 indivíduos que sofriam de transtorno de estresse pós-traumático[78]. Essas pessoas tinham de seis a sete vezes mais variações epigenéticas, a maioria envolvendo comprometimento do sistema imunológico.

Pesquisadores do Instituto de Aids da UCLA descobriram que não só o HIV se espalhou mais rápido em pacientes que estavam mais estressados, como também que, quanto maior o nível de estresse, menos o paciente respondia aos medicamentos antirretrovirais. As drogas funcionaram quatro vezes melhor em pacientes relativamente calmos comparados àqueles cuja pressão arterial, umidade da pele e frequência cardíaca em repouso indicavam mais estresse[79]. Com base nesses achados, os pesquisadores concluíram que o sistema nervoso tem efeito direto na replicação viral.

Embora em sua origem a resposta de lutar ou fugir fosse altamente adaptativa (porque manteve os primeiros seres humanos vivos), agora está claro que, quanto mais tempo o sistema de sobrevivência fica constantemente ativado, mais tempo seu corpo desvia recursos da criação de uma boa saúde, de modo que o sistema se torna desadaptativo.

O legado das emoções negativas

Enquanto produzimos hormônios do estresse, criamos uma variedade de emoções negativas altamente viciantes, incluindo raiva, hostilidade, agressividade, competitividade, ódio, frustração, medo, ansiedade, inveja, insegurança, culpa, vergonha, tristeza, depressão, desesperança e impotência, só para citar algumas. Quando concentramos o pensamento exclusivamente em lembranças amargas ou imaginamos futuros terríveis, impedimos o corpo de recuperar a homeostase.

Na verdade, somos capazes de ativar a resposta ao estresse apenas pelo pensamento. Se ligamos e depois não conseguimos desligar a resposta ao estresse, com certeza estamos a caminho de alguma doença ou enfermidade – seja um resfriado, seja um câncer – à medida que mais e mais genes são desativados, em um efeito dominó, até enfim chegarmos a nosso destino genético.

Por exemplo, se anteciparmos um possível cenário futuro conhecido e então nos focarmos exclusivamente nesse pensamento, mesmo que apenas por um instante, o corpo começará a mudar fisiologicamente para se preparar para o evento. O corpo vive naquele futuro conhecido no momento presente. Em consequência desse fenômeno, o processo de condicionamento começa a ativar o sistema nervoso autônomo, e este automaticamente cria as substâncias químicas de estresse correspondentes. É assim que a conexão mente-corpo pode funcionar contra nós.

Quando isso acontece, demonstramos os três elementos do efeito placebo em perfeita simetria. Primeiro, começamos a condicionar o corpo à carga de química adrenal a fim de sentir um impulso de energia. Se associarmos uma pessoa, coisa ou experiência de determinado momento e lugar de nossa realidade externa a esse jato químico interno, começaremos a condicionar o corpo a ativar a resposta só de pensar sobre o estímulo. Com o tempo, poderemos condicionar o corpo a lembrar-se daquele estado emocional excitado apenas pelo pensamento de uma experiência potencial com alguém e alguma coisa em algum momento e algum lugar.

Se esperamos o resultado futuro com base na experiência passada, a expectativa do evento muda a fisiologia do corpo ao ser adotada emocionalmente. Se atribuímos significado a comportamentos e experiências, colocamos intenção consciente por trás do resultado, de modo que nosso corpo muda ou não conforme o que achamos que sabemos sobre nossa realidade e sobre nós mesmos.

Quer você acredite ou não que o estresse em sua vida é justificado ou válido, o efeito sobre o corpo nunca é vantajoso, nem melhora a saúde. Seu corpo acredita que está sendo perseguido por um leão, que está encarapitado em um penhasco perigoso ou que está lutando contra um bando de canibais raivosos. Seguem aqui alguns exemplos de estudos científicos que demonstram os efeitos do estresse no corpo.

Pesquisadores da Faculdade de Medicina da Universidade Estadual de Ohio confirmaram que emoções estressantes desencadeiam respostas hormonais e genéticas medindo o quanto o estresse afeta a velocidade da cura de pequenas feridas na pele, um marcador significativo da ativação gênica[80]. Um grupo de 42 casais foi submetido a pequenas dermoabrasões e aspirações a vácuo; a seguir o nível de três proteínas comumente expressas na cicatrização de feridas foi monitorado por três semanas. Para estabelecer uma linha de base, foi solicitado aos casais que mantivessem uma discussão neutra de meia hora; depois, foi solicitado que conversassem sobre uma desavença conjugal anterior.

Os pesquisadores descobriram que, após os casais discutirem sobre o desentendimento anterior, o nível de proteínas ligadas à cura foi levemente suprimido (mostrando que os genes estavam regulados negativamente). A supressão aumentou ainda mais – cerca de 40% – em casais cuja discussão escalou em conflito significativo, pontilhado por comentários sarcásticos, críticos e depreciativos.

As pesquisas também apoiam o efeito inverso – reduzir o estresse com emoções positivas desencadeia mudanças epigenéticas que melhoram a saúde. Dois estudos importantes de pesquisadores do Instituto Benson-Henry de Medicina do Corpo e da Mente, no Hospital Geral de Massachusetts, em Boston, examinaram os efeitos da meditação, conhecida por provocar estados pacíficos e até êxtase na expressão gênica.

No primeiro estudo, conduzido em 2008, vinte voluntários receberam oito semanas de treinamento em várias práticas envolvendo mente-corpo (incluindo vários tipos de meditação, ioga e prece repetitiva) conhecidas por induzir a resposta de relaxamento, um estado fisiológico de descanso profundo (discutido no Capítulo 2)[81]. Os pesquisadores também acompanharam dezenove praticantes diários de longa data das mesmas técnicas. No final do período do estudo, os novatos mostraram mudança em 1.561 genes (874 ativados para a saúde e 687 desativados para o estresse), bem como redução da pressão arterial e dos ritmos cardíaco e respiratório, enquanto os praticantes experientes expressaram 2.209 novos genes. A maioria das mudanças genéticas envolveu a melhora da resposta do corpo ao estresse psicológico crônico.

O segundo estudo, realizado em 2013, descobriu que provocar a resposta de relaxamento produz mudanças na expressão gênica após uma única sessão de meditação entre praticantes novatos e experientes (com os praticantes de longo prazo obtendo mais benefícios, como era de se esperar)[82]. Entre os genes ativados estavam os envolvidos na função imunológica, no metabolismo energético e na secreção de insulina, enquanto os genes desativados incluíram aqueles ligados à inflamação e ao estresse.

Estudos como esses ressaltam a rapidez com que é possível alterar os próprios genes. É por isso que a resposta ao placebo pode produzir mudanças físicas em questão de momentos. Em meus *workshops* ao redor do mundo, meus colegas e eu testemunhamos mudanças significativas e imediatas na saúde de nossos participantes depois de apenas uma sessão de meditação. Eles se transformaram e ativaram novos genes de novas maneiras só pelo pensamento. (Você será apresentado a alguns deles em breve.)

Quando vivemos no modo de sobrevivência, com nossa resposta ao estresse ativada o tempo todo, podemos nos concentrar em apenas três coisas: nosso corpo físico (estou bem?), ambiente (onde é seguro?) e tempo (quanto tempo essa ameaça vai pairar sobre mim?). O foco constante nessas três coisas nos torna menos espirituais, menos conscientes e menos atentos porque nos treina para ficarmos mais autocentrados e mais focados em nosso corpo, bem como em outras coisas materiais (como o que possuímos, onde vivemos, quanto dinheiro temos e assim por diante), além de todos os problemas que experimentamos em nosso mundo externo. Esse foco também nos treina a ficar obcecados com o tempo, constantemente preparados para os piores cenários futuros baseados em nossas experiências traumáticas do passado, porque nunca há tempo suficiente e tudo sempre leva tempo demais.

Assim, poderíamos dizer que, da mesma maneira como fazem com que as células do corpo se tornem egoístas para garantir que sobrevivamos, os hormônios do estresse também avalizam nosso ego a se tornar mais egoísta, e nos tornamos materialistas, definindo a realidade com nossos sentidos. Acabamos nos sentindo isolados de quaisquer novas possibilidades, porque, quando nunca saímos do estado de emergência crônica, a mentalidade de "primeiro eu" que permeia todo o nosso pensamento se fortalece e persiste, levando-nos a ficar autoindulgentes, egoístas e arrogantes. Em última análise, o eu acaba definido como um corpo que vive no ambiente e no tempo.

Como você acabou de ler e agora compreende mais plenamente, a realidade é que você tem algum grau de controle sobre a sua engenharia genética – por meio de seus pensamentos, escolhas, comportamentos, experiências e emoções. Como Dorothy em *O mágico de Oz*, que tinha o poder que procurava o tempo todo, mas não sabia, você também detém um poder que talvez não tenha percebido anteriormente que era seu – as chaves que podem libertá-lo das correntes de limitação de sua expressão genética.

Capítulo 5

Como os pensamentos modificam o cérebro e o corpo

Agora você pode entender que, com todo pensamento que tem, toda emoção que sente e todo evento que experimenta – seja alegre, seja estressante –, você está agindo como um engenheiro epigenético das próprias células. Você controla seu destino. Portanto, isso levanta outra questão: se o seu ambiente muda e você programa novos genes de novas maneiras, é possível, com base em suas percepções e crenças, programar genes à frente do ambiente real? Sentimentos e emoções costumam ser os produtos finais das experiências, mas será que você pode combinar uma intenção clara com uma emoção que comece a dar ao corpo uma amostra da experiência futura antes que esta se manifeste?

Se você estiver focado para valer na intenção de obter algum resultado futuro, se conseguir tornar o pensamento interior mais real do que o ambiente externo durante o processo, o cérebro não saberá a diferença entre os dois. Seu corpo, assim como a mente inconsciente, começará a experimentar o evento futuro no momento presente. Você sinalizará novos genes de novas maneiras nos preparativos para o evento futuro imaginado.

Se você continuar a prática mental da nova série de escolhas, comportamentos e experiências que deseja, reproduzindo o novo nível de mente uma quantidade suficiente de vezes, seu cérebro começará a mudar em termos físicos, instalando novos circuitos neurológicos para começar a pensar a partir do novo nível mental, como se a experiência já tivesse acontecido. Você produzirá variações epigenéticas que levam a mudanças estruturais e funcionais no corpo apenas pelo pensamento, assim como aqueles que respondem a um placebo. Então seu cérebro e seu corpo não estarão mais vivendo no mesmo passado; estarão vivendo no novo futuro que você criou em sua mente.

Isso é possível por meio do ensaio mental. A técnica consiste basicamente em fechar os olhos e imaginar repetidamente o desempenho de uma ação e rever mentalmente o futuro que você deseja, lembrando o tempo todo quem você não quer mais ser (o antigo eu) e quem você quer ser. Esse processo envolve pensar em suas ações futuras, planejar mentalmente suas escolhas e concentrar sua mente em uma nova experiência.

Vamos analisar essa sequência em mais detalhes para que possamos entender melhor o que acontece no ensaio mental e como ele funciona. Ao ensaiar mentalmente um destino ou sonhar com um novo resultado, você o imagina repetidas vezes, até que se torne familiar. Quanto mais conhecimento e experiência você conecta em seu cérebro a respeito da nova realidade que deseja, mais recursos tem para criar um modelo em suas imagens mentais e, portanto, maiores a intenção e a expectativa (como no caso das camareiras de hotel). Você "recorda" a si mesmo de como sua vida será quando conseguir o que deseja. Você coloca uma intenção por trás de sua atenção.

A seguir você combina conscientemente seus pensamentos e intenções com um estado de emoção elevado, como alegria ou gratidão. (Mais detalhes sobre os estados emocionais elevados virão na sequência.) Quando consegue adotar a nova emoção e fica mais empolgado, você embebe seu corpo na neuroquímica que estaria presente caso o evento futuro estivesse realmente acontecendo. Pode-se dizer que você oferece a seu corpo uma amostra da experiência futura. Seu cérebro e corpo não sabem a diferença entre uma experiência de vida real e apenas pensar sobre a experiência; em termos neuroquímicos, é a mesma coisa. Por isso seu cérebro e corpo começam a acreditar que estão vivendo a nova experiência no presente.

Ao manter o foco no evento futuro e não deixar que outros pensamentos o distraiam, em questão de instantes você diminui o volume dos circuitos neurais conectados ao antigo eu, que começa a desligar os antigos genes, e você dispara e conecta novos circuitos neurais, que acionam os sinais certos para ativar novos genes de novas maneiras. Graças à neuroplasticidade, já discutida, os circuitos do cérebro começam a se reorganizar para refletir o que você está ensaiando mentalmente. E, à medida que você acopla seus novos pensamentos e imagens mentais a essa emoção positiva e forte, sua mente e seu corpo trabalham juntos, e você então está em um novo estado de ser.

Nesse estágio, seu cérebro e corpo não são mais um registro do passado, são um mapa para o futuro que você criou em sua mente. Seus pensamentos se tornaram sua experiência, e você se tornou o placebo.

Algumas histórias de ensaios mentais bem-sucedidos

Talvez você tenha ouvido tempos atrás a história de um major aprisionado em um campo de concentração no Vietnã que praticava golfe mentalmente em determinado campo todos os dias, para manter a sanidade, e que obteve uma pontuação perfeita naquele gramado quando enfim foi libertado e voltou para casa.

Ou quem sabe tenha ouvido o relato do ativista soviético de direitos humanos Anatoly Shcharansky, mais tarde conhecido como Natan Sharansky, que passou mais de nove anos preso na União Soviética após ser falsamente acusado de espionar para os Estados Unidos na década de 1970. Sharansky, que passou quatrocentos dias de sua pena em uma cela pequena, escura e de temperatura congelante, jogava xadrez contra si mesmo todos os dias, visualizando as coordenadas do tabuleiro e as posições de cada peça em sua mente. Isso permitiu a Sharansky manter muitos de seus mapas neurais (que costumam requerer estímulo externo para permanecer intactos). Após a libertação, imigrou para Israel, onde se tornou ministro do governo. Quando o campeão mundial de xadrez Gary Kasparov foi a Israel em 1996 para jogar uma partida simultânea contra 25 israelenses, Sharansky o derrotou[83].

Aaron Rodgers, *quarterback* do Green Bay Packers, também imagina jogadas que muitas vezes depois executa com precisão em campo. Antes da vitória dos Packers no Super Bowl em 2011, Rodgers completou 31 de 36 passes (86,1%), a quinta melhor porcentagem de conclusão pós-temporada de todos os tempos, em um jogo de *play-off* em que os Packers, sextos na classificação, venceram o líder Atlanta Falcons por 48 a 21.

"Na sexta série, um treinador ensinou a importância da visualização", disse Rodgers a um repórter esportivo do *USA Today*[84]. "Quando estou em uma reunião, assistindo a um filme ou na cama antes de dormir, sempre me visualizo fazendo jogadas. Muitas das jogadas que fiz no jogo pensei antes. Deitado no sofá, me visualizava fazendo." Rodgers também conseguiu escapar com sucesso de três *sacks* potenciais naquele jogo e mais tarde comentou sobre os lances: "Visualizei a maioria antes de fazer".

Inúmeros outros atletas profissionais também usaram o ensaio mental com efeitos impressionantes, incluindo o jogador de golfe Tiger Woods, as estrelas do basquete Michael Jordan, Larry Bird e Jerry West e o arremessador de beisebol Roy Halladay. O campeão de golfe Jack Nicklaus escreveu, em seu livro *Golf My Way*:

> Nunca dou uma tacada, nem mesmo no treino, sem ter uma imagem muito nítida e focada na minha cabeça. É como um filme colorido. Primeiro, "vejo" a bola onde quero que ela acabe, bela e branca, no alto da grama verde brilhante. Então a cena muda rapidamente, e "vejo" a bola indo para lá, seu caminho, trajetória, formato, até mesmo o comportamento ao aterrissar. Depois há uma espécie de desvanecimento, e a próxima cena me mostra fazendo o tipo de *swing* que transformará as imagens anteriores em realidade. Apenas ao final desse curto espetáculo hollywoodiano particular eu seleciono um taco e avanço até a bola.[85]

Como podemos ver só por esses exemplos (e existem muitos, muitos outros), uma profusão de evidências mostra que o ensaio mental é extremamente eficaz para aprender uma habilidade física com o mínimo de prática física.

Não consigo resistir a acrescentar mais um exemplo, dessa vez de Jim Carrey, que conta uma história incrível sobre o que fez quando chegou a Los Angeles no final da década de 1980, como um ator à procura de trabalho. Ele redigiu uma afirmação de um parágrafo em um pedaço de papel sobre conhecer os tipos certos de pessoa, conseguir os tipos certos de papel, trabalhar no filme certo com o elenco certo, ser bem-sucedido, contribuir com algo que valesse a pena e fazer diferença no mundo.

Todas as noites, Jim Carrey subia até Mulholland Drive, em Hollywood Hills, reclinava-se no conversível e olhava para o céu. Falava aquele parágrafo para si mesmo, guardando-o na memória, enquanto imaginava que o que estava descrevendo estava acontecendo. Ele não ia embora do mirante de Hollywood até se sentir como se fosse a pessoa que estava imaginando, até que parecesse real. Ele até mesmo preencheu um cheque de US$ 10 milhões para si mesmo, "por serviços prestados", com a data "Ação de Graças de 1995". Ele carregou o cheque na carteira por anos.

Em 1994, foram lançados três filmes que enfim fizeram de Jim Carrey uma estrela. Primeiro, *Ace Ventura*, em fevereiro, seguido por *O Máskara*, em julho. Por seu papel no terceiro filme, *Débi & Loide*, lançado em dezembro, Carrey recebeu um cheque de exatos US$ 10 milhões. Ele criou exatamente o que havia imaginado para si.

O que todos esses indivíduos têm em comum é que eliminaram o ambiente externo, foram além do corpo e transcenderam o tempo para poder fazer mudanças neurológicas significativas. Quando se apresentaram ao mundo, conseguiram fazer mente e corpo trabalhar juntos e criaram no mundo material o que haviam concebido no reino mental.

Estudos científicos respaldam isso. Para começar, muitos experimentos com ensaio mental provam que, quando você se concentra em uma região específica do corpo, seus pensamentos estimulam a região do cérebro que governa essa parte; se você continuar fazendo isso, ocorrerão mudanças físicas na área sensorial do cérebro[86]. Faz sentido, porque, se mantém sua consciência no mesmo lugar, você dispara e conecta as mesmas redes de neurônios. Como resultado, cria mapas cerebrais mais fortes nessa área.

Em um estudo de Harvard, sujeitos que nunca haviam tocado piano praticaram mentalmente um exercício simples de cinco dedos duas horas por dia durante cinco dias e, sem nunca mexer um dedo, produziram as mesmas mudanças cerebrais que indivíduos que praticaram fisicamente as mesmas atividades[87]. A região que controla o movimento dos dedos aumentou drasticamente, conferindo a seus cérebros o aspecto de que a experiência imaginada havia de fato acontecido. Eles instalaram o *hardware* neurológico (circuitos) e o *software* (programa), criando novos mapas cerebrais apenas com o pensamento.

Em outro estudo com trinta pessoas durante doze semanas, algumas exercitaram regularmente os dedos mínimos, enquanto outras apenas imaginaram fazer a mesma coisa. O grupo que praticou os exercícios físicos aumentou em 53% a força dos dedinhos; o grupo que apenas imaginou fazer a mesma coisa também aumentou a força dos dedinhos em 35%[88]. O corpo dos sujeitos mudou como se estivessem passando pela experiência física na realidade externa, mas eles apenas a experimentaram na mente. A mente mudou o corpo dos participantes do estudo.

Em experimento semelhante, dez voluntários imaginaram flexionar um de seus bíceps com a máxima força possível cinco vezes por semana. Os pesquisadores registraram a atividade elétrica cerebral durante as sessões e mediram a força muscular dos sujeitos a cada duas semanas. Aqueles que apenas imaginaram as flexões aumentaram a força do bíceps em 13,5% em poucas semanas e mantiveram o ganho por três meses após a interrupção do treinamento[89]. Seus corpos reagiram a uma nova mente.

Um último exemplo é um estudo francês que comparou indivíduos que levantaram ou imaginaram levantar halteres de diferentes pesos. Aqueles que imaginaram levantar cargas mais pesadas ativaram os músculos mais do que aqueles que imaginaram levantar cargas mais leves[90]. Nos três estudos sobre ensaio mental, os participantes conseguiram aumentar a força do corpo de forma mensurável usando apenas o pensamento.

Você pode se perguntar se existem estudos mostrando o que acontece quando seguimos toda a sequência, quando não apenas imaginamos o que queremos criar, mas também nos conectamos com fortes emoções positivas. Bem, existem. E você lerá sobre eles daqui a pouco.

Sinalizando novos genes no corpo com uma nova mente

Para entender melhor por que o ensaio mental funciona, precisamos dar uma olhada em alguns aspectos da anatomia do cérebro e adicionar um pouquinho de neuroquímica. Vamos começar explicando que seu lobo frontal, situado logo atrás da testa, é o centro criativo. É a parte do cérebro que aprende coisas novas, sonha com novas possibilidades, toma decisões conscientes, define suas intenções e assim por diante. É o CEO, por assim dizer; para ser ainda mais preciso, o lobo frontal também lhe permite observar quem você é, avaliar o que você está fazendo e como está se sentindo. É o lar da sua consciência. Isso é importante porque, uma vez que você se torna mais consciente de seus pensamentos, pode direcioná-los melhor.

Quando você pratica ensaios mentais e se concentra e foca para valer no resultado que deseja, o lobo frontal é seu aliado, pois ele também diminui o volume do mundo exterior, a fim de que você não se distraia muito com as informações provenientes dos cinco sentidos. Os exames cerebrais mostram que, em um estado altamente focado, como o ensaio mental, a percepção de tempo e espaço diminui[91]. Isso acontece porque o lobo frontal ameniza a entrada de dados provenientes dos centros sensoriais (que permitem "sentir" o corpo no espaço), centros motores (responsáveis pelo movimento físico) e centros de associação (onde residem os pensamentos sobre sua identidade e quem você é), bem como dos circuitos parietais (onde você processa o tempo). Como você consegue ir além do ambiente, além do corpo e até além do tempo, tem condições de tornar o pensamento que está pensando mais real do que qualquer outra coisa.

No momento em que você imagina um novo futuro para si, pensa em uma nova possibilidade e começa a fazer perguntas específicas – tipo "Como seria viver sem essa dor e limitação?" –, seu lobo frontal fica alerta. Em questão de segundos, cria uma intenção de ser saudável (para que você possa ter clareza do que deseja criar e do que não deseja mais experimentar) e uma imagem mental de ser saudável para que você possa imaginar como seria.

Como CEO, o lobo frontal tem conexões com todas as outras partes do cérebro. Então começa a selecionar redes de neurônios para criar uma nova mentalidade como resposta à pergunta. Você poderia dizer que ele se torna o maestro de uma sinfonia, silenciando sua antiga rede (a função de poda da neuroplasticidade) e selecionando diferentes redes de neurônios de diferentes partes do cérebro e conectando-as para criar um novo nível de mente para refletir o que você estava imaginando. É o seu lobo frontal que muda a sua mentalidade, ou seja, faz o cérebro funcionar em diferentes sequências, padrões e combinações. Uma vez que o lobo frontal selecione diferentes redes de neurônios e ative-as em conjunto para criar um novo nível de mente, uma imagem ou representação interna aparece no olho da sua mente, isto é, no lobo frontal.

Agora vamos adicionar um pouco mais de neuroquímica. Se seu lobo frontal orquestrar redes neurais suficientes para disparar em uníssono enquanto você enfoca uma intenção clara, chegará um momento em que o pensamento se tornará a experiência em sua mente; é quando a realidade interna é mais real do que a realidade externa. Quando o pensamento se torna a experiência, você começa a sentir a emoção de como o evento seria na realidade (lembre-se, as emoções são as assinaturas químicas das experiências). Seu cérebro produz um tipo diferente de mensageiro químico (um neuropeptídeo) e o envia para as células do corpo. O neuropeptídeo procura os pontos receptores (ou estações de acoplamento) apropriados em várias células a fim de transmitir a mensagem aos centros hormonais do corpo e por fim ao DNA das células, e as células recebem uma nova mensagem informando que o evento ocorreu.

Quando o DNA de uma célula obtém a nova informação do neuropeptídeo, responde ativando (ou regulando positivamente) alguns genes e desativando (ou regulando negativamente) outros, tudo para apoiar seu novo estado de ser. Pense na ativação e desativação como luzes aquecendo e ficando mais brilhantes ou esfriando e ficando mais fracas. Quando um gene acende, é ativado para produzir uma proteína. Quando um gene desliga, é desativado, fica menos brilhante ou mais fraco e não produz tantas proteínas. Vemos os efeitos em mudanças mensuráveis no corpo.

Dê uma olhada nas figuras 5.1A e 5.1B. Elas o ajudarão a seguir toda a sequência de como mudar seu corpo apenas pelo pensamento.

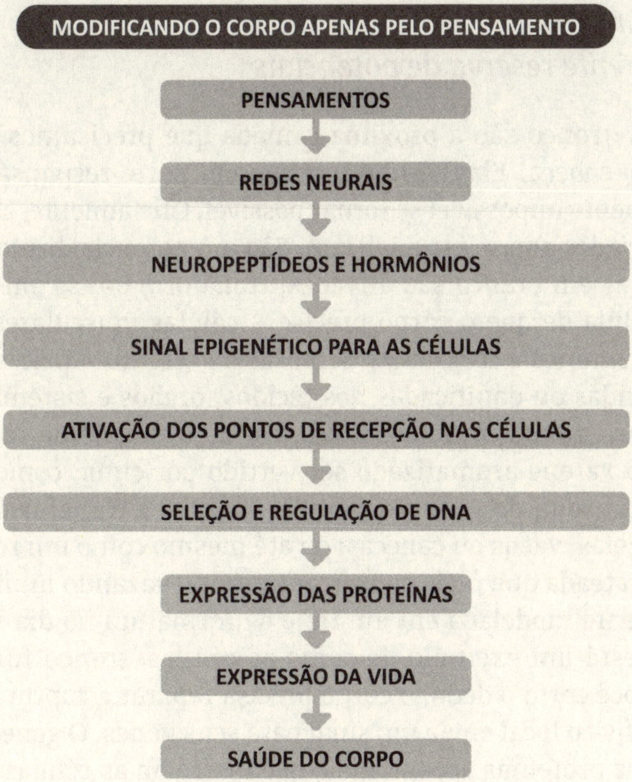

FIGURA 5.1A

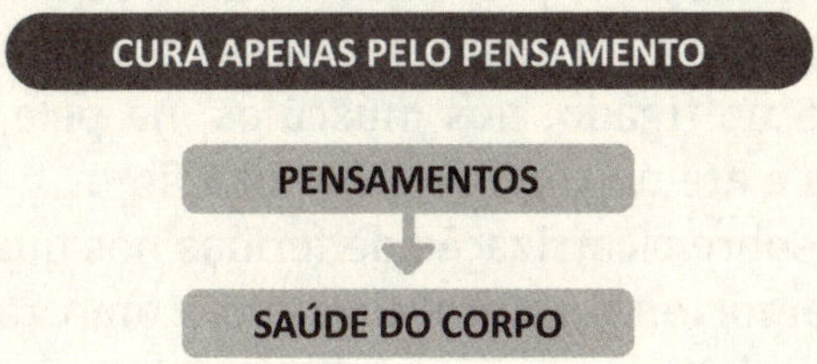

FIGURA 5.1B

Na figura 5.1A, o fluxograma demonstra como os pensamentos avançam em uma cascata de mecanismos e reações químicas simples para modificar o corpo. Por dedução, se novos pensamentos podem criar uma nova mente pela ativação de novas redes neurais, criando peptídeos e hormônios mais saudáveis (que sinalizam as células de novas maneiras e ativam novos genes epigeneticamente para produzir novas proteínas) e se a expressão das proteínas é a expressão da vida e corresponde à saúde do corpo, a figura 51.B ilustra como os pensamentos podem curar o corpo.

Células-tronco: nossa potente reserva de potenciais

As células-tronco são a próxima camada que precisamos entender no quebra-cabeça. Elas são no mínimo em parte responsáveis pelo aparentemente impossível se tornar possível. Oficialmente, são células indiferenciadas que se especializam. São um potencial bruto. Quando essas placas em branco são ativadas, transformam-se em qualquer tipo de célula de que o corpo precise – células musculares, ósseas, epiteliais, imunes e até células nervosas do cérebro – para substituir células feridas ou danificadas nos tecidos, órgãos e sistemas. Pense nas células-tronco como bolas de gelo de um cone de raspadinha antes de o xarope aromatizado ser vertido por cima; como pedaços de barro na roda do oleiro esperando para ser transformados em pratos, tigelas, vasos ou canecas; ou até mesmo como um rolo de fita adesiva prateada que pode consertar um cano vazando num dia e ser criativamente modelada em um traje de formatura no dia seguinte.

Aqui está um exemplo de como as células-tronco funcionam. Quando você corta o dedo, o corpo precisa reparar a ruptura na pele. O trauma físico local envia um sinal para seus genes. O gene é ativado e produz as proteínas apropriadas, que instruem as células-tronco a se transformar em células epiteliais saudáveis. O sinal traumático é a informação de que a célula-tronco precisa para se diferenciar em célula epitelial. Milhões de processos como esse ocorrem em todo o corpo o tempo todo. A cura atribuível a esse tipo de expressão gênica foi documentada no fígado, nos músculos, na pele, nos intestinos, na medula óssea e até no cérebro e no coração[92].

Em estudos sobre cicatrização de feridas nos quais o sujeito está em um estado emocional muito negativo, como raiva, as células-tronco não entendem a mensagem direito. Quando há interferência no sinal, como uma estática no rádio, a célula potencial não recebe a estimulação certa de forma coerente para se transformar em uma célula útil. Como você ficou sabendo ao ler sobre resposta ao estresse e vida no modo de sobrevivência, a cura levará mais tempo porque a maior parte da energia do corpo está às voltas com a emoção da raiva e seus efeitos químicos. Não é hora de criação, crescimento e nutrição; o momento é de emergência.

Portanto, quando o efeito placebo está em ação e você cria o nível mental correto com uma intenção clara e a combina com uma emoção estimulante e elevada, o tipo certo de sinal pode chegar ao DNA da célula. A mensagem não apenas influenciará a produção de proteínas saudáveis para melhorar a estrutura e o funcionamento do corpo, mas também produzirá novas células saudáveis a partir de células-tronco latentes que estão só esperando ser ativadas pela mensagem certa.

Você pode até pensar nessas células-tronco como cartões para sair da cadeia no jogo *Monopólio*, porque, uma vez selecionadas ou ativadas, elas substituem células em áreas danificadas do corpo, permitindo um novo começo. De fato, as células-tronco ajudam a explicar como ocorre a cura em pelo menos metade dos casos de placebo que envolvem cirurgia simulada, seja para um joelho com artrite, seja para uma ponte coronária (conforme descrito no Capítulo 1).

Como intenção e emoção elevada mudam nossa biologia

Já mencionamos as emoções e como elas desempenham um papel vital na cura do corpo, mas agora vamos dar uma olhada mais a fundo nesse assunto. Ter uma resposta emocional intensificada aos novos pensamentos nos quais nos concentramos no ensaio mental é como turbinar nossos esforços, porque as emoções ajudam a fazer as modificações epigenéticas muito mais rápido.

Não precisamos do componente emocional; afinal, os sujeitos que fortaleceram os músculos imaginando estar levantando pesos não precisaram ficar exultantes para modificar seus genes. Contudo, eles se inspiraram usando a imaginação a cada elevação mental, dizendo: "Força! Força! Força!". A emoção consistente foi o catalisador energético que de fato intensificou o processo[93]. Manter uma emoção elevada nos permite obter resultados bem mais notáveis muito mais rapidamente; o mesmo tipo de resultado surpreendente que vemos na resposta ao placebo.

Lembra o estudo sobre o riso do Capítulo 2? Pesquisadores japoneses descobriram que assistir a um programa cômico de uma hora ativou 39 genes, quatorze deles relacionados à atividade das células exterminadoras naturais do sistema imunológico. Vários outros estudos mostraram aumento em diversos anticorpos depois que os participantes assistiram a programas de humor[94].

Pesquisas da Universidade da Carolina do Norte em Chapel Hill mostraram ainda que emoções positivas intensificadas produziram aumento no tônus vagal, uma medida da saúde do nervo vago, que desempenha papel importante na regulação do sistema nervoso autônomo e da homeostase[95]. Em um estudo japonês no qual filhotes de rato foram afagados cinco minutos por dia, cinco dias seguidos, para estimular emoções positivas, o cérebro dos ratinhos gerou novos neurônios[96].

Em todos esses casos, uma emoção positiva intensa ajudou os sujeitos a desencadear alterações físicas reais que melhoraram sua saúde. Emoções positivas fazem o corpo e o cérebro desabrochar.

Agora observe o padrão de muitos dos estudos com placebo: no momento em que alguém começa a ter uma intenção clara de um novo futuro (querendo viver sem dor ou doença) e depois combina essa intenção com uma emoção intensificada (entusiasmo, esperança e expectativa de viver sem dor ou doença), o corpo não está mais no passado. O corpo vive no novo futuro, porque, como vimos, o corpo não sabe a diferença entre uma emoção criada por uma experiência real e uma criada apenas pelo pensamento. Portanto, o estado exaltado de emoção em resposta ao novo pensamento é um componente vital do processo, pois são novas informações vindas de fora da célula, e, para o corpo, a experiência do ambiente externo ou do ambiente interno é igual.

Lembra o Sr. Wright, do Capítulo 1? Ele ficou muito empolgado ao pensar em tomar a nova droga poderosa de que ouvira falar e imaginou que aquela medicação poderia curá-lo. Ficou tão empolgado que infernizou o médico para lhe permitir que tomasse. Quando o fez, Wright não tinha ideia de que a droga era inerte. Como seu cérebro não sabia a diferença entre suas imagens mentais de estar bem carregadas de emoção e estar bem de verdade, seu corpo respondeu emocionalmente como se o que ele imaginava já tivesse acontecido. Sua mente e seu corpo trabalharam juntos para sinalizar novos genes de novas maneiras, e foi isso que reduziu seus tumores e restaurou sua saúde, e não a "nova e poderosa droga" que ele tomou. Foi isso que criou seu novo estado de ser.

Então, quando Wright descobriu que os testes haviam mostrado que a droga não funcionava, voltou aos velhos pensamentos e emoções, à sua antiga programação, e não é de surpreender que os tumores tenham retornado. Seu estado de ser mudou outra vez. Porém, quando os médicos disseram que ele poderia obter uma versão melhorada da droga que havia funcionado antes, Wright ficou animado de novo. Ele acreditou que a nova versão do medicamento poderia funcionar, porque já havia visto isso acontecer antes (ou pelo menos é o que pensava ter visto).

Naturalmente, quando retomou a intenção de saúde e começou a pensar em novas possibilidades outra vez, seu cérebro voltou a disparar e ligar novas conexões neurais, e ele criou uma nova mente. Toda a animação e esperança retornaram, e essa emoção criou substâncias químicas no corpo que sustentaram os novos pensamentos. Mais uma vez o corpo de Wright não sabia a diferença entre seus pensamentos e sentimentos sobre estar bem e estar bem de verdade. Mais uma vez cérebro e corpo responderam como se o que ele imaginava já tivesse acontecido. E os tumores desapareceram de novo.

Depois de ler as notícias de que a "droga milagrosa" na verdade era um embuste, Wright voltou ao antigo pensamento e às velhas emoções pela última vez, e o antigo eu-personalidade, junto com os tumores, retornou. Não havia droga milagrosa. Ele era o milagre. Não havia placebo. Ele era o placebo.

Portanto, faz sentido nos concentrarmos não apenas em evitar emoções negativas, como medo e raiva, mas também em cultivar conscientemente emoções positivas e sinceras, como gratidão, alegria, excitação, entusiasmo, fascínio, admiração, inspiração, assombro, confiança, apreciação, bondade, compaixão e empoderamento, para obtermos todas as vantagens na maximização de nossa saúde.

Estudos mostram que entrar em contato com emoções positivas e expansivas, como bondade e compaixão – emoções que, aliás, são nosso direito de nascença –, tende a liberar um neuropeptídeo diferente (chamado ocitocina), que naturalmente desliga os receptores da amígdala, a parte do cérebro que gera medo e ansiedade[97]. Com o medo fora do caminho, podemos sentir infinitamente mais confiança, piedade e amor. Passamos de egoístas a altruístas. E, à medida que incorporamos esse novo estado de ser, nossa neurocircuitaria abre a porta para infinitas possibilidades que nunca poderíamos imaginar antes, porque agora não estamos gastando toda a nossa energia tentando descobrir como sobreviver.

Os cientistas estão encontrando áreas no corpo, como intestinos, sistema imunológico, fígado e coração, além de muitos outros órgãos, que contêm receptores de ocitocina. Esses órgãos são altamente responsivos ao principal efeito curativo da ocitocina, associado ao crescimento de mais vasos sanguíneos no coração[98], estímulo da função imunológica[99], aumento da mobilidade gástrica[100] e normalização dos níveis de açúcar no sangue[101].

Vamos voltar ao ensaio mental por um momento. Lembra como o lobo frontal é nosso aliado? Isso acontece porque, como estabelecemos anteriormente, o lobo frontal nos ajuda a desconectar do corpo, do ambiente e do tempo, os três principais focos de alguém que vive no modo de sobrevivência. Isso nos ajuda a avançar para um estado de pura consciência, em que não temos ego.

Nesse novo estado, quando imaginamos o que desejamos, nosso coração fica mais aberto e podemos ser inundados por emoções positivas, de modo que o ciclo de sentir o que pensamos e pensar o que sentimos enfim trabalha a nosso favor. A mentalidade egoísta do modo de sobrevivência não existe mais porque a energia que canalizávamos para as necessidades de sobrevivência foi liberada para a criação. É como se alguém pagasse nosso aluguel ou a hipoteca do mês, de modo que tivéssemos um dinheiro extra para aproveitar.

Agora podemos entender exatamente por que é que, se mantivermos uma intenção clara de um novo futuro, combinarmos essa intenção com um estado emocional expansivo e elevado e repetirmos o processo vezes e mais vezes até criarmos um novo estado mental e um novo estado de ser, esses pensamentos parecerão mais reais do que nossa visão anterior limitada da realidade. Enfim estaremos livres. E, uma vez que tenhamos acolhido essa emoção para valer, podemos nos apaixonar mais facilmente pela possibilidade que estamos a imaginar.

O maestro da sinfonia (lobo frontal) parece uma criança em uma loja de doces, vendo com entusiasmo e alegria todos os tipos de possibilidades criativas para novas conexões neurais que podem ser combinadas para formar novas redes neurais. E, à medida que o maestro nos desconecta do antigo estado de ser e liga os circuitos nesse novo estado de ser, nossos neuroquímicos começam a enviar novas mensagens para nossas células, que agora estão preparadas para fazer alterações epigenéticas que sinalizam novos genes de novas formas fortalecedoras. E, por usarmos emoções intensas para fazer parecer que isso já aconteceu, sinalizamos o gene à frente do ambiente. Agora não mais esperamos a mudança e torcemos pela mudança, nós somos a mudança.

De volta ao mosteiro

Vamos rever o estudo do início do capítulo anterior, em que homens idosos fingiam ser mais jovens e de fato ficaram fisicamente mais jovens. A pergunta sobre como eles fizeram isso agora foi respondida, e resolvemos o mistério.

Quando aqueles homens chegaram ao mosteiro, se retiraram da vida que lhes era familiar. Não eram mais lembrados de quem pensavam ser com base no ambiente externo. Então começaram o retiro mantendo uma intenção muito clara: fingir que eram jovens outra vez (usando ensaios físicos e mentais, porque ambos mudam o cérebro e o corpo) e tornar a experiência o mais real possível. Enquanto assistiam a filmes, liam revistas e ouviam programas de rádio e televisão de quando eram 22 anos mais jovens, sem interrupções atuais, conseguiram deixar de lado a realidade de serem setentões e oitentões.

Aqueles homens de fato começaram a viver como se fossem jovens outra vez. À medida que experimentavam novos pensamentos e sentimentos sobre serem mais jovens, seus cérebros começaram a disparar neurônios em novas sequências, novos padrões e novas combinações, alguns dos quais não eram disparados havia 22 anos. Como tudo ao redor daqueles homens, assim como suas imaginações empolgadas, os apoiava enfaticamente para tornar a experiência real, seus cérebros não conseguiam ver a diferença entre ser 22 anos mais jovem e apenas fingir ser. Então, em questão de dias, os idosos conseguiram começar a sinalizar as mudanças genéticas exatas para refletir quem estavam sendo.

Ao fazer isso, seus corpos produziram neuropeptídeos para combinar com as novas emoções, e, quando os neuropeptídeos foram liberados, transmitiram novas mensagens às células. À medida que as células apropriadas permitiam a entrada dos mensageiros químicos, estes eram conduzidos diretamente ao DNA no núcleo celular. Quando chegavam lá, novas proteínas eram criadas, e essas proteínas procuravam novos genes de acordo com as informações que carregavam. Quando encontravam o que procuravam, as proteínas desenrolavam o DNA, ativando o gene que estava à espera e provocando alterações epigenéticas. Essas mudanças epigenéticas resultaram na produção de novas proteínas semelhantes às proteínas de homens 22 anos mais jovens. Se o corpo daqueles homens por acaso não dispusesse dos componentes necessários para criar as mudanças epigenéticas exigidas, o epigenoma simplesmente convocava células-tronco para fazer o que era preciso.

À medida que os idosos fizeram mais mudanças epigenéticas e ligaram mais genes, sucedeu-se uma cascata de melhorias físicas. Por fim, os homens saltitantes que cruzaram os portões do mosteiro ao ir embora não eram mais os mesmos que haviam atravessado aqueles portões apenas uma semana antes.

E, se o processo funcionou para aqueles caras, garanto que também pode funcionar para você. Em que realidade você escolhe viver e quem você está fingindo ser (ou não ser)? Será que pode ser simples assim?

Capítulo 6

Sugestão

Ivan Santiago, de 36 anos, estava calmamente parado em uma calçada de Nova York junto com um punhado de *paparazzi* reunidos atrás de um cordão de isolamento de veludo junto à entrada de serviço de um hotel quatro estrelas no Lower East Side. Estavam à espera de um dignitário estrangeiro prestes a sair do prédio e saltar para dentro de uma das duas caminhonetes de luxo pretas que o aguardavam no meio-fio. Mas Santiago não segurava uma câmera. Uma mão segurava uma mochila vermelha novinha, enquanto a outra, enfiada dentro da bolsa parcialmente aberta, empunhava uma pistola equipada com silenciador. Santiago, um imponente agente penitenciário da Pensilvânia, com uma cabeça careca que deixaria Vin Diesel orgulhoso, entendia de armas letais. Nunca teve de disparar uma enquanto estava de serviço, mas estava pronto para disparar hoje.

Momentos antes, Santiago estava a caminho de casa sem qualquer pensamento em armas, mochilas, dignitários estrangeiros ou assassinato. Mas agora ali estava ele, o dedo no gatilho, a testa franzida em uma carranca intimidadora, a poucos segundos de se transformar em um assassino. A porta do hotel se abriu, e o alvo passou pela saída de camisa branca imaculada, óculos de sol esportivos e uma maleta de couro. O homem deu apenas dois ou três passos em direção à limusine antes de Santiago sacar a arma da mochila e disparar três vezes. O homem tombou na calçada imóvel, a camisa manchada de vermelho.

Segundos depois, um homem chamado Tom Silver apareceu do nada, colocou calmamente uma mão no ombro e outra na testa de Santiago e disse: "Ao contar até cinco, eu direi: 'Totalmente revigorado'. Abra os olhos e acorde. Um, dois, três, quatro, cinco! Totalmente revigorado!".

Santiago havia sido hipnotizado para atirar em um estranho (na verdade um dublê), usando uma pistola de pressão inofensiva em um experimento realizado por um grupo de pesquisadores que se propôs a testar o impensável: usando hipnose, seria possível programar um cidadão de bem e cumpridor da lei para se tornar um assassino a sangue-frio?[102] Escondidos dentro da caminhonete, os olhos fixos na cena, estavam os pesquisadores que trabalhavam com Silver: doutora Cynthia Meyersburg, então bolsista de pós-doutorado em Harvard, especializada em psicopatologia experimental, doutor Mark Stokes, neurocientista de Oxford que estuda as vias neurais da tomada de decisão, e doutor Jeffery Kieliszewski, psicólogo forense da Human Resource Associates em Grand Rapids, Michigan, que trabalhou em prisões e hospitais de segurança supermáxima para criminosos insanos.

No dia anterior, os pesquisadores haviam começado o trabalho com um grupo de 185 voluntários. Silver (hipnoterapeuta clínico certificado e especialista em investigação com hipnose forense que ajudou o Departamento de Defesa de Taiwan a expor um escândalo em comércio internacional de armas de US$ 2,4 bilhões) examinou os 185 participantes para determinar o quão sugestionáveis eram à hipnose. Apenas cerca de 5% a 10% da população são considerados muito suscetíveis à hipnose. No grupo de teste, dezesseis foram aprovados e submetidos a uma avaliação psicológica para eliminar aqueles que poderiam sofrer danos psicológicos permanentes com o experimento. Onze passaram para o teste seguinte, que determinou se, sob hipnose, rejeitariam normas sociais arraigadas; isso mostraria quais eram os mais sugestionáveis.

Divididos em grupos menores, os sujeitos foram levados para almoçar em um restaurante bastante movimentado. Sem que soubessem, receberam uma sugestão pós-hipnótica de que, uma vez sentados, suas cadeiras ficariam muito quentes, a ponto de sentirem tamanho calor súbito que ficariam só com a roupa de baixo ali mesmo no restaurante. Embora todos os sujeitos tenham cumprido as instruções em graus variados, os pesquisadores eliminaram sete que acharam que estavam brincando ou que simplesmente não eram sugestionáveis o bastante para obedecer plenamente ao comando.

Os outros ficaram só com a roupa de baixo em segundos, realmente pensaram que as cadeiras estavam quentíssimas.

Os quatro que passaram para o nível seguinte foram solicitados a fazer um teste no qual ninguém seria capaz de fingir. Os sujeitos deveriam entrar em uma banheira funda de metal cheia de água a 1,5° C, quase congelada. Um por um, foram conectados a dispositivos que monitoravam batimentos cardíacos, respiração e pulso, enquanto uma câmera de imagem térmica especial monitorava a temperatura corporal e a temperatura da água. Ao hipnotizar os participantes, Silver disse que não sentiriam desconforto com a água gelada. De fato, sentiriam como se estivessem entrando em um belo banho quente. O anestesista Sekhar Upadhyayula administrou o teste, enquanto médicos de emergência aguardavam em prontidão.

Esse teste seria o tudo-ou-nada para o experimento. Normalmente, quando alguém é exposto a água tão gelada, ocorre um reflexo involuntário de ofegar quando o líquido atinge o nível dos mamilos. A frequência cardíaca e respiratória aumenta, a pessoa começa a tremer e os dentes começam a bater. É o sistema nervoso autônomo assumindo o controle em uma tentativa automática de manter o equilíbrio interno, algo que não está sob controle consciente. Mesmo que uma pessoa estivesse em profundo estado hipnótico, a quantidade de sensações enviadas ao cérebro nessa circunstância extrema normalmente seria por demais avassaladora para a hipnose ser mantida. Se algum dos sujeitos passasse no teste, sem sombra de dúvida seria sugestionável em um nível altíssimo.

Três dos sujeitos estavam de fato em estado de hipnose profunda, mas não o suficiente para suportar o frio intenso sem que o corpo perdesse a homeostase. O maior tempo que um deles conseguiu permanecer na banheira foi por dezoito segundos. Mas o quarto sujeito, Santiago, permaneceu por pouco mais de dois minutos antes de o Dr. Upadhyayula interromper o teste.

Embora a frequência cardíaca de Santiago estivesse elevada antes do experimento, ao entrar na água seus batimentos cardíacos baixaram imediatamente. Não houve nem sequer uma flutuação no eletrocardiograma ou um único bipe na frequência respiratória. Santiago sentou-se entre os cubos de gelo como se estivesse imerso em uma banheira de água quente. Na verdade, era exatamente isso que ele acreditava estar fazendo. Ele não se encolheu nem sequer uma vez, e seu corpo tampouco caiu em hipotermia.

Os pesquisadores souberam que haviam encontrado o sujeito que procuravam. Como Santiago era tão sugestionável sob hipnose que seu corpo era capaz de suportar um ambiente tão extremo por tanto tempo e sua mente controlava suas funções autonômicas, ele estava pronto para o teste final. A verificação de antecedentes de Santiago mostrou que ele era um cara legal, observaram os pesquisadores. Era um funcionário de confiança, um filho dedicado e um tio amoroso. Com certeza não era o tipo de homem que concordaria em matar alguém a sangue-frio. Silver teria êxito em fazer com que um homem assim se transformasse em um assassino?

Para que a fase seguinte do experimento fosse válida, Santiago não poderia saber o que seria encenado, não poderia estabelecer qualquer conexão entre os experimentos de que estava participando e a cena em frente ao hotel ao lado de onde o estudo era realizado. Como parte do plano, os produtores do programa de TV encarregados da gravação dos experimentos disseram que ele não havia sido selecionado para continuar, mas queriam que ele voltasse no dia seguinte para uma breve entrevista de despedida. Antes de Santiago sair, foi-lhe dito que não seria submetido a hipnose de novo.

Santiago voltou no dia seguinte. Enquanto conversava com uma produtora, a equipe trabalhava na montagem do cenário do lado de fora. Bolsas de sangue foram presas no dublê, e a pistola de pressão (com estampido e coice de uma arma de fogo real) foi colocada dentro de uma mochila vermelha deixada no assento de uma motocicleta estacionada do lado de fora do prédio. Um cordão de isolamento de veludo foi montado em frente à entrada de serviço do hotel ao lado, e *paparazzi* de mentira estavam a postos com suas câmeras de vídeo e foto. Duas caminhonetes foram estacionadas na rua, parecendo prontas para partir com o "dignitário estrangeiro" e sua comitiva.

No andar de cima, Santiago respondeu alegremente às perguntas na "entrevista de despedida" até a produtora pedir licença por um instante, dizendo que voltaria logo. Assim que ela saiu da sala, Silver entrou, dizendo que queria se despedir de Santiago. Ao apertar a mão de Santiago, Silver deu um pequeno puxão em seu braço, o que levou Santiago, bem condicionado a essa sugestão, a cair imediatamente em transe hipnótico. Ele ficou mole no sofá.

Silver disse a ele que "um bandido" estava lá embaixo, acrescentando: "Ele precisa ser apagado. Temos de nos livrar dele, e você é o cara para cuidar disso". Silver disse a Santiago que, ao sair do prédio, ele veria uma mochila vermelha em cima de uma motocicleta, e dentro dela haveria uma arma. Disse que Santiago deveria pegar a mochila vermelha e caminhar até o cordão de veludo, onde esperaria o dignitário, que sairia do hotel carregando uma pasta. Silver disse a Santiago: "Assim que ele passar pela porta, você apontará a arma para o peito dele e abrirá fogo: bang! Bang! Bang! Bang! Bang! Mas, tão logo fizer isso, você simplesmente esquecerá completa e totalmente o que aconteceu".

Silver então implantou um gatilho de estimulação audível e físico que levaria Santiago de volta ao estado hipnótico, sob o qual ele seguiria a sugestão pós-hipnótica que Silver lhe dera: Santiago reconheceria um produtor do lado de fora do prédio, o homem apertaria a mão dele e diria: "Ivan, você fez um trabalho espetacular". Silver pediu a Santiago para acenar com "sim" se fosse fazer o que havia sido instruído, e Santiago obedeceu. Então Silver o tirou do transe e agiu como se estivesse apenas se despedindo.

A produtora retornou à sala depois que Silver saiu e agradeceu a Santiago, dizendo que a entrevista estava terminada e que ele poderia ir embora. Pouco depois Santiago deixou o prédio, pensando que estava indo para casa.

Quando saiu, o produtor do programa foi até ele, apertou sua mão e disse: "Ivan, você fez um trabalho espetacular". Foi o gatilho. Na mesma hora, Santiago olhou em volta, viu a motocicleta, caminhou até ela e calmamente pegou a mochila vermelha em cima do banco. Ao ver o cordão de veludo e os *paparazzi*, foi até lá e abriu o zíper da bolsa lentamente.

Em instantes, um homem carregando uma pasta saiu pela porta. Sem vacilar, Santiago sacou a arma da mochila e atirou no peito do homem várias vezes. As bolsas de sangue sob a camisa do "dignitário" estouraram, e ele caiu dramaticamente no chão.

Silver entrou em cena quase imediatamente e fez Santiago fechar os olhos. O dublê saiu apressado enquanto Silver tirava Santiago do transe. O psicólogo Jeffery Kieliszewski apareceu e sugeriu que Santiago entrasse com ele e os outros para um interrogatório. Dentro do prédio, os pesquisadores contaram a um Santiago surpreso o que havia acontecido e perguntaram se ele tinha alguma lembrança do que havia feito ou do que acabara de acontecer lá fora. Santiago não lembrava coisa alguma – isto é, até Silver sugerir a ele que lembrasse.

Programação do subconsciente

Nos primeiros capítulos, você leu sobre vários indivíduos que aceitaram um cenário imaginário possível, e, como que por mágica, o corpo deles respondeu à imagem em suas mentes: indivíduos que ficaram presos por anos aos tremores involuntários da doença de Parkinson, mas aumentaram seus níveis de dopamina apenas pelo pensamento e viram a paralisia espástica desaparecer misteriosamente; uma mulher com depressão crônica que, com o tempo, alterou fisicamente o cérebro e transmutou seu estado emocional debilitante em alegria e bem-estar; asmáticos que experimentaram um episódio brônquico completo causado por nada mais que vapor de água, mas depois reverteram a constrição brônquica em segundos inalando o mesmíssimo vapor de água; e, é claro, os homens com dor severa nos joelhos e comprometimento da amplitude de movimentos que milagrosamente melhoraram após uma cirurgia simulada e permaneceram curados por anos.

Em todos esses casos e outros mais, pode-se dizer que cada sujeito primeiro aceitou a sugestão de uma saúde melhor, depois acreditou nela e por fim rendeu-se ao resultado sem mais análise. Quando essas pessoas aceitaram o potencial de recuperação, alinharam-se a uma realidade possível futura e mudaram sua mente e cérebro no processo. Como acreditavam no resultado, abraçaram emocionalmente a ideia de uma saúde melhor; por consequência, seus corpos, assim como a mente inconsciente, viveram naquela realidade futura no momento presente.

Esses indivíduos condicionaram o corpo a uma nova mente e começaram a sinalizar novos genes de novas maneiras e a expressar novas proteínas para melhorar a saúde. Assim entraram em um novo estado de ser. Depois de se render a um novo cenário possível, não mais analisaram como aquilo aconteceria ou quando se manifestaria, simplesmente confiaram em um melhor estado de ser e mantiveram o novo estado mental e físico por um longo tempo. Foi esse estado sustentado de ser que ativou os genes certos e os programou para permanecerem ligados.

Quer tenham adotado um regime de pílulas de açúcar diárias por semanas ou até meses, quer tenham recebido uma única injeção de soro fisiológico, quer tenham sido submetidos a uma cirurgia falsa, esses indivíduos reafirmaram sua aceitação, crença e rendição ao longo do estudo de que participaram. Se tomavam uma pílula todos os dias para aliviar a dor ou a depressão, a pílula era um lembrete constante para condicionar, esperar e atribuir significado à atividade intencional, reforçando assim o processo interno. Se era uma visita semanal ao hospital para consultar-se com um médico e ser entrevistado sobre a melhora, a escolha de interagir em um ambiente específico, com médicos, enfermeiros, equipamentos e salas de espera, desencadeava uma série de respostas sensoriais, e, por meio da memória associativa, eram lembrados de um novo futuro possível. Por experiências passadas, havia o condicionamento de que o local chamado "hospital" é onde as pessoas melhoram. Os indivíduos começaram a antecipar suas futuras alterações e, portanto, atribuíram intenção ao processo de cura. Como todos esses fatores tinham significado, ajudaram a tornar os pacientes dos placebos mais sugestionáveis aos resultados que experimentaram.

Agora vamos abordar o elefante na sala: nenhum mecanismo físico, químico ou terapêutico real fez essas mudanças acontecerem. Nenhuma dessas pessoas fez cirurgia real, tomou medicação ativa ou recebeu qualquer tratamento de verdade para criar alterações significativas na saúde. O poder de suas mentes influenciou a fisiologia de seus corpos de tal forma que se curaram. É seguro dizer que a verdadeira transformação ocorreu independentemente da mente consciente. A mente consciente pode ter dado início ao curso de ação, mas o trabalho de verdade aconteceu de forma subconsciente, com os sujeitos permanecendo totalmente inconscientes de como aconteceu.

O mesmo é válido no caso de Ivan Santiago. O poder de sua mente sob hipnose influenciou sua fisiologia de tal forma que, mesmo sentado em uma banheira enregelante com cubos de gelo, ele nem sequer estremeceu. O responsável por essa proeza foi o poder de sua mente subconsciente alterada por uma mera sugestão, não a mente consciente. Se Santiago não tivesse aceitado a sugestão, o resultado teria sido muito diferente. Além disso, ele fez o que fez sem pensar em como conseguiu fazê-lo; na verdade, em sua mente, ele não estava sentado em uma banheira de gelo. Estava sentado em uma banheira muitíssimo agradável de água morna.

Assim como na hipnose, o efeito placebo também é criado pela consciência do indivíduo interagindo de alguma forma com o sistema nervoso autônomo. A mente consciente se funde com a mente subconsciente. Uma vez que os pacientes tratados com um placebo aceitam um pensamento como realidade e então acreditam e confiam emocionalmente no resultado final, o que acontece é que melhoram.

Uma cascata de eventos fisiológicos realiza toda a alteração biológica de modo automático, sem envolvimento da mente consciente. Essas pessoas conseguem entrar no sistema operacional onde essas funções já acontecem de modo rotineiro e, quando o fazem, é como se plantassem uma semente em solo fértil. O sistema automaticamente assume o controle. De fato, ninguém tem que fazer nada. Simplesmente acontece.

Nenhum dos sujeitos conseguiu de modo consciente aumentar os níveis de dopamina em 200% e controlar tremores involuntários com a mente, fabricar novos neurotransmissores para combater a depressão, sinalizar células-tronco para se transformarem em glóbulos brancos e deflagrar uma resposta imune ou restaurar a cartilagem do joelho para reduzir a dor, assim como Santiago não poderia de modo consciente evitar um calafrio ao entrar na banheira congelante. Qualquer pessoa que tentasse realizar algum desses feitos com certeza não teria sucesso. Seria preciso a ajuda de uma mente que já soubesse como dar início a todos esses processos. Para ter êxito, é preciso ativar o sistema nervoso autônomo, a mente subconsciente, e então atribuir a ela a tarefa de criar novas células e novas proteínas saudáveis.

Aceitação, crença e entrega

Mencionei a palavra “sugestão” ao longo deste livro como se ser sugestionável fosse algo que todos nós pudéssemos ser de forma simples e voluntária mediante um comando. Acontece que, como você leu na história no começo deste capítulo, não é tão fácil. Vamos encarar. Alguns de nós – Ivan Santiago com certeza – são mais sugestionáveis que outros. E mesmo aqueles mais sugestionáveis respondem melhor a certas sugestões do que outras.

Por exemplo, alguns sujeitos do teste de hipnotismo não tiveram qualquer problema em ficar só com a roupa de baixo em público ao receber a sugestão pós-hipnótica; todavia, o subconsciente deles não conseguiu aceitar a ideia de que uma banheira de água gélida fosse uma banheira de hidromassagem quente. Entretanto, a verdade é que as sugestões pós-hipnóticas (incluindo a sugestão de que Santiago atirasse no estranho) em geral são mais difíceis de ser cumpridas em comparação com sugestões que alteram temporariamente o estado do indivíduo durante o transe hipnótico.

Como a hipnose, a resposta ao placebo também não funciona para todos. Os pacientes tratados com placebo que conseguiram fazer mudanças positivas durarem por anos (como os homens da cirurgia simulada no joelho) respondem de maneira semelhante aos sujeitos da hipnoterapia que receberam sugestões pós-hipnóticas. Para alguns, como aqueles homens, essas sugestões funcionam lindamente. Para outros, não acontece muita coisa.

Por exemplo, quando estão enfermas ou sofrem de uma doença, muitas pessoas simplesmente não conseguem aceitar a ideia de que nem mesmo um medicamento, procedimento, tratamento ou injeção possa ajudá-las, que dirá que um placebo possa funcionar. Por que não? Porque é preciso pensar para além de como elas se sentem, o que por sua vez permite que os novos pensamentos gerem novos sentimentos, que depois reforçam os novos pensamentos até que estes se tornem um novo estado de ser. Porém, se sentimentos familiares se tornam o meio de pensamento familiar e a pessoa não consegue transcender o hábito, ela fica no mesmo estado passado de mente e corpo, e tudo permanece igual.

No entanto, se essas pessoas que não conseguem aceitar que um medicamento ou procedimento possa deixá-las bem conseguissem alcançar um novo nível de aceitação e crença e então se rendessem àquele fim sem se perturbar, sem analisar e sem se preocupar o tempo todo, poderiam colher maiores recompensas do processo. Sugestão é isto: transformar um pensamento em uma experiência virtual e fazer com que o corpo por consequência responda de uma nova maneira.

A sugestão combina três elementos: aceitação, crença e rendição. Quanto mais aceitarmos, acreditarmos e nos rendermos ao que estivermos fazendo para alterar nosso estado interno, melhores os resultados que podemos criar. Quando Santiago estava sob hipnose e sua mente subconsciente estava no controle, ele pôde aceitar totalmente o que Silver disse sobre o "bandido" que precisava ser eliminado, conseguiu acreditar que Silver estava falando a verdade e pôde se render e executar as instruções detalhadas que Silver deu, sem analisar ou pensar criticamente sobre o que estava prestes a fazer. Não houve questionamento e pedido de provas. Não houve vacilação. Ele foi lá e fez.

Adicionando emoção

Quando nos é apresentada a ideia de uma saúde melhor e conseguimos associar essa esperança ou pensamento de que algo externo vai mudar algo dentro de nós à antecipação emocional da experiência, nos tornamos sugestionáveis àquele resultado. Condicionamos, esperamos e atribuímos significado a todo o processo.

O componente emocional é fundamental nessa experiência. A sugestão não é apenas um processo intelectual. Muita gente consegue intelectualizar a ideia de ficar melhor, mas não consegue acolher emocionalmente o resultado, não consegue entrar no sistema nervoso autônomo (como Santiago fez sob hipnose), o que é essencial, pois é a base da programação subconsciente que dá todas as cartas (como discutido no Capítulo 3). De fato, na psicologia em geral, é aceito que a pessoa que experimenta emoções intensas tende a ser mais receptiva a ideias e, portanto, mais sugestionável.

O sistema nervoso autônomo está sob o controle do cérebro límbico, também chamado de "cérebro emocional" e "cérebro químico". O cérebro límbico, representado na figura 6.1, é responsável por funções subconscientes como ordem e homeostase químicas, pela manutenção do equilíbrio fisiológico natural do corpo. É o centro emocional. Assim, ao experimentar diferentes emoções, você ativa essa parte do cérebro, e ela cria as moléculas químicas correspondentes à emoção. Como esse cérebro emocional existe abaixo do controle da mente consciente, no momento em que sente uma emoção, você ativa o sistema nervoso autônomo.

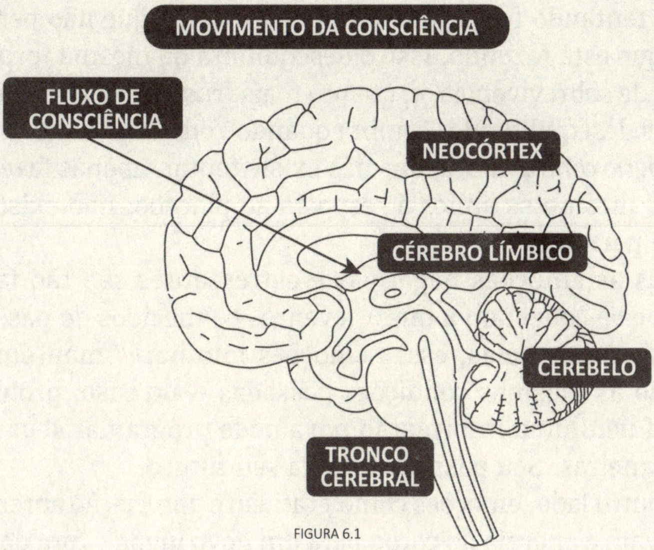

FIGURA 6.1

Quando você sente uma emoção, pode em última análise ignorar o neocórtex – a base da mente consciente – e ativar o sistema nervoso autônomo. Portanto, à medida que vai além do cérebro pensante, você entra em uma parte do cérebro onde a saúde é regulada, mantida e executada.

Se o efeito placebo requer que você acolha uma emoção elevada antes da experiência real de cura, quando você amplifica a resposta emocional (e sai do estado de repouso normal), ativa o sistema subconsciente. Permitir-se sentir emoções é uma maneira de entrar no sistema operacional e programar uma mudança, porque você automaticamente instrui o sistema nervoso autônomo a começar a criar a química correspondente à melhora. E o corpo recebe uma mistura de elixires alquímicos naturais do cérebro e da mente. Como resultado, o corpo se torna emocionalmente a mente.

Como vimos, essas emoções não podem ser quaisquer umas. As emoções de sobrevivência que já exploramos no capítulo anterior desequilibram o cérebro e o corpo e, portanto, regulam negativamente (ou desligam) os genes necessários à boa saúde. Medo, futilidade, raiva, hostilidade, impaciência, pessimismo, competitividade e preocupação não sinalizam os genes adequados para uma saúde melhor. Fazem o contrário. Ativam o sistema nervoso de lutar ou fugir e preparam o corpo para emergências. Você perde energia vital de cura.

A propósito, isso é semelhante à situação de tentar fazer alguma coisa acontecer. No momento em que está tentando, você está fazendo força contra alguma coisa porque está tentando mudá-la. Você está lutando, tentando forçar um resultado, mesmo que não perceba que é isso o que está fazendo. Isso o desequilibra da mesma forma que as emoções de sobrevivência, e, quanto mais frustrado e impaciente você fica, mais desequilibrado. Lembra quando Yoda diz a Luke Skywalker, em *O império contra-ataca*, que não existe tentar, apenas fazer (ou não fazer)? O mesmo se aplica à resposta ao placebo: não existe tentar, só existe permitir.

Todas as emoções negativas e estressantes são tão familiares para nós e se conectam a tantos eventos conhecidos do passado que, quando focamos nelas, essas emoções familiares mantêm o corpo conectado às mesmas condições passadas – no caso, problemas de saúde. Aí nenhuma informação nova pode programar seus genes de novas maneiras. Seu passado reforça seu futuro.

Por outro lado, emoções como gratidão e apreciação abrem o coração e elevam a energia do corpo para um novo lugar – fora dos centros hormonais inferiores. Gratidão é uma das emoções mais poderosas para aumentar seu nível de sugestionabilidade. Ela ensina emocionalmente ao corpo que o evento pelo qual você é grato já aconteceu, porque em geral agradecemos depois que um evento desejável ocorre.

Se você despertar a emoção da gratidão antes do evento real, seu corpo (como a mente inconsciente) começará a acreditar que o evento futuro já aconteceu de fato ou está acontecendo no momento presente. Gratidão, portanto, é o estado final de recebimento. Olhe a figura 6.2 para revisar a diferença entre a expressão de emoções de sobrevivência e a expressão de emoções elevadas.

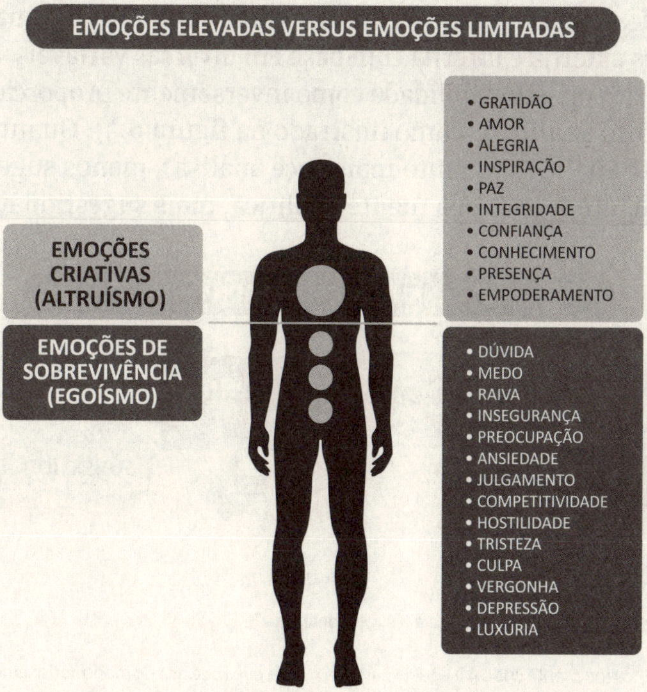

FIGURA 6.2

As emoções de sobrevivência derivam-se principalmente dos hormônios do estresse, que tendem a endossar estados mais egoístas e limitados de mente e corpo. Quando adota emoções elevadas e mais criativas, você alça sua energia para um centro hormonal diferente, seu coração começa a se abrir, e você se sente mais altruísta. É quando seu corpo começa a responder a uma nova mente.

Se você consegue despertar a emoção de apreciação ou gratidão e combiná-la com uma intenção clara, começa a incorporar o evento emocionalmente. Você modifica seu cérebro e corpo. Para ser específico, você instrui seu corpo quimicamente sobre o que sua mente sabe filosoficamente. Poderíamos dizer que você está em um novo futuro no momento presente. Você não mais utiliza as emoções familiares e primitivas para se manter ancorado no passado. Você usa emoções elevadas para levá-lo a um novo futuro.

Duas faces da mente analítica

Vamos voltar à ideia apresentada anteriormente de que cada um de nós tem diferentes níveis de aceitação para uma sugestão, resultando em um espectro de sugestionabilidade. Todo mundo tem um nível próprio de suscetibilidade a pensamentos, sugestões e comandos das realidades externa e interna com base em diversas variáveis. Pense em seu nível de sugestionabilidade como inversamente proporcional a seu pensamento analítico (como ilustrado na figura 6.3). Quanto maior a sua mente analítica (quanto mais você analisa), menos sugestionável você é; quanto menor sua mente analítica, mais sugestionável você é.

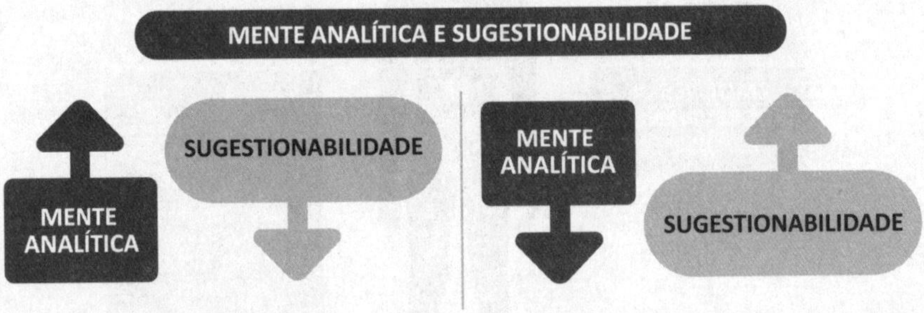

FIGURA 6.3

A relação inversa entre a mente analítica e a sugestionabilidade.

A mente analítica (ou mente crítica) é aquela parte da mente que você usa de modo consciente e da qual está ciente. É uma função do neocórtex pensante – a parte do cérebro que é sede da consciência, que pensa, observa e lembra coisas, que resolve problemas. É a mente que analisa, compara, julga, repensa, examina, questiona, polariza, escrutiniza, raciocina, racionaliza e reflete. Ela pega o que aprendeu com a experiência passada e aplica a um resultado futuro ou a algo que ainda não experimentou.

No experimento de hipnose descrito no início deste capítulo, por exemplo, sete dos onze indivíduos que receberam a sugestão pós-hipnótica de tirar a roupa em público no restaurante não a cumpriram totalmente. Foi a mente analítica que os fez recobrar os sentidos. No momento em que começaram a analisar, pensando "Isso está certo?", "Será que devo fazer isso?", "O que vai parecer isso?", "Quem está vendo?", "O que meu namorado vai pensar?", a sugestão não foi mais tão poderosa, e eles retornaram ao antigo estado familiar de ser. Por outro lado, as pessoas que ficaram imediatamente só com a roupa de baixo fizeram-no sem questionar o que estavam fazendo. Eram menos analíticas (portanto, mais sugestionáveis) do que os colegas.

Como o neocórtex é dividido em duas metades chamadas hemisférios, faz sentido analisarmos e passarmos muito tempo pensando em termos de dualidade, tipo bom *versus* ruim, certo *versus* errado, positivo *versus* negativo, masculino *versus* feminino, heterossexual *versus* gay, democrata *versus* republicano, passado *versus* futuro, lógica *versus* emoção, velho *versus* novo, cabeça *versus* coração. Se vivemos estressados, as substâncias químicas que injetamos em nosso sistema tendem a acelerar todo o processo analítico. Analisamos ainda mais a fim de prever resultados futuros para que possamos nos proteger dos piores cenários possíveis com base em experiências passadas.

Não há nada de errado com a mente analítica, é claro. Ela nos serve bem por toda a nossa vida consciente e desperta. É o que nos faz humanos. Seu trabalho é criar significado e coerência entre nossos mundos externos (as experiências combinadas de pessoas e coisas em diferentes momentos e lugares) e nossos mundos internos (nossos pensamentos e sentimentos).

A mente analítica funciona melhor quando estamos calmos, relaxados e focados. É quando ela trabalha para nós. Analisa muitos aspectos de nossa vida simultaneamente e fornece respostas significativas. Nos ajuda a escolher entre inúmeras opções para tomar decisões, aprender coisas novas, examinar se é caso de acreditar em alguma coisa, julgar situações sociais com base em nossa ética, ter clareza sobre nosso objetivo de vida, discernir sobre moralidade com convicção e avaliar dados sensoriais importantes.

Como extensão de nosso ego, a mente analítica também nos protege para que possamos nos mover e sobreviver melhor no ambiente externo. (De fato, um dos principais trabalhos do ego é a proteção.) Está sempre avaliando as situações no ambiente externo e aferindo o cenário em busca dos resultados mais vantajosos. Cuida do eu e também tenta preservar o corpo. Seu ego avisará quando houver um perigo potencial e o incitará a responder à condição. Por exemplo, se você vem andando pela rua e vê os carros que se aproximam trafegando muito perto de onde está caminhando, você talvez atravesse a rua para se proteger; isso é seu ego dando uma orientação.

Contudo, quando o ego está desequilibrado devido a uma enxurrada de hormônios do estresse, a mente analítica engrena em alta velocidade e fica superestimulada. Aí a mente analítica não trabalha mais para nós, mas contra nós. Ficamos superanalíticos. E o ego se torna altamente egoísta, certificando-se de que estejamos em primeiro lugar, porque esse é o trabalho dele. O ego pensa e sente que precisa estar no controle para proteger a identidade. Tenta garantir seu poder sobre os resultados, prevê o que precisa fazer para criar uma situação segura, apega-se ao familiar e não larga (por isso guarda rancores, sente dor e sofre ou não consegue ir além da vitimização). O ego sempre evitará condições desconhecidas, que vê como potencialmente perigosas, porque, para o ego, o desconhecido não é confiável.

O ego fará qualquer coisa para se fortalecer para a arremetida de emoções viciantes. Ele quer porque quer e fará o que for preciso para ser o primeiro, forçando o caminho até a linha de frente. Pode ser astuto, manipulador, competitivo e enganador em sua proteção.

Portanto, quanto mais estressante a situação, mais a sua mente analítica é impelida a analisar sua vida dentro da emoção experimentada naquele momento específico. Quando isso acontece, você afasta ainda mais a consciência do sistema operacional da mente subconsciente, onde as verdadeiras mudanças podem ocorrer. Você analisa sua vida a partir do passado emocional, embora as respostas para seus problemas não estejam dentro daquelas emoções, que fazem com que você pense dentro de em um estado químico familiar limitado. Você pensa dentro da caixa.

Devido ao ciclo de pensamento e sentimento anteriormente discutido neste livro, esses pensamentos recriam as mesmas emoções e com isso deixam seu cérebro e corpo ainda mais desordenados. Você será capaz de ver as respostas com mais facilidade quando ultrapassar a emoção estressante e ver sua vida de um estado mental diferente. (Fique ligado.)

À medida que sua mente analítica se exacerba, sua sugestionabilidade a novos resultados diminui. Por quê? Porque com uma emergência iminente não é hora de ter a mente aberta, de vislumbrar novas possibilidades e aceitar novos potenciais. Não é hora de acreditar em novas ideias, relaxar, se abrir e se render a elas. Não é hora de confiar, é hora, isso sim, de se proteger, de avaliar o que você sabe e o que não sabe a fim de determinar as maiores chances de sobrevivência. É hora de fugir do desconhecido. Portanto, faz sentido que, à medida que a mente analítica é avalizada pelos hormônios do estresse, você restrinja o pensamento, que seja improvável você confiar e acreditar em algo novo e que fique menos sugestionável a acreditar apenas no pensamento ou a tomar conhecimento de qualquer pensamento desconhecido. Assim, você pode usar a mente analítica ou o ego para trabalhar a seu favor ou contra você.

O funcionamento interno da mente

Pense na mente analítica como uma parte separada da mente consciente que a divide da mente subconsciente. Como o placebo funciona apenas quando a mente analítica é silenciada, de modo que a consciência possa interagir com a mente subconsciente, o domínio onde ocorrem as verdadeiras mudanças, a resposta ao placebo só é possível quando você consegue ir além de si mesmo e dessa forma eclipsa a mente consciente com o sistema nervoso autônomo.

Veja a figura 6.4 para uma ilustração simples disso. Considere que o círculo representa a mente total. A mente consciente soma apenas cerca de 5% da mente total. É composta pela lógica e pelo raciocínio, além das habilidades criativas. Esses aspectos dão origem ao nosso livre-arbítrio. Os outros 95% da mente são o subconsciente. É o sistema operacional em que todas as habilidades automáticas, hábitos, reações emocionais, comportamentos inatos, respostas condicionadas, memórias associativas e pensamentos e sentimentos rotineiros criam nossas atitudes, crenças e percepções.

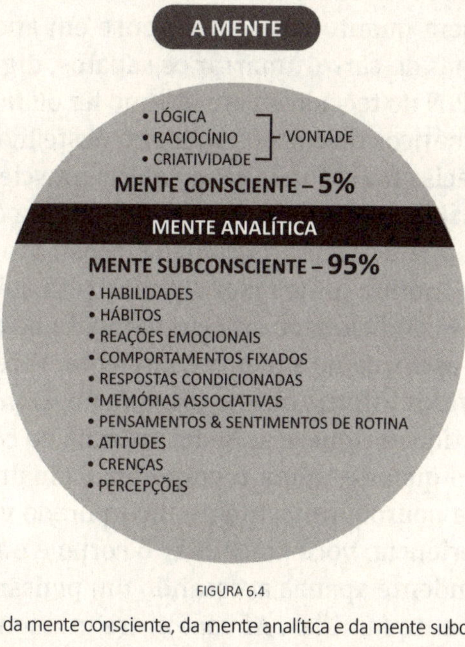

FIGURA 6.4

Visão geral da mente consciente, da mente analítica e da mente subconsciente.

A mente consciente é onde armazenamos nossas memórias explícitas ou declarativas. Como diz o nome, são memórias que podemos declarar. São o conhecimento que aprendemos (memórias semânticas) e as experiências que tivemos nesta vida (memórias episódicas). Você pode ser uma mulher que cresceu no Tennessee, que andou a cavalo na infância até cair e quebrar o braço, que aos 10 anos de idade tinha uma tarântula que escapou da gaiola, forçando você e sua família a dormir em um hotel por dois dias, que ganhou o concurso estadual de soletração aos 14 anos e hoje nunca escreve uma palavra errado, que estudou contabilidade na faculdade em Nebraska, que atualmente mora em Atlanta para poder ficar perto da irmã (que conseguiu um emprego em uma grande corporação) e que agora está fazendo mestrado à distância em finanças. Memórias declarativas são o eu autobiográfico.

O outro tipo de memória são as memórias implícitas ou não declarativas, às vezes também chamadas de memórias processuais. Esse tipo entra em ação quando você faz algo tantas vezes que nem tem consciência de como faz. Você repetiu tantas vezes que agora o corpo sabe tão bem quanto o cérebro. Pense em andar de bicicleta, engatar as marchas do carro, amarrar os sapatos, digitar um número de telefone ou o PIN no teclado ou até mesmo ler ou falar. Esses são os programas automáticos discutidos ao longo deste livro. Você poderia dizer que não precisa mais analisar ou pensar conscientemente sobre a habilidade ou hábito que dominou porque ele agora é subconsciente. Esse é o sistema operacional programado, mostrado na figura 6.5.

Quando você domina como fazer alguma coisa até ela ficar entranhada na mente e condicionada emocionalmente no corpo, seu corpo sabe como fazer, assim como a mente consciente. Você memoriza uma ordem neuroquímica interna que se torna inata. O motivo é simples: experiência repetida enriquece as redes neurais do cérebro e por fim liquida o assunto quando treina o corpo emocionalmente. Uma vez que o evento seja neuroquimicamente incorporado vezes suficientes mediante a experiência, você pode ligar o corpo e o programa automático correspondente apenas acessando um pensamento ou sentimento subconsciente familiar. Aí você entra momentaneamente em um estado de ser específico que executa o comportamento automático.

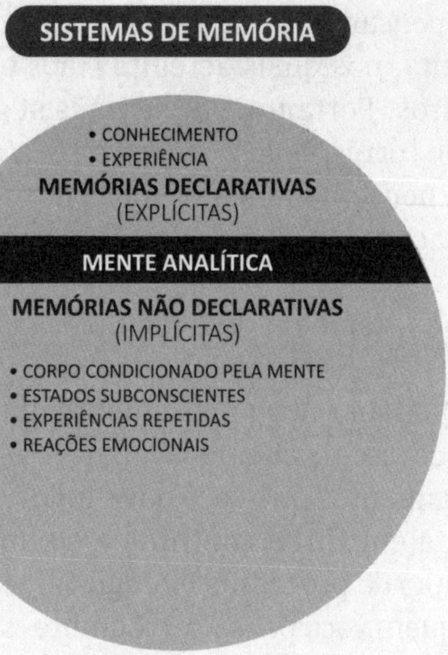

FIGURA 6.5

Os sistemas de memória são divididos em duas categorias: memórias declarativas (explícitas) e não declarativas (implícitas).

Uma vez que as memórias implícitas são desenvolvidas a partir das emoções da experiência, dois cenários possíveis explicam como isso se desenrola: (1) um evento único com alta carga emocional pode ser rotulado e armazenado no subconsciente de imediato (por exemplo, uma memória infantil de estar em uma grande loja de departamentos e se perder da mãe) ou (2) a redundância de emoções derivadas de experiências constantes é registrada repetidamente no subconsciente.

Como as memórias implícitas fazem parte do sistema subconsciente de memória e são encaminhadas para lá por experiências repetidas ou por eventos de forte carga emocional, quando você desperta alguma emoção ou sentimento, abre uma porta para a mente subconsciente. Como os pensamentos são a linguagem do cérebro e os sentimentos são a linguagem do corpo, no momento em que você sente um sentimento, está ativando o corpo-mente (porque o corpo se tornou a mente subconsciente). Você acaba de entrar no sistema operacional.

Pense assim: quando você sente algo familiar, está subconscientemente acessando uma série de pensamentos derivados desse sentimento específico. Todos os dias você está automaticamente autossugerindo pensamentos iguais ao que sente. São os pensamentos que você aceita, nos quais acredita e aos quais se rende como se fossem verdadeiros. Portanto, você é mais sugestionável apenas aos pensamentos que correspondem de forma exata ao sentimento. Como resultado, esses pensamentos que você pensa de modo inconsciente são os que você aceita, nos quais acredita e aos quais se rende repetidas vezes.

Por outro lado, também se pode dizer que você é muito menos sugestionável a pensamentos que não são iguais aos sentimentos memorizados. Qualquer novo pensamento que reflita uma possibilidade desconhecida simplesmente não parece estar certo. Sua conversa interna (os pensamentos que você ouve todos os dias) desliza por sua mente consciente em ritmo contínuo e estimula o sistema nervoso autônomo e o fluxo de processos biológicos, reforçando o sentimento programado de quem você pensa ser. Lembre-se do estudo do Capítulo 2 em que os pesquisadores descobriram que os otimistas responderam de modo mais favorável a sugestões positivas, enquanto os pessimistas responderam de modo mais desfavorável a sugestões negativas.

Sendo assim, se você mudasse a maneira de sentir, poderia se tornar mais sugestionável a um novo fluxo de pensamentos? Com toda certeza. Ao sentir uma emoção elevada e permitir que um novo conjunto de pensamentos seja impulsionado pelo novo sentimento, você aumenta o nível de sugestionabilidade ao que estava sentindo e depois pensando. Você entra em um novo estado de ser, e seus novos pensamentos são as autossugestões iguais ao sentimento. Quando sente emoções, você ativa naturalmente o sistema de memória implícita e o sistema nervoso autônomo. Pode simplesmente permitir que o sistema nervoso autônomo faça o que faz de melhor: restaure o equilíbrio, a saúde e a ordem.

Não foi isso que muita gente fez nos estudos com placebo mencionados anteriormente? Não foram capazes de criar uma emoção elevada, como esperança, inspiração ou a alegria de estar bem? E, ao vislumbrarem uma nova possibilidade sem analisá-la, o nível de sugestionabilidade daquelas pessoas não foi influenciado pelos sentimentos? Ao sentir as emoções correspondentes, elas não entraram no sistema operacional e, apenas pelo pensamento, reprogramaram o sistema nervoso autônomo com novas ordens iguais às emoções?

Abrindo a porta para a mente subconsciente

Se existem diferentes graus de sugestionabilidade, isso pode ser demonstrado visualmente, mostrando-se as diferentes espessuras da mente analítica. Quanto mais densa a barreira entre a mente consciente e a mente subconsciente, mais dificuldade você terá para entrar no sistema operacional. Dê uma olhada nas figuras 6.6 e 6.7, que representam duas pessoas com diferentes tipos de mente.

A pessoa da figura 6.6 tem um véu muito fino entre as mentes consciente e subconsciente; portanto, é muito aberta a sugestões (como Ivan Santiago, do início do capítulo). Essa pessoa naturalmente aceitará, acreditará em e se renderá a um resultado porque não analisa nem intelectualiza demais. Pessoas assim podem ter uma maior propensão inata para aceitar que um pensamento é uma experiência potencial e abraçá-lo emocionalmente, de modo que o pacote é gravado no sistema nervoso autônomo, pronto para ser executado como realidade. Essas pessoas não gastam muito tempo tentando entender as coisas em sua vida e não ruminam muito. Se você já viu um espetáculo de hipnose, os indivíduos que chegam a esse estado em geral se enquadram nessa categoria.

Agora compare com a figura 6.7. Se observar a mente analítica mais espessa que separa as mentes consciente e subconsciente, você pode ver com facilidade que essa pessoa é menos propensa a receber sugestões sem questionar, sem um grau significativo de ajuda da mente intelectual na avaliação, processamento, planejamento e revisão. Pessoas como essa são altamente críticas e vão se certificar de que analisaram tudo antes de simplesmente se render e confiar.

FIGURA 6.6

Uma mente menos analítica (representada pela camada mais fina na ilustração) é mais sugestionável.

Lembre-se de que alguns de nós têm uma mente analítica mais desenvolvida mesmo sem viver constantemente sob os hormônios do estresse. Podemos ter estudado diferentes disciplinas na faculdade ou vivido com pais que reforçaram os mecanismos do pensamento racional quando éramos jovens, ou talvez seja simplesmente parte de nossa natureza. (Todavia, você pode ter uma mente analítica significativamente ampla e ainda assim aprender a ir além dela, como eu sem dúvida consegui. Então, há esperança.)

FIGURA 6.7

Uma mente analítica mais desenvolvida (representada pela camada mais espessa na ilustração) é menos sugestionável.

Como eu disse antes, nenhum tipo é mais vantajoso que o outro. Acredito que um equilíbrio saudável entre ambos funciona muito bem. Um indivíduo superanalítico tem menos probabilidade de confiar e fluir na vida. Alguém excessivamente sugestionável pode ser crédulo demais e funcional de menos. O que quero enfatizar é que, se você analisa sua vida, se julga e é obcecado por tudo em sua realidade o tempo todo, nunca entra no sistema operacional em que os antigos programas existem, nem os reprograma. Apenas quando a pessoa aceita e acredita em uma sugestão e se rende a ela é que a porta entre as mentes consciente e subconsciente se abre. A informação então sinaliza o sistema nervoso autônomo e – pronto! – assume o controle.

Agora dê uma olhada na figura 6.8. A seta representa o movimento da consciência da mente consciente para a subconsciente, onde a sugestão é biologicamente gravada no sistema de programação.

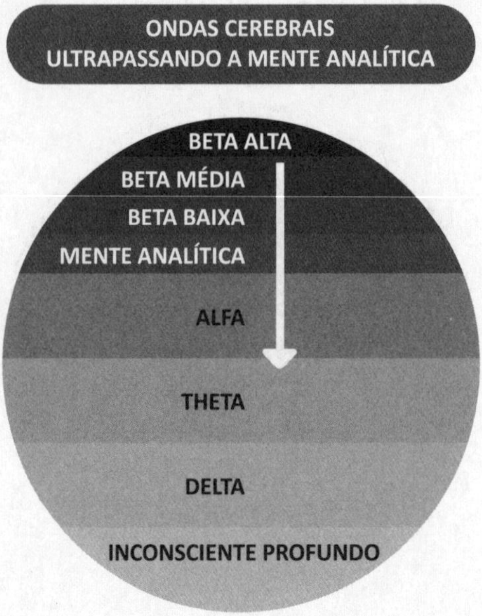

FIGURA 6.8

Essa figura representa a relação entre a frequência das ondas cerebrais e o movimento da consciência da mente consciente para a mente subconsciente, passando pela mente analítica durante a prática da meditação.

Alguns elementos adicionais também podem silenciar a mente analítica e abrir a porta para a mente subconsciente a fim de aumentar o nível de sugestionabilidade de uma pessoa. Por exemplo, fadiga física ou mental aumenta a sugestionabilidade. Alguns estudos mostraram que exposição limitada a pistas sociais, físicas e ambientais por privação sensorial pode causar aumento da suscetibilidade. Fome extrema, choque emocional e trauma também enfraquecem nossas faculdades analíticas, tornando-nos mais sugestionáveis à informação.

Desmistificando a meditação

Assim como a hipnose, a meditação é outra maneira de driblar a mente crítica e entrar no sistema subconsciente dos programas. O propósito da meditação é levar sua consciência para além da mente analítica, tirar a atenção do mundo exterior, do corpo e do tempo e prestar atenção ao mundo interior dos pensamentos e sentimentos.

Muitos estigmas cercam a palavra meditação. A maioria das pessoas evoca imagens de um guru barbudo no topo de uma montanha, alheio aos elementos e sentado em perfeita quietude, um monge com um manto simples, o rosto decorado com um sorriso enorme e misterioso, ou mesmo uma mulher jovem e bonita, com uma pele impecável, na capa de uma revista, vestida com trajes elegantes de ioga e parecendo serenamente livre da escravidão de todas as demandas da vida cotidiana.

Quando vemos essas imagens, muitos de nós podem perceber a disciplina necessária como para lá de impraticável, fora de alcance e além de nossas habilidades. Podemos ver a meditação como uma prática espiritual que não se encaixa em nossas crenças religiosas. E alguns de nós simplesmente são soterrados pelo que parece uma variedade sem fim de meditações disponíveis e não têm condições de decidir por onde começar. Mas não precisa ser tão difícil, sem noção ou confuso. Para a presente discussão, digamos que o propósito da meditação é levar nossa consciência para além da mente analítica e adentrar níveis de consciência mais profundos.

Na meditação, nos movemos não apenas da mente consciente para a mente subconsciente, mas também do ego para a ausência de ego, para além da percepção de ser alguém em um corpo, de materialista para imaterialista, para além da noção de tempo e lugar, da crença em que o mundo exterior é a realidade e da definição da realidade a partir dos nossos sentidos para a crença em que o mundo interior é a realidade e que, ao estarmos ali, entramos "no que não tem sentido", no mundo do pensamento para além dos sentidos. A meditação nos leva da sobrevivência para a criação, da separação para a conexão, do desequilíbrio para o equilíbrio, do modo de emergência para o modo de crescimento e restauração e das emoções limitantes de medo, raiva e tristeza para as emoções expansivas de alegria, liberdade e amor. Basicamente deixamos de nos agarrar ao conhecido para acolher o desconhecido.

Vamos raciocinar sobre isso por um momento. Se o neocórtex é o lar da consciência e o local onde se constroem pensamentos, se utiliza o raciocínio analítico, se exercita o intelecto e se executam processos racionais, você terá que mover sua consciência para além (ou para fora) do neocórtex a fim de meditar. A consciência teria essencialmente que se deslocar do cérebro pensante para o cérebro límbico e regiões subconscientes. Em outras palavras, a fim de acalmar o neocórtex e toda a atividade neural que ele realiza diariamente, você deve parar de pensar de modo analítico e abandonar as faculdades da razão, lógica, intelectualização, antecipação, previsão e racionalização pelo menos por um tempo. É isso que significa "acalmar a mente". (Reveja a figura 6.1 caso necessário.)

De acordo com o modelo neurocientífico que descrevi nos capítulos anteriores, acalmar a mente significa que você teria de declarar um cessar-fogo em todas as redes neurais automáticas do cérebro pensante que você dispara de modo habitual e constante. Ou seja, você precisaria parar de se lembrar de quem pensa que é por reproduzir repetidamente o mesmo nível de mente.

Sei que isso soa como uma tarefa gigantesca e talvez até esmagadora, mas acontece que existem formas práticas e cientificamente comprovadas de se executar essa façanha e torná-la uma habilidade. Nos *workshops* que ministro por todo o mundo, muita gente comum, que nunca meditou antes, fica muito boa nisso depois de aprender como. Você aprenderá esses métodos nos capítulos a seguir, mas primeiro vamos aumentar seu nível de intenção para que, quando chegar ao tutorial, você colha maiores benefícios (assim como os praticantes de exercícios aeróbicos em Quebec do Capítulo 2, que foram informados de que seu bem-estar melhoraria graças ao empenho e com isso conseguiram atribuir significado ao que estavam fazendo e, por conseguinte, obter melhores resultados).

Por que a meditação pode ser tão desafiadora

O neocórtex analítico usa os cinco sentidos para determinar a realidade. Sua grande preocupação é colocar toda a consciência no corpo, no ambiente e no tempo. Se você estiver minimamente estressado, sua atenção será direcionada para esses três elementos e os amplificará. Quando você está sob o domínio do sistema de emergência de lutar ou fugir e ativa a adrenalina, como qualquer animal ameaçado na natureza selvagem, toda a sua atenção será dedicada a cuidar do corpo, encontrar rotas de fuga no ambiente e descobrir quanto tempo tem para alcançar a segurança. Você foca demais nos problemas, fica obcecado com sua aparência, remói sua dor, pensa em quão pouco tempo tem para fazer o que precisa e se apressa para aprontar as coisas. Soa familiar?

Como fica tão hiperfocado no mundo externo e em seus problemas quando vive no modo de sobrevivência, é fácil pensar que o que você vê e experimenta é tudo o que existe. Sem o mundo externo você não é um alguém com um corpo em um lugar. Que coisa assustadora para um ego que tenta controlar toda a realidade reafirmando uma identidade o tempo todo!

Talvez ficasse mais fácil se você lembrasse que, quando vive no modo de sobrevivência, o que você sente na verdade é apenas a ponta do *iceberg*, apenas uma variedade limitada dos ingredientes que compõem o mundo externo. Você se identifica com as muitas variações e combinações do mundo externo que refletem quem você pensa que é, mas isso não significa que não haja mais. De fato, toda vez que aprende algo novo, você muda a sua maneira de ver o mundo. O mundo não muda, apenas a sua percepção muda. (Aprenderemos mais sobre percepção no próximo capítulo.)

Por enquanto, basta ter em mente que, se o objetivo é efetuar mudanças e você não conseguiu fazer acontecer com todos os recursos do mundo externo, é claro que precisará buscar respostas fora dos limites do que vê, sente e experimenta. Você precisará extraí-las de outras fontes que ainda não identificou – do desconhecido. Nesse sentido, o desconhecido é seu amigo, não seu inimigo. É o lugar onde reside a resposta.

Outra razão pela qual é difícil desviar a atenção de todas as condições do mundo exterior e enfocar o mundo interior é que a maioria das pessoas é viciada nos hormônios do estresse, em sentir a onda de substâncias químicas resultantes das reações conscientes ou inconscientes. Esse vício reforça a crença de que o mundo exterior é mais real do que o mundo interior. Nossa fisiologia está condicionada a respaldar isso, pois existem ameaças, problemas e preocupações reais que precisam de nossa atenção. Então ficamos viciados em nosso ambiente externo atual. Mediante memória associativa, usamos os problemas e situações de nossa vida para reafirmar o vício emocional, a fim de lembrar quem pensamos ser.

Outra maneira de dizer isso é assim: os hormônios do estresse que experimentamos no modo de sobrevivência fornecem ao corpo uma alta dose de energia e fazem com que os cinco sentidos, que nos conectam à realidade externa, sejam acentuados. Se estamos continuamente estressados, naturalmente definimos a realidade com nossos sentidos. Nos tornamos materialistas. Quando tentamos entrar no mundo "sem sentidos" e imaterial e nos conectar com ele, requer certo esforço largar o hábito condicionado e o vício na onda química obtida a partir da realidade externa. Como poderíamos acreditar que o pensamento é mais poderoso do que a realidade física tridimensional? Se vemos as coisas desse jeito, torna-se desafiador mudar qualquer coisa só pelo pensamento, pois nos tornamos escravos de nosso corpo e ambiente.

Talvez um antídoto seja reler as histórias do Capítulo 1 e ler os relatos de meus *workshops* mais adiante, nos capítulos 9 e 10. Reforçar novas informações que mostram que o que consideramos impossível de fato é possível ajuda a lembrar que a realidade é mais do que aquilo que nossos sentidos percebem. Queiramos admitir ou não, somos o placebo.

Navegando em nossas ondas cerebrais

Se meditação tem a ver com entrar no sistema autônomo a fim de ficarmos mais sugestionáveis e superarmos os desafios recém-mencionados, precisamos saber como chegar lá. A resposta curta é que chegamos em uma onda cerebral. O estado cerebral em que estamos em dado momento tem enorme efeito sobre o quão sugestionáveis somos naquele momento.

Depois de aprender o que são esses diferentes estados e como reconhecê-los quando estiver neles, você pode treinar para ir de um para outro, para cima e para baixo na escala dos padrões de ondas cerebrais. É preciso alguma prática, é claro, mas é possível. Então, vamos explorar esses diferentes estados para aprender mais sobre eles.

Quando os neurônios disparam juntos, trocam substâncias carregadas que produzem campos eletromagnéticos, e esses campos são medidos durante varreduras cerebrais como o eletroencefalograma (EEG). Os humanos têm várias frequências mensuráveis de ondas cerebrais, e, quanto mais lento o estado de onda cerebral em que estamos, mais fundo entramos no mundo interior da mente subconsciente. Na ordem do mais lento para o mais rápido, os estados das ondas cerebrais são delta (sono profundo e restaurador, totalmente inconsciente), theta (um estado crepuscular entre sono profundo e vigília), alfa (estado criativo e imaginativo), beta (pensamento consciente) e gama (estados elevados de consciência).

Beta é o estado de vigília habitual. Quando estamos em beta, o cérebro pensante, ou neocórtex, processa todos os dados sensoriais recebidos e cria significado entre nossos mundos externo e interno. Beta não é o melhor estado para meditação porque, quando estamos em beta, o mundo exterior parece mais real do que o mundo interior. Três níveis de padrões de ondas cerebrais compõem o espectro das ondas beta: beta de curto alcance (atenção descontraída e interessada, como ao ler um livro), beta de médio alcance (atenção concentrada em um estímulo contínuo fora do corpo, como aprender e depois se lembrar) e beta de longo alcance (atenção altamente focada, modo de crise, quando substâncias químicas de estresse são produzidas). Quanto mais altas as ondas cerebrais beta, mais distantes estamos do acesso ao sistema operacional.

Na maior parte do dia, alternamos entre os estados beta e alfa. Alfa é o estado de relaxamento, no qual prestamos menos atenção ao mundo exterior e começamos a prestar mais atenção no mundo interior. Em alfa estamos em um estado leve de meditação – você também pode chamar de imaginação ou devaneio. Nesse estado, o mundo interior é mais real do que o mundo exterior, porque é nele que estamos prestando atenção.

Quando passamos de beta de alta frequência para alfa mais lento, no qual podemos prestar atenção, nos concentrar e focar de maneira mais relaxada, automaticamente ativamos o lobo frontal. Como já foi falado, o lobo frontal diminui o volume dos circuitos cerebrais que processam tempo e espaço. Aqui não estamos mais no modo de sobrevivência. Estamos em um estado mais criativo, que nos torna mais sugestionáveis do que em beta.

Mais desafiador é aprender como baixar ainda mais, até theta, que é um tipo de estado crepuscular no qual estamos semidespertos e semiadormecidos (em geral descrito como mente desperta, corpo adormecido). É esse o estado que buscamos na meditação, porque é o padrão de ondas cerebrais no qual ficamos mais sugestionáveis. Em theta podemos acessar o subconsciente, porque a mente analítica não está operando; estamos basicamente em nosso mundo interior.

Pense em theta como a chave para seu reino subconsciente. Dê outra olhada na figura 6.8. Ela mostra os estados de ondas cerebrais e como se correlacionam com a mente consciente e subconsciente. A seguir dê uma olhada na figura 6.9, que ilustra as diferentes frequências de ondas cerebrais.

Você vai considerar esse breve passeio pelos padrões de ondas cerebrais ainda mais útil quando chegar à prática da meditação mais adiante neste livro. Não espere ser capaz de entrar em theta quando quiser, mas ter algum conhecimento sobre quais são os vários estados cerebrais e o efeito deles sobre o que você está tentando alcançar vai ajudá-lo.

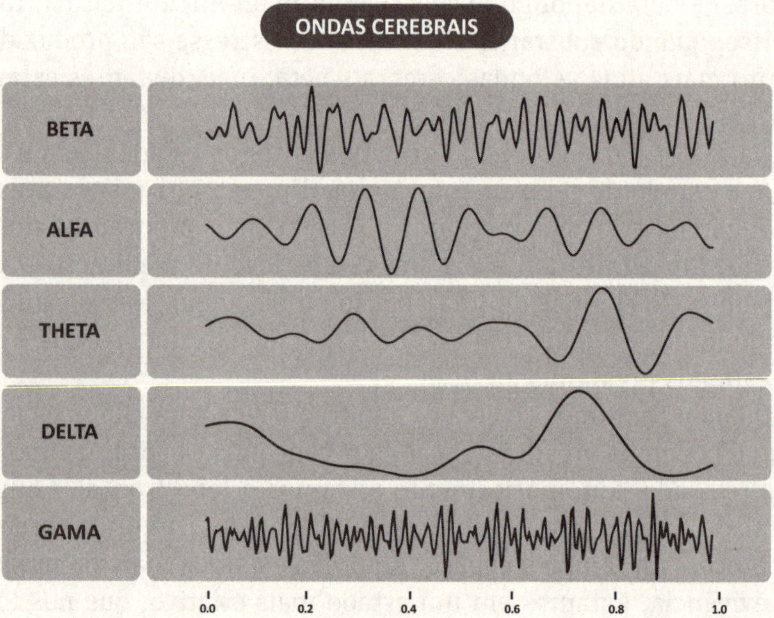

FIGURA 6.9

Esta ilustração mostra os diferentes estados de ondas cerebrais (durante intervalo de um segundo). Os padrões de ondas cerebrais gama são incluídos porque representam um nível de superconsciência, que reflete um estado elevado de percepção.

Anatomia de um "assassinato"

Agora, vamos voltar à história de Ivan Santiago e dos outros sujeitos de hipnose do início deste capítulo. É óbvio que aquelas pessoas têm mais facilidade de superar a mente analítica do que a maioria de nós.

Parecem ter uma neuroplasticidade e uma plasticidade emocional que lhes permitem tornar o mundo interior mais real do que o mundo externo. No estado normal de vigília, elas provavelmente passam mais tempo em alfa do que em beta, por isso têm menos hormônios do estresse (que poderiam tirá-las da homeostase) em circulação. O estado altamente sugestionável permite que a mente consciente daquelas pessoas controle melhor as funções autônomas da mente subconsciente. No entanto, elas não são iguais. O estudo revelou graus variados de sugestionabilidade.

As dezesseis pessoas que passaram na avaliação inicial com certeza eram sugestionáveis, embora não tanto quanto as que passaram para a fase seguinte do teste, tirando a roupa em público depois de receber uma sugestão pós-hipnótica para fazê-lo, indo contra normas sociais arraigadas. Os quatro que passaram no teste com certeza eram altamente sugestionáveis, capazes de superar o ambiente social. Mas, na hora de mergulhar na água congelante, três deles não conseguiram chegar a tanto, não foram capazes de suplantar o ambiente físico.

Apenas Santiago, que permaneceu acima do ambiente físico em condições extremas por um longo período enquanto dominava seu corpo, demonstrou o mais alto grau de sugestionabilidade. Ele foi capaz não apenas de resistir ao banho enregelante, mas também de ser maior que seu ambiente moral, seguindo a sugestão pós-hipnótica de atirar no "dignitário estrangeiro", apesar de sua personalidade consciente dificilmente ser a de um assassino de sangue-frio.

Em termos do efeito placebo, é preciso um grau de sugestionabilidade semelhante para suplantar o corpo e o ambiente por um longo período, ou seja, para aceitar a ideia de que o mundo interior é mais real que o mundo exterior, acreditar nela e se render. Dentro de alguns capítulos, você aprenderá não apenas como pode mudar suas crenças e se tornar mais sugestionável, mas também a usar esse estado para programar sua mente subconsciente, não para dar tiros em um dublê com uma pistola de ar, mas para triunfar sobre quaisquer problemas de saúde, traumas emocionais ou outros assuntos pessoais com os quais esteja lidando.

Capítulo 7

Atitudes, crenças e percepções

Um garoto indonésio de 12 anos de idade e olhar vago abre a boca para aceitar de bom grado cacos de vidro de pessoas reunidas em um parque de Jacarta para assistir à tradicional dança em transe javanesa chamada *kuda lumping*. O garoto mastiga e engole o vidro como se não passasse de um punhado de pipoca ou *pretzels* e não mostra efeitos negativos. Dançarino de *kuda lumping* de terceira geração, o menino ingere vidro em apresentações místicas semelhantes desde os 9 anos de idade. Ele e os outros dezenove membros de sua trupe de dança tradicional recitam um feitiço javanês antes de cada apresentação, convocando os espíritos dos mortos a residir em um deles durante a dança daquele dia, protegendo aquele dançarino da dor[103].

O garoto e seus colegas dançarinos não são diferentes, em certos aspectos, dos pregadores dos Apalaches descritos no Capítulo 1, que, ungidos pelo espírito, dançam animados ao redor do púlpito com serpentes venenosas enroladas nos braços e ombros. Trazendo-as perigosamente perto do rosto, parecem imunes ao veneno se mordidos. Os dançarinos também são semelhantes aos caminhantes do fogo da tribo sawau, na ilha de Beqa, em Fiji, que pisam resolutos em pedras incandescentes cobertas por toras flamejantes e brasas vivas por horas, habilidade que dizem ter sido concedida a um dos ancestrais da tribo por um deus e a seguir transmitida dentro da comunidade.

O garoto que come vidro, o pregador que manipula as cobras e o caminhante do fogo de Fiji nunca param nem por um segundo para pensar: “Será que dessa vez vai funcionar?”. Não há um pingo de incerteza em nenhum deles. A decisão de mastigar vidro, manejar serpentes cabeças-de-cobre ou pisar em pedras ardentes transcende o corpo, o ambiente e o tempo, alterando a biologia para permitir que eles façam o aparentemente impossível. A sólida crença na proteção dos deuses não deixa espaço para dúvidas.

O efeito placebo é semelhante, pois crenças muito fortes fazem parte da equação. No entanto, esse componente não foi muito examinado, porque até agora, nas pesquisas sobre mente-corpo, a maioria dos estudos científicos mediu apenas os efeitos do placebo, em vez de procurar a causa. Quer a mudança no estado interno seja produto de cura pela fé, quer seja condicionamento, liberação de emoções reprimidas, crença em símbolos ou prática espiritual específica, permanece a questão: o que acontece para criar alterações tão profundas no corpo? Se descobrirmos o que é isso, podemos cultivá-lo?

De onde vêm nossas crenças

Nossas crenças nem sempre são tão conscientes quanto pensamos que sejam. Podemos muito bem aceitar uma ideia na superfície, entretanto, se no fundo não acreditamos para valer que seja possível, nossa aceitação é apenas um processo intelectual. Como recorrer ao efeito placebo exige que realmente mudemos nossas crenças sobre nós e sobre o que é possível para nosso corpo e nossa saúde, precisamos entender o que são crenças e de onde elas vêm.

Vamos supor que uma pessoa vá ao médico com certos sintomas e seja diagnosticado um problema de saúde com base nas descobertas objetivas do médico. O médico dá ao paciente um diagnóstico, prognóstico e opções de tratamento com base no resultado médio. No momento em que a pessoa ouve o médico dizer "diabetes", "câncer", "hipotireoidismo" ou "síndrome da fadiga crônica", uma série de pensamentos, imagens e emoções é evocada com base em experiências passadas. A experiência pode ser que os pais do paciente tenham o problema, que ele/ela tenha visto um programa de TV em que um dos personagens morreu da doença ou até mesmo que tenha lido algo na internet que provoca medo do diagnóstico.

Ao consultar o médico e ouvir uma opinião profissional, o paciente aceita automaticamente a condição, depois acredita no que o médico confiante disse e por fim se entrega ao tratamento e aos possíveis resultados. Tudo isso ocorre sem qualquer análise real. O paciente é sugestionável (e suscetível) ao que o médico diz. Se nutrir as emoções de medo, preocupação e ansiedade, juntamente com a tristeza, os únicos pensamentos possíveis (ou autossugestões) são aqueles iguais à forma como ele/ela se sente.

O paciente pode tentar ter pensamentos positivos sobre vencer a doença, mas seu corpo ainda se sente mal porque o placebo errado foi administrado, resultando no estado de ser errado, na sinalização dos mesmos genes e na incapacidade de ver ou perceber novas possibilidades. O paciente está praticamente à mercê de suas crenças (e das crenças do médico) sobre o diagnóstico.

Então, quando pessoas como aquelas sobre as quais você vai ler nos próximos capítulos se curaram usando o efeito placebo, o que fizeram de diferente? Primeiro, não aceitaram o caráter definitivo do diagnóstico, prognóstico ou tratamento. Tampouco acreditaram no resultado mais provável ou no destino que os médicos esboçaram em tom categórico. Por fim, não se renderam ao diagnóstico, prognóstico ou tratamento sugerido. Por terem uma atitude diferente da daqueles que aceitam, creem e se rendem, elas ficaram em um estado de ser diferente.

Não foram sugestionadas pelos conselhos e opiniões dos médicos porque não se sentiram amedrontadas, vitimadas ou tristes. Em vez disso, estavam otimistas e entusiasmadas, e essas emoções geraram um novo conjunto de pensamentos que lhes permitiu ver novas possibilidades. Como tinham ideias e crenças diferentes sobre o que era possível, não condicionaram o corpo ao pior cenário, não esperaram o mesmo resultado previsível de outros que haviam recebido o mesmo diagnóstico e não atribuíram ao diagnóstico o mesmo significado que todos os outros com o mesmo problema. Atribuíram um significado diferente ao seu futuro, de modo que tiveram uma intenção diferente.

Essas pessoas entendiam de epigenética e neuroplasticidade, por isso, em vez de se verem passivamente como vítimas da doença, usaram o conhecimento para se tornar proativas, estimuladas pelo que aprenderam em meus *workshops* e eventos. Como resultado, também obtiveram resultados diferentes e melhores do que outras que receberam o mesmo diagnóstico, assim como as camareiras de hotel obtiveram melhores resultados após os pesquisadores fornecerem mais informações.

Agora pense na pessoa comum que recebe um diagnóstico e prontamente anuncia: "Vou superar isso". Alguém pode não aceitar a condição e o resultado que o médico descreve, mas a diferença é que a maioria das pessoas não muda de verdade as crenças sobre não estar doente. Mudar uma crença requer mudar um programa subconsciente – uma vez que uma crença, como você aprenderá em breve, é um estado de ser subconsciente.

As pessoas que usam apenas a mente consciente para mudar nunca saem do estado de repouso para reprogramar os genes porque não sabem como fazer isso. É aí que a cura delas para. Não conseguem se render à possibilidade porque não são realmente capazes de se tornar sugestionáveis a algo diferente do que o médico diz.

Será possível que, sempre que as pessoas não respondem ao tratamento ou quando a saúde permanece igual, elas estejam vivendo o mesmo estado emocional todos os dias, aceitando o modelo médico, acreditando nele e se entregando sem muita análise, baseadas na consciência social de milhões de outras pessoas que fizeram exatamente a mesma coisa? O diagnóstico de um médico se torna o equivalente de uma maldição vodu?

Agora vamos dissecar a crença mais a fundo, recuando só um pouquinho para começar com a seguinte ideia: quando você encordoa uma sucessão de pensamentos e sentimentos de modo que se tornam habituais ou automáticos, eles formam uma atitude. Uma vez que o modo como você pensa e sente cria um estado de ser, as atitudes são apenas estados de ser abreviados. Podem flutuar de momento a momento à medida que você modifica a forma como pensa e sente. Qualquer atitude em particular pode durar minutos, horas, dias, até mesmo uma semana ou duas.

Por exemplo, se você tem uma série de bons pensamentos alinhados com uma série de bons sentimentos, pode dizer: "Estou com uma boa atitude hoje". Se tem uma sequência de pensamentos negativos conectados a uma sequência de sentimentos negativos, pode dizer: "Estou com uma atitude ruim hoje". Se você revisita a mesma atitude várias vezes, ela se torna automática.

Se você repete ou mantém certas atitudes por tempo suficiente e as une, cria uma crença. Uma crença é apenas um estado estendido de ser. Em essência, crenças são pensamentos e sentimentos (atitudes) que você continua pensando e sentindo repetidamente até conectá-los no cérebro e condicioná-los emocionalmente no corpo. Você poderia dizer que ficou viciado neles, e por isso é tão difícil mudá-los e não é nada bom quando são desafiados. Como as experiências são gravadas neurologicamente em seu cérebro (fazendo você pensar) e quimicamente incorporadas como emoções (fazendo você sentir), a maioria de suas crenças é baseada em memórias.

Quando você revisita os mesmos pensamentos continuamente, pensando sobre o que lembra do passado e analisando, esses pensamentos disparam e se conectam a um programa inconsciente automático. Se você cultivar os mesmos sentimentos com base em experiências passadas e sentir o mesmo que sentiu quando o evento original ocorreu, condicionará seu corpo a ser subconscientemente a mente dessa emoção. Seu corpo inconscientemente estará vivendo no passado.

Se a redundância de como você pensa e sente com o tempo condiciona seu corpo a se tornar a mente, e ela fica programada subconscientemente, então as crenças são estados subconscientes e também inconscientes derivados do passado. Crenças também são mais permanentes do que atitudes, podem durar meses ou até anos. Como duram mais, ficam mais programadas dentro de você.

Um exemplo é uma história da minha infância gravada em minha memória. Cresci em uma família italiana, e, quando estava na quarta série, nos mudamos para uma cidade que tinha uma mistura de habitantes italianos e judeus. No meu primeiro dia de aula naquele ano, a professora me mandou sentar em um grupo de seis mesas junto com três meninas judias. Foi nesse dia que as meninas me deram a notícia de que Jesus não era italiano. Foi um dos dias mais memoráveis da minha vida.

Quando voltei para casa naquela tarde, minha mãezinha italiana ficou me perguntando como tinha sido o primeiro dia de aula, e eu não falava. Depois de eu ignorá-la várias vezes, ela enfim me agarrou pelo braço e insistiu para eu contar o que estava errado.

"Eu pensava que Jesus fosse italiano!", esbravejei.

"Do que você está falando?", perguntou ela. "Ele é judeu!"

"Judeu?", retorqui. "Como assim? Ele parece italiano em todas aquelas fotos, não é? Vovó fala em italiano com ele o dia todo. E a história do Império Romano? Roma não fica na Itália?"

Portanto, minha crença de que Jesus era italiano se baseava em minhas experiências passadas, e o que eu pensava e sentia sobre Jesus se tornara meu estado automático de ser. Demorou um pouco para essa crença ser superada, porque não é fácil mudar crenças arraigadas. Desnecessário dizer que consegui.

Agora vamos um pouco mais fundo no conceito. Se você agrupar um conjunto de crenças relacionadas, elas formarão sua percepção. Portanto, sua percepção da realidade é um estado de ser sustentado, baseado em suas crenças, atitudes, pensamentos e sentimentos de longa data. Como suas crenças se tornam estados subconscientes e também inconscientes de ser (ou seja, você nem sabe por que acredita em certas coisas ou não está realmente consciente de suas crenças até que sejam testadas), suas percepções, o modo como você vê as coisas em termos subjetivos, tornam-se na maior parte sua visão subconsciente e inconsciente da realidade do passado.

Experimentos científicos mostraram que não se vê a realidade como ela realmente é. Em vez disso, a realidade é preenchida de modo inconsciente com base nas memórias mantidas neuroquimicamente no cérebro[104]. Quando as percepções se tornam implícitas ou não declarativas (como discutido no capítulo anterior), elas se tornam automáticas ou subconscientes, de modo que você automaticamente edita a realidade em termos subjetivos.

Por exemplo, você sabe que seu carro é o seu carro porque você o dirigiu muitas vezes. Você tem a mesma experiência do seu carro todos os dias, porque a coisa não muda muito. Você pensa e sente o mesmo a respeito do carro todos os dias. Sua atitude em relação ao carro criou uma crença, que formou uma percepção específica – de que é um bom carro, por exemplo, porque raramente quebra. Embora você aceite essa percepção de modo automático, na verdade trata-se de uma percepção subjetiva, pois outra pessoa pode ter a mesma marca e modelo de carro, e o dela pode quebrar o tempo todo, fazendo com que ela tenha uma crença diferente e percepções diferentes sobre o mesmo veículo com base na experiência pessoal.

Se você é como a maioria das pessoas, provavelmente não presta atenção a vários aspectos do carro a menos que algo estrague. Você espera que o carro funcione como no dia anterior, naturalmente espera que a experiência futura de dirigi-lo seja como a experiência passada, ontem e antes de ontem. Essa é a sua percepção. Mas, quando ele apresenta mau funcionamento, você tem de prestar mais atenção (como ouvir o som do motor com mais atenção) e fica consciente da percepção inconsciente do carro.

Uma vez que sua percepção do carro seja alterada porque algo mudou no funcionamento dele, você o perceberá de maneira diferente. O mesmo se aplica aos relacionamentos com seu cônjuge, seus colegas de trabalho, sua cultura, sua raça e até mesmo seu corpo e sua dor. De fato, é assim que a maioria das percepções sobre a realidade funciona.

Se você deseja mudar uma percepção implícita ou subconsciente, deve tornar-se mais consciente e menos inconsciente. Na verdade, você precisa aumentar seu nível de atenção a todos os aspectos de si e da sua vida aos quais parou de prestar muita atenção. Melhor ainda, você teria de acordar, mudar seu nível de consciência e ficar consciente daquilo de que estava inconsciente.

Só que isso raramente é assim tão fácil, porque, se você experimenta a mesma realidade repetidamente, o modo como pensa e sente sobre o seu mundo continuará a se desdobrar nas mesmas atitudes, que vão inspirar as mesmas crenças, que se expandirão nas mesmas percepções (como mostrado na figura 7.1).

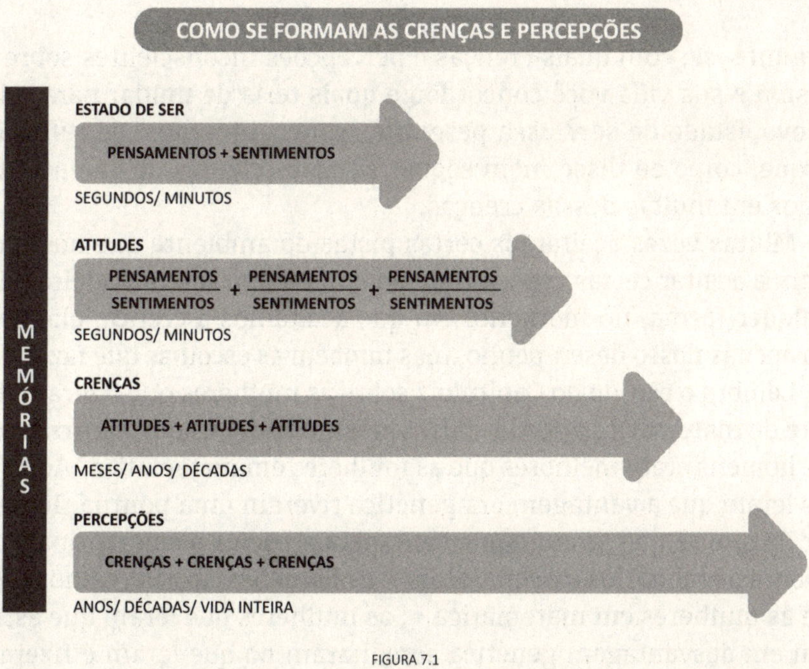

FIGURA 7.1

> Seus pensamentos e sentimentos vêm de suas memórias. Se você pensa e sente de certa maneira, começa a criar uma atitude. Uma atitude é um ciclo de pensamentos e sentimentos de curto prazo experimentados repetidamente. Atitudes são breves estados de ser. Se você alinha uma série de atitudes, cria uma crença. Crenças são estados de ser mais prolongados e tendem a se tornar subconscientes. Quando você soma crenças, cria uma percepção. Suas percepções têm tudo a ver com as escolhas que faz, os comportamentos que exibe, os relacionamentos que escolhe e as realidades que cria.

Quando sua percepção se torna uma segunda natureza tão automática que você não presta atenção ao modo como a realidade de fato é (porque automaticamente espera que tudo seja igual), você aceita essa realidade e concorda com ela, do modo como a maioria das pessoas inconscientemente aceita e concorda com o que a medicina padrão diz sobre um diagnóstico.

Portanto, a única maneira de mudar suas crenças e percepções para criar uma resposta ao placebo é mudar seu estado de ser. Você precisa finalmente ver suas antigas crenças limitadas como elas são – registros do passado – e estar disposto a abandoná-las para poder abraçar novas crenças sobre si mesmo que o ajudarão a criar um novo futuro.

Mudando suas crenças

Pergunte-se: com quais crenças e percepções inconscientes sobre si mesmo e sua vida você concordou e quais teria de mudar para criar o novo estado de ser? Essa pergunta requer um pouco de reflexão, porque, como eu disse, nem sequer estamos cientes de que acreditamos em muitas dessas crenças.

Muitas vezes aceitamos certas pistas do ambiente que nos motivam a aceitar certas crenças que podem ou não ser verdadeiras. De qualquer forma, no momento em que aceitamos a crença, ela afeta não apenas nosso desempenho, mas também as escolhas que fazemos.

Lembra o estudo do Capítulo 2 sobre as mulheres que fizeram um teste de matemática após ler falsos relatórios de pesquisa afirmando que homens eram melhores que as mulheres em matemática? Aquelas que leram que a vantagem era genética tiveram uma pontuação menor do que as que leram que a vantagem se devia a estereotipagem. Embora os relatórios fossem falsos – os homens não são melhores do que as mulheres em matemática –, as mulheres que leram que estavam em desvantagem genética acreditaram no que leram e fizeram uma pontuação menor. Aconteceu o mesmo com homens brancos que foram informados de que os asiáticos pontuavam um pouco melhor que os brancos em um teste que estavam prestes a fazer. Em ambos os casos, quando os alunos foram instruídos a acreditar inconscientemente que não pontuariam tão bem, de fato não pontuaram, embora o que lhes houvessem dito fosse totalmente falso.

Com isso em mente, dê uma olhada nesta lista de crenças limitantes comuns e veja quais você pode estar abrigando sem estar totalmente ciente disso:

> **Não sou bom em matemática. Sou tímido. Sou temperamental. Não sou inteligente ou criativo. Sou muito parecido com meus pais. Homens não devem chorar ou ser vulneráveis. Não consigo encontrar um parceiro. As mulheres são inferiores aos homens. Minha raça ou cultura é superior. A vida é séria. A vida é difícil, e ninguém se importa. Nunca serei um sucesso. Tenho de trabalhar duro para me dar bem na vida. Nunca acontece nada de bom comigo. Não sou uma pessoa de sorte. As coisas nunca são como eu quero. Nunca tenho tempo suficiente. É responsabilidade de outra pessoa me fazer feliz. Quando eu tiver essa coisa específica, ficarei feliz. É difícil mudar a realidade. A realidade é um processo linear. Germes me deixam doente. Ganho peso com facilidade. Preciso de oito horas de sono. Minha dor é normal e nunca irá desaparecer. Meu relógio biológico está correndo. Beleza é assim ou assado. Divertir-se é frivolidade. Deus está fora de mim. Sou uma pessoa má, então Deus não me ama.**

Eu poderia continuar sem parar, mas você já captou a ideia.

Como crenças e percepções são baseadas em experiências passadas, qualquer uma dessas crenças que você tem sobre si veio do seu passado. Assim, são verdadeiras ou você as inventou? Mesmo que fossem verdadeiras em algum momento, não significa necessariamente que sejam verdadeiras agora.

É claro que não encaramos dessa forma porque somos viciados em nossas crenças; somos viciados é nas emoções do nosso passado. Vemos nossas crenças como verdades, não como ideias que podemos mudar. Se temos crenças muito fortes sobre algo, a evidência contrária pode estar bem na nossa frente, mas talvez não a vejamos porque o que percebemos é totalmente diferente. De fato, nos condicionamos a acreditar em todos os tipos de coisas que não são necessariamente verdadeiras, e muitas delas têm impacto negativo em nossa saúde e felicidade.

Certas crenças culturais são um bom exemplo. Lembra da história sobre a maldição vodu do Capítulo 1? O paciente estava convencido de que iria morrer porque o sacerdote de vodu havia lançado um feitiço nele. O feitiço só funcionou porque ele (e outros em sua cultura) acreditavam que o vodu era verdade. Não foi o vodu que o enfeitiçou, foi a crença no vodu.

Outras crenças culturais podem causar mortes prematuras. Por exemplo, chineses americanos portadores de alguma doença nascidos em um ano que a astrologia e a medicina chinesas consideram malfadado para aquele problema de saúde morreram até cinco anos antes, de acordo com pesquisadores da Universidade da Califórnia em San Diego que estudaram os registros de óbito de quase trinta mil pessoas desse grupo[105]. O efeito foi mais forte entre aqueles mais apegados às tradições e crenças chinesas, e os resultados também se mantiveram consistentes em quase todas as principais causas de morte estudadas. Por exemplo, chineses americanos nascidos em anos associados à suscetibilidade a doenças envolvendo nódulos e tumores morreram de câncer linfático quatro anos mais jovens que chineses americanos nascidos em outros anos ou que não chineses com cânceres semelhantes.

Como esses exemplos demonstram, somos sugestionáveis apenas àquilo que, consciente ou inconscientemente, acreditamos ser verdade. Um esquimó que não acredita em astrologia chinesa não é mais sugestionável à ideia de ser vulnerável a determinada doença porque nasceu no ano do tigre ou do dragão do que um episcopal seria sugestionável à ideia de que o feitiço de um sacerdote de vodu poderia matá-lo.

Porém, uma vez que qualquer um de nós aceite um resultado, acredite nele e se entregue sem pensar ou analisar de modo consciente, fica sugestionável àquela realidade específica. Na maioria das pessoas, tais crenças são plantadas muito além da mente consciente, no sistema subconsciente, que é o que cria a doença. Agora, deixe-me fazer outra pergunta: quantas crenças pessoais baseadas em experiências culturais você tem que talvez não sejam verdadeiras?

Mudar as crenças pode ser difícil, mas não é impossível. Apenas pense no que aconteceria se você fosse capaz de desafiar com sucesso suas crenças inconscientes. Em vez de pensar e sentir "nunca tenho tempo suficiente para concluir tudo", que tal se pensasse e sentisse "eu vivo 'fora do tempo' e faço tudo"? E se, em vez de acreditar que "o universo conspira contra mim", acreditasse que "o universo é amigável e trabalha a meu favor"? Que bela crença! Como você pensaria, viveria e andaria por aí se acreditasse que o universo trabalha a seu favor? Como você acha que isso mudaria sua vida?

Para mudar uma crença, você precisa começar pela aceitação de que isso é possível, depois mudar seu nível de energia com a emoção intensificada sobre a qual leu anteriormente e por fim permitir que sua biologia se reorganize. Não é necessário pensar em como ou quando a reorganização biológica acontecerá; isso é a mente analítica em funcionamento, que o leva de volta a um estado de ondas cerebrais beta e o torna menos sugestionável. Você precisa apenas tomar uma decisão inabalável. Uma vez que a amplitude ou energia dessa decisão se torne maior que os programas conectados em seu cérebro e o vício emocional em seu corpo, você será maior que seu passado, seu corpo responderá a uma nova mente, e você poderá efetuar mudanças reais.

Você já sabe como fazer isso. Pense sobre uma ocasião em que decidiu mudar algo em você ou em sua vida. Talvez você lembre que chegou um momento em que disse para si mesmo: "Não me importo como me sinto [corpo]. Não importa o que está acontecendo em minha vida [ambiente]. E não estou preocupado com quanto tempo levará [tempo]. Eu vou fazer isso". No mesmo instante, você ficou arrepiado. Isso porque entrou em um estado alterado de ser. No momento em que sentiu essa energia, você enviou novas informações para seu corpo. Você se sentiu inspirado e saiu do estado familiar de repouso. Isso porque, apenas pelo pensamento, seu corpo parou de viver no passado habitual para viver em um novo futuro. Na realidade, seu corpo não era mais a mente. Você era a mente. Você estava modificando uma crença.

O efeito da percepção

Assim como as crenças, nossas percepções de experiências passadas, positivas ou negativas, afetam diretamente nosso estado subconsciente de ser e nossa saúde. Em 1984 a médica Gretchen van Boemel, então diretora associada de eletrofisiologia clínica do Instituto de Olhos Doheny, em Los Angeles, descobriu um exemplo impressionante quando notou uma tendência perturbadora entre as mulheres cambojanas encaminhadas para a clínica. As mulheres, todas com idades entre 40 e 60 anos, residentes em Long Beach (conhecida como Pequena Phnom Penh por causa dos cerca de cinquenta mil imigrantes cambojanos), estavam tendo sérios problemas de visão, incluindo cegueira, em números desproporcionalmente altos.

No aspecto físico, os olhos das mulheres eram perfeitamente saudáveis. A Dra. van Boemel fez escaneamentos cerebrais para avaliar o desempenho do sistema visual e comparou com o quanto os olhos daquelas mulheres enxergavam. Descobriu que todas tinham acuidade visual perfeitamente normal, geralmente 20/20 ou 20/40, só que, quando tentavam ler a tabela de teste de visão, o resultado era cegueira legal. Algumas das mulheres não tinham qualquer percepção da luz e não conseguiam nem sequer detectar sombras, muito embora não houvesse nada de errado com os olhos em termos físicos.

Quando a Dra. van Boemel se uniu à doutora Patricia Rozée, da Universidade Estadual da Califórnia em Long Beach, para fazer pesquisas sobre as mulheres, descobriram que aquelas que tinham a pior visão haviam passado a maior parte da vida sob o Khmer Vermelho ou nos campos de refugiados enquanto o ditador comunista Pol Pot estava no poder[106]. O genocídio perpetrado pelo Khmer Vermelho foi responsável pela morte de pelo menos 1,5 milhão de cambojanos entre 1975 e 1979.

Das mulheres estudadas, 90% haviam perdido membros da família (em alguns casos até dez parentes) durante o período, e 70% foram forçadas a assistir a seus entes queridos (às vezes a família inteira) serem brutalmente assassinados. "Essas mulheres viram coisas que suas mentes simplesmente não conseguiam aceitar", disse Rozée ao *Los Angeles Times*[107]. "Suas mentes simplesmente se fecharam e se recusaram a ver mais. Recusaram-se a ver mais morte, mais tortura, mais estupro, mais fome."

Uma mulher foi forçada a assistir ao marido e quatro filhos serem mortos na sua frente e perdeu a visão em seguida. Outra mulher teve de assistir a um soldado do Khmer Vermelho espancar o irmão e os três filhos dele até a morte, o que incluiu ver o sobrinho de três meses de idade ser arremessado contra uma árvore até morrer. Ela começou a perder a visão logo depois[108]. As mulheres também foram submetidas a espancamentos, fome, incontáveis humilhações, abuso sexual, tortura e até vinte horas por dia de trabalho forçado. Embora agora estivessem seguras, muitas daquelas mulheres disseram às pesquisadoras que preferiam ficar trancadas em casa, onde reviviam as memórias das atrocidades sem parar em pesadelos recorrentes e pensamentos intrusivos.

Tendo documentado um total de 150 casos de cegueira psicossomática em mulheres cambojanas em Long Beach, o maior grupo conhecido desse tipo de vítima do mundo, van Boemel e Rozée apresentaram o resultado de suas pesquisas na reunião anual da Associação Americana de Psicologia de 1986, em Washington, D.C. A plateia ficou fascinada.

As mulheres desse estudo ficaram cegas ou quase cegas não por alguma doença ocular ou mau funcionamento físico, mas porque os eventos pelos quais passaram tiveram tamanho impacto emocional que elas literalmente "choraram até não conseguir mais enxergar"[109]. A amplitude emocional exacerbada de ser forçada a testemunhar o insuportável fez com que não quisessem mais ver. O evento criou mudanças físicas em sua biologia – não nos olhos, mas provavelmente no cérebro – que alteraram a percepção da realidade pelo resto de suas vidas. Como as cambojanas repetiam as cenas traumatizantes na mente sem cessar, sua visão nunca melhorava.

Embora esse por certo seja um exemplo extremo, nossas experiências traumáticas passadas provavelmente têm efeitos semelhantes sobre nós. Se você está enfrentando problemas de visão, que coisas optou por não ver por causa de experiências dolorosas ou assustadoras do passado? Da mesma forma, se está tendo problemas auditivos, o que na sua vida você não está disposto a ouvir?

A figura 7.2 mostra como tudo isso acontece. A linha no gráfico reflete uma medida relativa do estado de ser de uma pessoa, que começa em um nível mais ou menos normal (a linha de base) antes de o evento ocorrer. A subida abrupta da linha indica uma forte reação emocional a um evento, como na ocasião em que as mulheres cambojanas experimentaram as atrocidades dos soldados do Khmer Vermelho. A experiência horrenda marcou seus cérebros neurologicamente e alterou seus corpos quimicamente, assim como modificou seu estado de ser – pensamentos, sentimentos, atitudes, crenças e, por fim, percepções. As mulheres não desejavam mais olhar para o mundo. Assim, mediante novas conexões neurológicas e sinalização química, a biologia delas adequou-se.

COMO UMA EXPERIÊNCIA GERA UMA ALTERAÇÃO BIOLOGICAMENTE

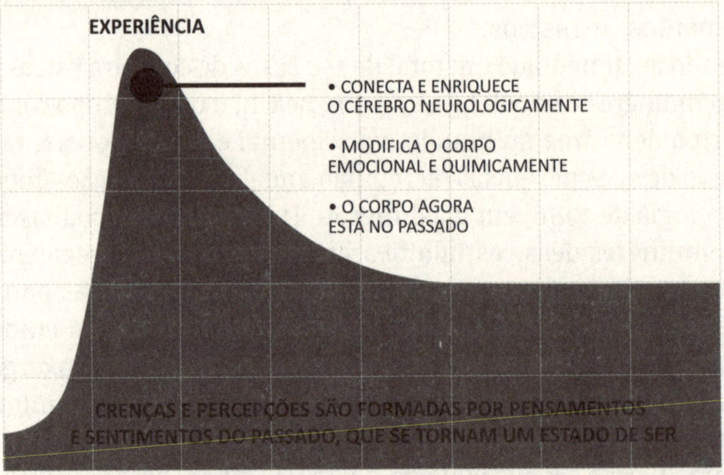

FIGURA 7.2

Uma experiência altamente carregada da realidade externa vai ficar gravada na circuitaria do cérebro e marcar o corpo emocionalmente. Como resultado, cérebro e corpo vivem no passado, e o evento altera nosso estado de ser, bem como nossa percepção da realidade. Não temos mais a mesma personalidade.

Embora a linha no gráfico por fim caia e se estabilize, o ponto onde termina é diferente de onde começou, indicando que a pessoa permanece química e neurologicamente alterada pela experiência. Naquele novo patamar, as mulheres cambojanas passaram a viver no passado, pois permaneceram afetadas pelas marcas neurológicas e químicas resultantes da experiência. Não eram mais as mesmas mulheres. O evento havia modificado seu estado de ser.

O poder do ambiente

Mudar as crenças e percepções só uma vez não basta. Você tem de reforçar a mudança repetidamente. Para entender por que, vamos voltar por um momento aos pacientes com Parkinson que melhoraram as habilidades motoras após receber uma injeção de solução salina que pensavam ser uma droga poderosa.

Como você deve lembrar, no momento em que aqueles indivíduos entraram em um estado de saúde melhor, o sistema nervoso autônomo começou a endossar o novo estado, produzindo dopamina no cérebro. Isso não aconteceu porque estivessem rezando, esperando ou desejando que seus corpos produzissem dopamina. Aconteceu porque eles se tornaram pessoas que produziam dopamina.

Infelizmente o efeito não se aplica a todos. De fato, para alguns o efeito placebo dura apenas certo período, pois retornam a quem eram antes, aos antigos estados de ser. Nesse caso, quando os pacientes com Parkinson voltaram para casa e viram seus cuidadores e cônjuges, dormiram na mesma cama, comeram a mesma comida, permaneceram nos mesmos aposentos e quem sabe jogaram xadrez com os mesmos amigos que se queixavam de suas dores, o velho ambiente lembrou-os das antigas personalidades e dos antigos estados de ser habituais. Todas as condições da vida familiar fizeram com que lembrassem quem eram antes; aí simplesmente escorregaram de volta àquelas identidades, e os vários problemas motores retornaram[110]. Eles se identificaram de novo com seu ambiente, tamanha é a força do ambiente.

O mesmo acontece com toxicodependentes que estão limpos há muitos anos. Se forem colocados de volta nos ambientes em que costumavam usar drogas, mesmo sem ingerir qualquer substância, o fato de estar lá ativa os pontos receptores celulares que as drogas acionavam, o que por sua vez cria mudanças fisiológicas no corpo como se eles estivessem se drogando, aumentando a fissura[111]. A mente consciente não tem controle sobre isso. É automático.

Vamos examinar esse conceito um pouco mais. Você aprendeu que o processo de condicionamento cria fortes memórias associativas. Aprendeu também que memórias associativas estimulam funções fisiológicas automáticas subconscientes, ativando o sistema nervoso autônomo. Lembre-se dos cães de Pavlov. Depois que Pavlov condicionou os cães a associar a campainha à alimentação, o corpo dos cães sofreu alteração fisiológica imediata, sem muito controle da mente consciente. Foi a pista do ambiente que (via memória associativa) automática, autonômica, subconsciente e fisiologicamente mudou o estado interno dos cães. Eles começavam a salivar e produzir suco digestivo porque antecipavam uma recompensa. A mente consciente dos cães não podia fazer isso. Foi o estímulo do ambiente que criou a memória associativa a partir da resposta condicionada.

Agora vamos revisitar os pacientes com Parkinson e os ex-usuários de drogas. Poderíamos dizer que, no instante em que qualquer um desses indivíduos retornasse ao ambiente familiar, o corpo retornaria automática e fisiologicamente ao antigo estado de ser, sem que a mente consciente tivesse muito controle sobre isso. Acontece que o antigo estado de ser, que foi o mesmo modo de pensar e sentir por anos a fio, condicionou o corpo a se tornar a mente. Ou seja, o corpo é a mente que responde ao ambiente. Por isso é tão difícil, para qualquer pessoa nessa situação, mudar.

Quanto maior a dependência da emoção, maior a resposta condicionada ao estímulo do ambiente. Por exemplo, digamos que você fosse viciado em café e quisesse acabar com esse vício. Se você viesse à minha casa e eu preparasse um café e você ouvisse o ruído da máquina de expresso, sentisse o aroma da bebida sendo passada e me visse bebendo, eis o que aconteceria: no momento em que seus sentidos captassem essas pistas do ambiente, seu corpo, como mente, responderia de modo inconsciente, automático, sem muita ajuda da mente consciente, porque você se condicionou a ser daquele jeito. Seu corpo-mente então ansiaria pela recompensa fisiológica, travando uma guerra contra a mente consciente na tentativa de tentar convencê-lo a tomar um cafezinho.

Entretanto, se você tivesse acabado de verdade com o vício em café e eu preparasse uma xícara na sua frente, você poderia beber ou não, porque não teria a antiga resposta fisiológica. Você não mais estaria condicionado (seu corpo não seria mais a mente), e a memória associativa do ambiente não teria mais o mesmo efeito sobre você.

O mesmo vale para os vícios emocionais. Por exemplo, se você memorizou culpa por experiências passadas e inconscientemente vive com ela todos os dias no presente, então, como a maioria das pessoas, você usa alguém ou algo em algum lugar do ambiente externo para reafirmar seu vício na culpa. Por mais que conscientemente você tente ser maior do que a culpa, no momento em que vê sua mãe (em relação a quem costumava se sentir culpado) na casa em que cresceu, seu corpo volta autonômica, química e fisiologicamente ao mesmo estado de culpa do passado no momento presente, sem que sua mente consciente esteja envolvida. Seu corpo, subconscientemente programado para ser a mente de culpa, já está vivendo no passado no momento presente. Portanto, é mais natural você se sentir culpado quando está com sua mãe do que se sentir de outra maneira. Assim, como no caso do viciado em drogas, uma resposta condicionada alterou seu estado interno com base em sua associação com a realidade externa de passado-presente. Acabe com o vício na culpa, alterando a programação subconsciente, e você poderá ficar na presença das mesmas condições e permanecer livre da realidade passada-presente.

Pesquisadores da Universidade Victoria, de Wellington, na Nova Zelândia, examinaram o efeito do ambiente usando um grupo de 148 estudantes universitários convidados a participar de um estudo montado em um cenário semelhante a um bar[112]. Os pesquisadores disseram a metade dos estudantes que receberiam vodca e tônica e à outra metade que receberiam apenas água tônica. Na realidade, os *barmen* do estudo não serviram uma única gota de vodca. Todos os alunos receberam água tônica.

A atmosfera de bar que os pesquisadores montaram era bem realista, até o selo das garrafas de vodca habilmente enchidas com água tônica. Para um efeito ainda mais realista, os *bartenders* umedeciam a borda dos copos com lima embebida na falsa vodca antes de começar a misturar e servir as bebidas como se fossem o drinque de verdade.

Os sujeitos ficaram tontos e agiram como bêbados, com alguns até mostrando sinais físicos de intoxicação. Não ficaram bêbados porque beberam álcool; embebedaram-se porque o ambiente, pela memória associativa, deu pistas para seus cérebros e corpos responderem da mesma velha maneira familiar.

Quando os pesquisadores enfim contaram a verdade aos estudantes, muitos ficaram perplexos e garantiram que de fato se sentiram bêbados na ocasião. Eles acreditaram estar bebendo álcool, e a crença se traduziu em neuroquímicos que alteraram seu estado de ser.

Em outras palavras, a crença sozinha foi suficiente para provocar uma mudança bioquímica no corpo dos universitários igual a estar bêbado. Isso porque eles estavam condicionados o suficiente para associar o álcool a uma mudança no estado químico interno. Como os sujeitos esperavam ou antecipavam a mudança futura no estado interno com base nas memórias associativas de beber, foram estimulados pelo ambiente a mudar fisiologicamente, assim como os cães de Pavlov.

Também há outra faceta, é claro. O ambiente pode sinalizar a cura. Na Pensilvânia, pacientes de hospital que se recuperaram de cirurgia em uma sala com vista para um bosque em um cenário suburbano natural precisaram de medicamentos menos potentes para a dor e foram liberados de sete a nove dias antes de pacientes com vista para uma parede de tijolos[113]. Nosso estado mental, criado a partir do ambiente, definitivamente pode contribuir para curar nosso cérebro e corpo.

Assim, será que você precisa de uma pílula de açúcar, uma injeção de solução salina, um procedimento falso ou uma janela panorâmica – de algo, alguém ou algum lugar no ambiente externo – para entrar em um novo estado de ser? Ou pode fazer isso apenas mudando a forma de pensar e sentir? Será que você pode simplesmente acreditar em uma nova possibilidade de saúde, sem depender de nenhum estímulo externo, e transformar o pensamento em seu cérebro em uma nova experiência emocional a ponto de modificar seu corpo e se tornar maior que o condicionamento do ambiente externo?

Em caso afirmativo, o que você acabou de ler sugere que seria uma boa ideia mudar seu estado interno todos os dias, antes de se levantar e encarar o velho ambiente de sempre, a fim de que este não o puxe de volta ao seu antigo estado de ser, como fez com os pacientes com Parkinson. Lembra-se de Janis Schonfeld, do Capítulo 1, que produziu alterações físicas no cérebro ao pensar que estava tomando um antidepressivo? Parte do motivo pelo qual o placebo funcionou tão bem para ela foi o fato de que tomar a pílula inerte era um lembrete diário para mudar seu estado de ser (porque ela associava a pílula a pensamentos e sentimentos otimistas de melhora, como fazem mais de 80% das pessoas que tomam um placebo antidepressivo).

Se você pudesse acessar um novo estado de ser pela meditação, combinando a intenção clara e o contato com o estado de emoção intensificado mencionado anteriormente, e ficasse empolgado e pilhado com o que estaria criando todos os dias, enfim começaria a sair do estado de repouso. Você estaria em um novo estado de ser, com atitude, crença e percepção diferentes, não reagindo mais às mesmas coisas da mesma maneira, porque agora seu ambiente não mais controlaria como você pensa e sente. Você então faria novas escolhas e demonstraria novos comportamentos, o que levaria a novas experiências e novas emoções. Assim você se transformaria em uma nova personalidade, uma personalidade diferente, sem dor artrítica ou problemas motores de Parkinson, infertilidade ou qualquer outra condição que queira mudar.

Quero reservar um momento para salientar aqui que nem todas as doenças e enfermidades começam em nossas mentes, é claro. Sem dúvida nascem bebês com defeitos e condições genéticos que não poderiam ser desencadeados por seus pensamentos, sentimentos, atitudes e crenças. Traumas e acidentes acontecem. Além disso, a exposição a toxinas ambientais pode definitivamente causar estragos no corpo humano. Não estou dizendo que, quando essas coisas surgem, é porque de alguma forma pedimos por elas, embora seja verdade que nosso corpo físico possa ser enfraquecido pelos hormônios do estresse e ficar mais suscetível a doenças quando nosso sistema imunológico é desligado. O que quero dizer é que, não importa qual seja a fonte de nossos males, existe a possibilidade de mudarmos nossa condição.

Modificando sua energia

Então agora podemos ver que, se queremos mudar nossas crenças e criar um efeito placebo para melhorar nossa saúde e vida, temos que fazer o exato oposto do que as mulheres cambojanas fizeram sem se dar conta. Precisamos criar uma nova experiência interna em nossa mente e corpo que seja maior que a experiência externa passada, mantendo uma intenção clara e firme e aumentando nossa energia emocional. Em outras palavras, quando decidimos criar uma nova crença, a amplitude ou energia da escolha deve ser grande o bastante para ser maior do que os programas conectados e o condicionamento emocional do corpo.

Para ver o que acontece quando fazemos isso, dê uma olhada na figura 7.3. A energia da escolha da nova experiência é maior que a energia do trauma da experiência passada (figura 7.2), por isso o pico nesse gráfico é maior do que o pico no gráfico anterior. Como resultado, os efeitos da nova experiência substituem o resíduo de programação neural e condicionamento emocional da experiência passada.

Se fizermos direito, esse processo vai repadronizar nosso cérebro e modificar nossa biologia. A nova experiência reorganizará a antiga programação e, ao fazê-lo, removerá as evidências neurológicas da experiência passada. (Pense em uma onda grande que, ao quebrar na praia, apaga qualquer sinal de conchas, algas marinhas, espuma do mar ou areia que houvesse antes.) Experiências emocionais fortes criam lembranças de longo prazo. Portanto, a nova experiência interna cria novas memórias de longo prazo que substituem as antigas memórias de longo prazo; com isso, a escolha se torna uma experiência que jamais esquecemos. Não dever haver mais evidência de nosso passado em nosso cérebro e corpo, e o novo sinal reescreve o programa neurológico e altera o corpo geneticamente.

A ESCOLHA SE TORNA EXPERIÊNCIA

UMA ESCOLHA COM EMOÇÃO/ENERGIA ELEVADA CRIA UMA NOVA EXPERIÊNCIA

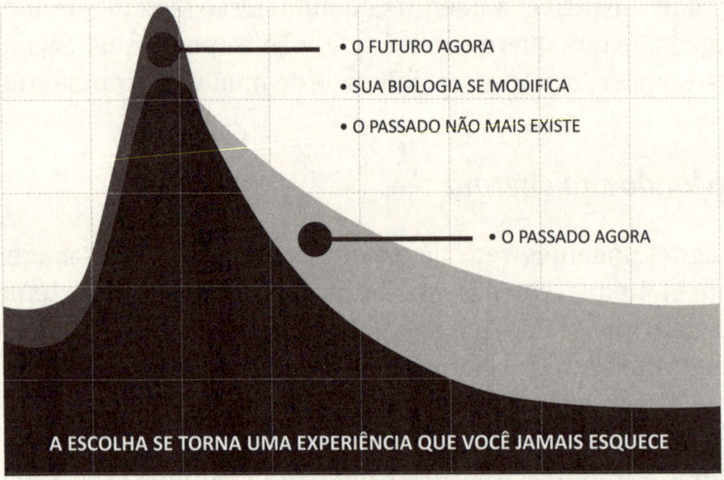

FIGURA 7.3

Para mudar uma crença ou percepção sobre si e sua vida, você precisa tomar uma decisão com uma intenção tão firme que a escolha carregue uma amplitude de energia maior do que os programas entranhados no cérebro e o vício emocional do corpo, e o corpo deve responder a uma nova mente. Quando a escolha cria uma nova experiência interior que se torna maior que a experiência externa passada, ela reescreve os circuitos do cérebro e ressinaliza o corpo emocionalmente. Uma vez que as experiências criam memórias de longo prazo, quando a escolha se torna uma experiência que você nunca esquece, você muda. Biologicamente, o passado não existe mais. Poderíamos dizer que seu corpo no momento presente está em um novo futuro.

Observe a figura 7.3 mais uma vez e repare como a inclinação da linha no gráfico desce até o fim (enquanto na figura 7.2, embora tenha descido, ainda permanece mais alta do que estava no ponto em que começou). Isso mostra que não restam mais vestígios da experiência passada. Ela não mais existe no novo estado de ser.

Além de reorganizar a neurocircuitaria, o novo sinal também começa a reescrever o condicionamento do corpo, quebrando o apego emocional ao passado. Quando isso acontece, naquele instante o corpo vive plenamente no presente, não é mais prisioneiro do passado. A energia intensificada é sentida dentro do corpo e traduzida como uma nova emoção (o que é apenas outra maneira de dizer "energia em movimento" ou "e-moção"), seja essa emoção sentir-se invencível, corajoso, empoderado, compassivo, inspirado, o que for. É a energia que altera nossa biologia, neurocircuitaria e expressão genética, não a química.

Processo semelhante acontece com os caminhantes do fogo, os mastigadores de vidro e os manipuladores de cobras. Eles têm claro que vão entrar em um estado de mente e corpo diferente. E, quando mantêm a firme intenção de fazer essa mudança, a energia da decisão cria alterações internas no cérebro e corpo que os tornam imunes às condições externas do ambiente por um longo período. A energia deles os protege de uma maneira que, naquele momento, transcende sua biologia.

Acontece que nossa neuroquímica não é a única coisa que responde a estados de energia elevados. Os pontos receptores no exterior das células são cem vezes mais sensíveis à energia e à frequência do que aos sinais físico-químicos, como os neuropeptídeos, que sabemos ter acesso ao DNA celular[114]. Pesquisas revelam de modo consistente que as forças invisíveis do espectro eletromagnético influenciam todos os aspectos da biologia celular e da regulação genética[115].

Os receptores celulares são específicos para a frequência dos sinais de energia recebidos. As energias do espectro eletromagnético incluem micro-ondas, ondas de rádio, raios X, ondas de frequência extremamente baixa, frequências harmônicas sonoras, raios ultravioleta e até ondas infravermelhas. Frequências específicas de energia eletromagnética podem influenciar o comportamento da síntese de DNA, RNA e proteínas, alterar a forma e a função da proteína, controlar a regulação e a expressão de genes, estimular o crescimento de células nervosas e influenciar a divisão e a diferenciação celular, além de instruir células específicas a se organizar em tecidos e órgãos. Todas essas atividades celulares influenciadas pela energia fazem parte da expressão da vida.

Se isso é verdade, tem de haver algum motivo para que ocorra. Lembra os 98,5% do nosso DNA que os cientistas chamam de "DNA lixo", porque não parecem de grande serventia? Por certo a mãe natureza não colocaria todas essas informações codificadas em nossas células, à espera de serem lidas, sem nos dar a capacidade de criar algum tipo de sinal para desbloqueá-las. Afinal, a natureza não desperdiça nada.

Será que a sua energia e consciência são o que cria o tipo certo de sinal fora das células para permitir que você aproveite essa vasta lista de componentes potenciais? Se isso for verdade, se você pudesse mudar sua energia da maneira como leu neste capítulo, isso poderia ajudá-lo a acessar sua verdadeira capacidade de realmente curar seu corpo?

Quando você muda sua energia, você muda seu estado de ser. A reconexão no cérebro e as novas emoções químicas no corpo desencadeiam mudanças epigenéticas, e o resultado é que você se torna literalmente uma nova pessoa. A pessoa que você era antes é história; uma parte dessa pessoa simplesmente desapareceu junto com os neurocircuitos, vícios químico-emocionais e expressão genética que sustentavam seu antigo estado de ser.

Capítulo 8

A mente quântica

A realidade pode ser um alvo em movimento. Literalmente. Estamos acostumados a pensar na realidade como algo fixo e certo, mas, como você verá em breve neste capítulo, a maneira como fomos ensinados a vê-la não é realmente como ela é. Para você aprender a ser o próprio placebo usando a mente para afetar a matéria, é vital que entenda a verdadeira natureza da realidade, como mente e matéria estão relacionadas e como a realidade pode mudar. Afinal, se você não souber como e por que essas mudanças ocorrem, não poderá direcionar quaisquer resultados de acordo com suas intenções.

Antes de mergulhar no universo quântico, vamos dar uma olhada de onde vieram nossas ideias sobre a realidade e aonde nos levaram até agora. Graças a René Descartes e Sir Isaac Newton, durante séculos o estudo do universo foi dividido em duas categorias: matéria e mente. O estudo da matéria (o mundo material) foi declarado domínio da ciência porque, na maioria das vezes, as leis do universo que governam o mundo exterior objetivo poderiam ser calculadas e, portanto, previstas. Mas o domínio interior da mente era considerado imprevisível e complicado demais, por isso foi deixado aos cuidados da religião. Com o tempo, matéria e mente se tornaram entidades separadas, e nasceu o dualismo.

A física newtoniana (também conhecida como física clássica) lida com a mecânica do funcionamento dos objetos no espaço e no tempo, incluindo as interações entre eles no mundo material e físico. Por causa das leis de Newton, podemos medir e prever o trajeto que os planetas percorrem ao redor do Sol, a rapidez com que uma maçã acelera quando cai de uma árvore e quanto tempo se leva para ir de Seattle a Nova York de avião. A física newtoniana trata do que é previsível. Olha para o universo como se este funcionasse como uma enorme máquina ou relógio.

Entretanto, a física clássica tem limitações quando se trata do estudo da energia, das ações do mundo imaterial além do espaço e do tempo e do comportamento dos átomos (os elementos básicos de tudo no universo físico). Esse reino pertence à física quântica. Acontece que o comportamento do diminuto mundo subatômico de elétrons e fótons em nada se assemelha ao comportamento do mundo muito maior dos planetas, maçãs e aviões com o qual estamos mais familiarizados.

Quando os físicos quânticos começaram a olhar para aspectos cada vez menores de um átomo, como o que compõe o núcleo, quanto mais de perto olharam, menos distinto e claro o átomo ficou, até que enfim desapareceu por completo. Os átomos, dizem os físicos quânticos, parecem ser 99,9999999999999% espaço vazio[116]. Mas esse espaço não é realmente vazio. Na verdade, está cheio de energia. Mais especificamente, é composto por uma vasta gama de frequências de energia que formam uma espécie de campo invisível e interconectado de informações. Portanto, se o átomo é 99,9999999999999% de energia ou informação, isso significa que nosso universo conhecido e tudo o que nele existe – não importa o quão sólida a matéria possa nos parecer – são essencialmente energia e informação. Isso é um fato científico.

Os átomos contêm uma porção ínfima de matéria, e, quando os físicos quânticos tentaram estudá-la, descobriram algo realmente estranho: a matéria subatômica do mundo quântico não se comporta de forma alguma como a matéria com a qual estamos acostumados a lidar. Em vez de seguir as leis da física newtoniana, a matéria subatômica parece um tanto caótica e imprevisível, desconsiderando por completo as fronteiras de tempo e espaço. No nível quântico subatômico, a matéria é de fato um fenômeno momentâneo. Está aqui num momento e então desaparece. Existe apenas como uma tendência, uma probabilidade ou possibilidade. No *quantum* não existem coisas físicas absolutas.

Essa não foi a única descoberta estranha dos cientistas sobre o universo quântico. Eles também descobriram que, quando observavam partículas de matéria subatômica, podiam afetar ou mudar o comportamento das partículas. O motivo pelo qual as partículas vêm e vão o tempo inteiro é que todas elas na verdade existem simultaneamente em uma variedade infinita de possibilidades ou probabilidades dentro do infinito e invisível campo de energia quântica. Apenas quando um observador foca a atenção em qualquer localização de qualquer elétron é que este de fato aparece naquele local. Desvie o olhar, e a matéria subatômica desaparece de volta na energia.

Portanto, de acordo com esse "efeito do observador", a matéria física não pode existir ou se manifestar até que a observemos, até que a percebamos e prestemos atenção nela. Quando não mais prestamos atenção, a matéria desaparece, voltando de onde veio. Portanto, a matéria está em constante transformação, oscilando entre se manifestar como matéria e desaparecer como energia (o que ocorre cerca de 7,8 vezes por segundo). Como a mente humana (como observadora) está intimamente ligada ao comportamento e aparência da matéria, poderia se dizer que a mente no comando da matéria é uma realidade quântica. Outra maneira de ver isso é assim: no minúsculo mundo do *quantum*, a mente subjetiva afeta a realidade objetiva. Sua mente pode se tornar matéria, isto é, você pode tornar sua mente matéria.

Como a matéria subatômica compõe tudo o que podemos ver, tocar e experimentar em nosso macromundo, então, em certo sentido, nós – junto com tudo em nosso mundo – também desaparecemos e reaparecemos o tempo todo. Se as partículas subatômicas existem em um número infinito de lugares possíveis simultaneamente, de alguma maneira nós também. E, assim como as partículas deixam de existir em todos os lugares simultaneamente (como onda ou energia) para existir precisamente onde o observador as procura no momento em que presta atenção (como partícula ou matéria), também somos potencialmente capazes de colapsar um infinito número de realidades na existência física.

Em outras palavras, se você consegue imaginar um evento futuro específico que deseja experimentar em sua vida, essa realidade já existe como possibilidade em algum lugar do campo quântico, além desse espaço e tempo, só esperando que você a observe. Se sua mente (por meio dos pensamentos e sentimentos) pode afetar onde e quando um elétron aparece do nada, na teoria você deve ser capaz de influenciar a aparência de quaisquer possibilidades que possa imaginar.

De uma perspectiva quântica, caso você se observasse em um futuro que fosse diferente do seu passado, caso tivesse a expectativa de que aquela realidade ocorresse e adotasse emocionalmente o resultado, você estaria por um momento vivendo naquela realidade futura e condicionando seu corpo a acreditar que estava naquele futuro no momento presente. Portanto, o modelo quântico, que declara que todas as possibilidades existem neste momento, nos dá permissão para escolher um novo futuro e observá-lo na realidade. Como o universo inteiro é feito de átomos, com mais de 99% de um átomo sendo energia ou possibilidade, isso significa que existem muitos potenciais por aí que você e eu podemos estar perdendo.

Só que isso significa que você também cria por padrão. Se, como observador quântico, você vê sua vida do mesmo nível de mente todos os dias, de acordo com o modelo quântico da realidade você está fazendo infinitas possibilidades colapsarem nos mesmos padrões de informação dia após dia. Esses padrões, que você chama de vida, nunca mudam, por isso nunca permitem que você efetue mudanças.

Assim, o ensaio mental que mencionei antes com certeza não é um devaneio inútil ou uma ilusão. É, em um sentido muito real, a maneira pela qual você pode manifestar a realidade desejada de modo intencional, inclusive uma vida sem dor ou doença. Ao focar mais no que quer e menos no que não quer, você pode trazer à existência o que quiser e ao mesmo tempo fazer sumir o que não quer, deixando de prestar atenção nisso. Você coloca sua energia onde fixa a atenção. Depois de fixar a atenção, a consciência ou a mente na possibilidade, você coloca sua energia lá também. Como resultado, você afeta a matéria com sua atenção ou observação. O efeito placebo, portanto, não é fantasia. O efeito placebo é realidade quântica.

Energia no nível quântico

Todos os átomos do mundo elementar emitem várias energias eletromagnéticas. Por exemplo, um átomo pode emitir campos de energia invisíveis em diferentes frequências, incluindo raios X, gama, ultravioleta e infravermelho, além de raios de luz visíveis. Assim como as ondas de rádio invisíveis carregam consigo uma frequência com informações específicas codificadas (seja 98,6 ou 107,5 hertz), cada frequência também carrega diversas informações específicas, como mostra a figura 8.1. Por exemplo, os raios X transmitem informações muito diferentes das dos infravermelhos, pois são frequências diferentes. Todos esses campos são diferentes padrões de energia emitindo informações em nível atômico o tempo todo.

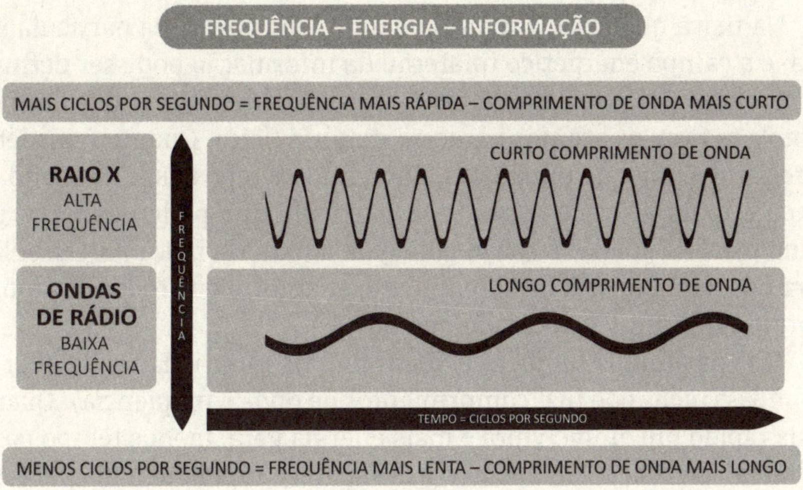

FIGURA 8.1

Este gráfico mostra duas frequências diferentes, cada uma com informações diferentes e, portanto, qualidades diferentes. Os raios X se comportam de maneira diferente das ondas de rádio; portanto, têm características inerentes diferentes.

Pense nos átomos como campos vibrantes de energia ou pequenos vórtices a girar constantemente. Para entender melhor como isso funciona, vamos usar a analogia de um ventilador. Assim como um circulador de ar produz vento (um vórtice de ar) quando é ligado, cada átomo irradia um campo de energia ao girar. Assim como um ventilador pode girar em velocidades diferentes e produzir vento mais forte ou mais fraco, os átomos também vibram em diferentes frequências que criam campos mais fortes ou mais fracos. Quanto mais rápido o átomo vibra, maior a energia e a frequência que emite. Quanto menor a velocidade da vibração ou vórtice do átomo, menos energia ele cria.

Quanto mais devagar as pás de um ventilador giram, menos vento (ou energia) é produzido e mais fácil é ver as pás como objetos materiais na realidade física. Por outro lado, quanto mais rápido as pás giram, mais energia é criada e menos você vê as pás físicas; elas parecem imateriais. O local onde as pás do ventilador podem aparecer (como as partículas subatômicas que os cientistas quânticos observavam aparecer e desaparecer) depende da sua observação, de onde e como você as procura. Com os átomos é a mesma coisa. Vamos examinar isso um pouco melhor.

Na física quântica, a matéria é definida como uma partícula sólida, e o campo energético imaterial da informação pode ser definido como onda. Quando estudamos as propriedades físicas dos átomos, como a massa, os átomos parecem matéria física. Quanto mais lenta a frequência em que um átomo vibra, mais tempo passa na realidade física e mais aparece como uma partícula que podemos enxergar como matéria sólida. A razão pela qual a matéria física parece sólida para nós, embora seja principalmente energia, é que todos os átomos vibram na mesma velocidade que nós.

Mas os átomos também exibem muitas propriedades de energia ou ondas (incluindo luz, comprimentos de onda e frequência). Quanto mais rápido um átomo vibra e mais energia gera, menos tempo passa na realidade física; ele aparece e desaparece rápido demais para que possamos vê-lo, pois vibra a uma velocidade muito mais rápida do que nós. Entretanto, mesmo que não possamos ver a energia em si, às vezes podemos ver evidências físicas de certas frequências de energia, já que o campo de força dos átomos pode criar propriedades físicas, como as ondas infravermelhas que aquecem as coisas. Se você comparar as figuras 8.2A e 8.2B, pode ver como as frequências mais lentas passam mais tempo no mundo material e por isso aparecem como matéria.

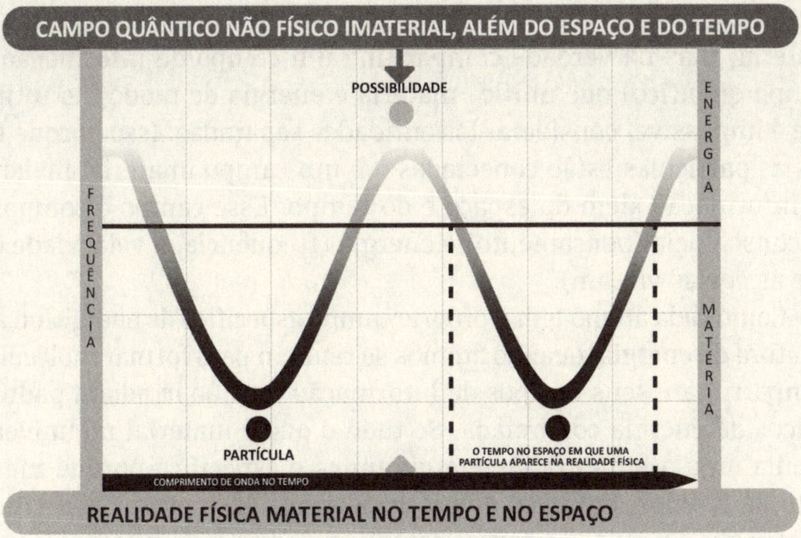

FREQUÊNCIA MAIS LENTA, VIBRAÇÃO MAIS LENTA
E COMPRIMENTO DE ONDA MAIS LONGO = MAIS TEMPO NA REALIDADE FÍSICA MATERIAL

FIGURA 8.2A

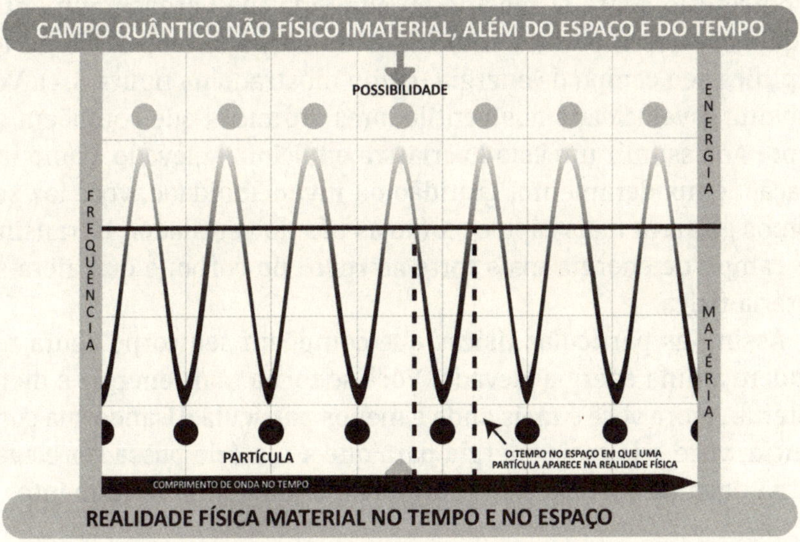

FREQUÊNCIA MAIS RÁPIDA, VIBRAÇÃO MAIS RÁPIDA
E COMPRIMENTO DE ONDA MAIS CURTO = MENOS TEMPO NA REALIDADE FÍSICA MATERIAL

FIGURA 8.2B

Quando a energia vibra mais lentamente, as partículas aparecem na realidade física por períodos mais longos, e por isso aparecem como matéria sólida. A figura 8.2A mostra como a matéria se manifesta a partir de uma frequência mais lenta com um comprimento de onda mais longo. A figura 8.2B retrata partículas que passam menos tempo na realidade física, portanto, são mais energia e menos matéria. Isso porque têm comprimentos de onda mais curtos, frequência e vibração mais rápidas.

Portanto, o universo físico pode parecer composto apenas de matéria, mas na verdade compartilha um campo de informação (o campo quântico) que unifica matéria e energia de modo tão íntimo que é impossível considerá-las entidades separadas. Isso porque todas as partículas estão conectadas em um campo imaterial invisível de informação além do espaço e do tempo. Esse campo é composto de consciência (pensamento) e energia (frequência, a velocidade em que as coisas vibram).

Como cada átomo tem o próprio campo específico de energia ou assinatura de energia, quando átomos se reúnem para formar moléculas, compartilham seus campos de informação e então irradiam padrões únicos de energia combinada. Se tudo o que é material no universo irradia uma assinatura de energia única e específica porque tudo é feito de átomos, então eu e você irradiamos assinaturas específicas de energia. Eu e você estamos sempre transmitindo informações na forma de energia eletromagnética baseada em nosso estado de ser.

Então, quando você muda sua energia para alterar uma crença ou percepção sobre si mesmo ou sua vida, na verdade aumenta a frequência dos átomos e moléculas do corpo físico, de modo que amplifica seu campo de energia (como mostrado na figura 8.3). Você aumenta a velocidade dos ventiladores atômicos que compõem seu corpo. Ao assumir um estado criativo emocional elevado, como inspiração, empoderamento, gratidão ou invencibilidade, você faz seus átomos girarem mais rápido, como as pás do ventilador, e transmite um campo de energia mais forte ao redor do corpo, o que afeta sua matéria física.

Assim, as partículas físicas que compõem seu corpo agora respondem a uma energia elevada. Você se torna mais energia e menos matéria. Agora você é mais onda e menos partícula. Usando sua consciência, você cria mais energia para que a matéria possa ser elevada a uma nova frequência e seu corpo responda a uma nova mente.

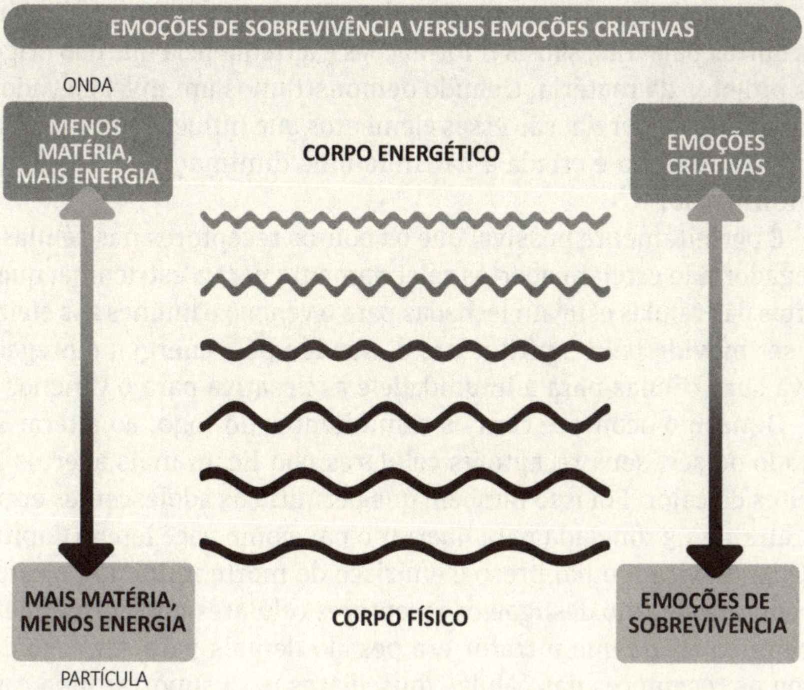

FIGURA 8.3

Quando você modifica sua energia, eleva a matéria para uma nova mente, e seu corpo vibra em uma frequência mais rápida. Você se torna mais energia e menos matéria – mais onda e menos partícula. Quanto mais elevada a emoção ou maior o estado criativo da mente, mais energia você tem para reescrever os programas no corpo. Seu corpo então responde a uma nova mente.

Recebendo o sinal energético correto

Como a matéria se eleva a uma nova mente? Pense no pregador religioso que entra em estado de êxtase religioso e bebe estricnina sem efeitos biológicos. Como ele supera a química que envenenaria uma pessoa comum? É o nível de energia dele que transcende os efeitos da matéria.

O pregador toma uma decisão com intenção tão firme que sua escolha carrega uma amplitude de energia que transcende as leis do ambiente, os efeitos no corpo e o tempo linear. Naquele momento, ele é mais energia e menos matéria, e o resultado é uma nova energia que reescreve os circuitos do cérebro, a química do corpo e a expressão genética. Naquele momento, ele não é a identidade conectada ao ambiente familiar, nem o corpo físico, nem vive no tempo linear.

A consciência e a energia elevadas são o epifenômeno da matéria. Em outras palavras, são as informações e a frequência que dão origem aos projetos da matéria. Quando demonstramos um nível elevado de consciência e energia, são esses elementos que influenciam a matéria, porque a matéria é criada a partir de uma diminuição de frequência e informação.

É perfeitamente possível que os pontos receptores nas células do pregador não estejam abertos seletivamente para a estricnina, que as portas das células estejam fechadas para o veneno e imunes aos efeitos. Ao ser movido pelo espírito, isto é, movido pela energia, o pregador ativa suas células para a imunidade e as desativa para o veneno.

O mesmo acontece com os caminhantes do fogo; ao alterar seu estado de ser, seus receptores celulares não ficam mais abertos aos efeitos do calor. Foi isso também que permitiu às adolescentes erguer o trator de 1,3 tonelada para libertar o pai, como você leu no Capítulo 1. Quando viram o pai preso e em risco de morte iminente, o estado de energia elevado desligou os receptores celulares que normalmente diriam ao corpo que o trator era pesado demais para ser erguido e ligou os receptores das células musculares para suportar uma carga maior. Assim, quando as meninas tentaram mover o veículo, seus músculos responderam, e elas conseguiram libertar o pai. Não era matéria (corpo) movendo matéria (trator); era energia influenciando a matéria.

Você há de concordar comigo que seu corpo é composto por uma vasta gama de átomos e moléculas e que estes formam substâncias químicas, que por sua vez se organizam em células, que formam tecidos, que se organizam ainda mais em órgãos, que criam vários sistemas dentro do corpo. Por exemplo, uma célula muscular é feita de diferentes substâncias químicas (proteínas, íons, citocinas, fatores de crescimento), feitas de diferentes interações de moléculas, feitas de várias ligações atômicas; esses átomos compartilham um campo invisível de informação para formar moléculas.

As substâncias químicas que compõem uma célula também compartilham um campo de informação. É esse campo invisível de informação que orquestra as centenas de milhares de funções da célula a cada segundo. Os cientistas estão começando a perceber que existe um campo de informação responsável por inúmeras funções celulares além dos limites da matéria.

É esse campo invisível de consciência que orquestra todas as funções das células, tecidos, órgãos e sistemas do corpo. Como certas substâncias químicas e moléculas das células sabem o que fazer e interagem com tanta precisão? Existe um campo energético ao redor da célula formado pela soma da energia dos átomos, moléculas e substâncias químicas; esse campo, que opera em equilíbrio, dá origem à matéria, e é a partir desse campo vital de informação que a matéria se organiza.

Por exemplo, as células musculares podem se organizar e se especializar ainda mais em tecidos musculares, como tecido do músculo cardíaco, digamos. O tecido muscular cardíaco forma o coração. Os tecidos feitos de células compartilham um campo de informação que permite ao coração funcionar de forma coerente. O coração faz parte do sistema cardiovascular do corpo. Ao compartilhar esse campo de informação, organiza a matéria para funcionar de modo harmônico e holístico. Portanto, o campo que é criado e dá origem à matéria é também o que controla a matéria. Quanto maior o campo, mais rápida a vibração dos átomos, ou mais rápido o girar das pás do ventilador subatômico.

O modelo newtoniano de biologia baseia-se em eventos lineares nos quais as reações químicas ocorrem em etapas sequenciais. Mas não é assim que a biologia funciona. Você não consegue explicar nem mesmo algo tão simples quanto a cicatrização de um corte na pele sem compreender os caminhos interconectados de informação coerente sobre os quais acabou de ler. As células compartilham informações de forma não linear. O universo e todos os sistemas biológicos dentro dele compartilham uma integração de campos de energia independentes sincronizados que por sua vez compartilham informações além do espaço e do tempo, momento a momento.

Pesquisas confirmam que a maioria das interações entre células ocorre mais rápido que a velocidade da luz[117]. Como o limite da realidade física é a velocidade da luz, isso significa que as células devem se comunicar através do campo quântico. As interações entre átomos e moléculas formam uma intercomunicação que unifica o mundo físico material e os campos de energia que compõem o todo. No *quantum*, as características lineares e previsíveis do mundo newtoniano não existem. As coisas interagem de maneira holística e cooperativa.

Portanto, de acordo com o modelo quântico da realidade, poderíamos dizer que toda doença é uma diminuição de frequência. Pense nos hormônios do estresse. Quando seu sistema nervoso está no modo de lutar ou fugir, as substâncias químicas da sobrevivência fazem você ser mais matéria e menos energia. Você se torna materialista porque define a realidade com seus sentidos, excede-se no uso da energia vital ao redor da célula, mobilizando-a para uma emergência, e toda a sua atenção vai para o mundo exterior do ambiente, do corpo e do tempo.

Se mantiver a resposta ao estresse ativada por longos períodos, os efeitos de longo prazo continuarão diminuindo a frequência do corpo, fazendo com que ele se torne cada vez mais partícula e menos onda. Isso significa que há menos consciência, energia e informações disponíveis para átomos, moléculas e substâncias químicas compartilharem. Como resultado, você se torna matéria tentando em vão modificar matéria; você é um corpo tentando, sem sucesso, mudar um corpo.

Todos os ventiladores subatômicos que formam seu corpo começam a girar não apenas mais devagar, como também fora de ritmo em relação uns aos outros. Isso cria incoerência entre os átomos e as moléculas do corpo, o que causa um sinal enfraquecido de comunicação. Por causa disso, o corpo começa a se decompor. Quanto mais seu corpo é matéria e menos é energia, mais você fica à mercê da segunda lei da termodinâmica – a lei da entropia –, de que as coisas materiais do universo tendem a se mover em direção à desordem e ao colapso.

Pense no que aconteceria se você tivesse centenas de ventiladores em uma sala enorme, todos trabalhando juntos e girando em harmonia, zunindo em uníssono. Esse zunido coerente seria como música para seus ouvidos, pois seria rítmico e constante. Nosso corpo funciona assim quando os sinais entre nossos átomos, moléculas e células são fortes e coerentes.

Agora imagine como seria diferente se não chegasse eletricidade (energia) suficiente a cada um dos ventiladores, resultando em rotações em diferentes velocidades ou frequências. A sala seria preenchida por uma cacofonia de barulho incoerente, oscilação, paradas e arranques. É isso que acontece quando os sinais entre os átomos, moléculas e células de nosso corpo ficam mais fracos e incoerentes.

Quando você muda sua energia porque tomou uma decisão firme e resoluta, aumenta a frequência de sua estrutura atômica e cria uma assinatura eletromagnética mais intencional e coerente (como mostrado na figura 8.4). Aí você afeta a matéria física do seu corpo. Ao aumentar sua energia, você aumenta a eletricidade que flui para seus ventiladores atômicos. A frequência elevada começa a sincronizar ou organizar as células do corpo para se tornarem menos partícula (matéria) e mais onda (energia). Ou, dizendo de outra maneira, toda a sua matéria tem mais energia – ou mais informação. Pense em coerência como ritmo ou ordem e em incoerência como falta de ritmo, de ordem ou de sincronia.

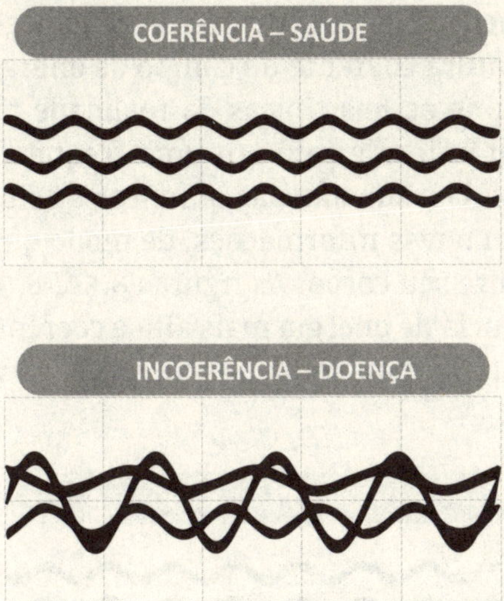

FIGURA 8.4

De uma perspectiva quântica, uma frequência mais alta e coerente é chamada de saúde, e uma frequência mais lenta e incoerente é chamada de doença. Toda doença é uma diminuição de frequência, bem como a expressão de informações incoerentes.

Imagine um grupo de cem bateristas sem ritmo martelando os tambores ao mesmo tempo. Isso é incoerência. Agora, imagine que um grupo de cinco bateristas profissionais apareça no meio da turba de aspirantes a baterista, se espalhe entre a multidão e comece a criar uma batida bem ritmada. Com o tempo, os cinco sincronizariam todos os outros cem bateristas em um ritmo, ordem e sincronia perfeitos.

É isso que acontece quando seu corpo responde a uma nova mente, quando os cabelinhos da nuca se arrepiam porque você se sente mais como energia e menos como matéria. Nesse momento, você está elevando a matéria para uma nova mente. Está ajustando a doença que existe na forma de diminuição da frequência a uma frequência elevada. Ao mesmo tempo, está fazendo com que as informações incoerentes que circulam entre átomos, moléculas, substâncias químicas, células, tecidos, órgãos e sistemas do corpo funcionem a partir de um campo de informações mais organizadas.

É como ouvir estática no rádio e então sintonizar um sinal claro, no qual a estática de repente desaparece e você pode ouvir a música. Seu cérebro e sistema nervoso fazem o mesmo ao sintonizar frequências mais altas e mais coerentes. Quando isso ocorre, você não mais está sujeito à lei da entropia. Você experimenta a entropia reversa, e a assinatura coerente do campo de energia ao redor do seu corpo o deixa imune às leis típicas da realidade física. Agora todos os ventiladores atômicos giram em uma frequência coerente mais rápida, e as moléculas, substâncias químicas e células que compõem seu corpo recebem novas informações, de modo que sua energia tem efeito positivo sobre seu corpo. As figuras 8.5A, 8.5B e 8.5C ilustram como uma frequência de energia mais alta e coerente sincroniza uma frequência de matéria mais lenta e incoerente, elevando a matéria a uma nova mente.

FIGURA 8.5A

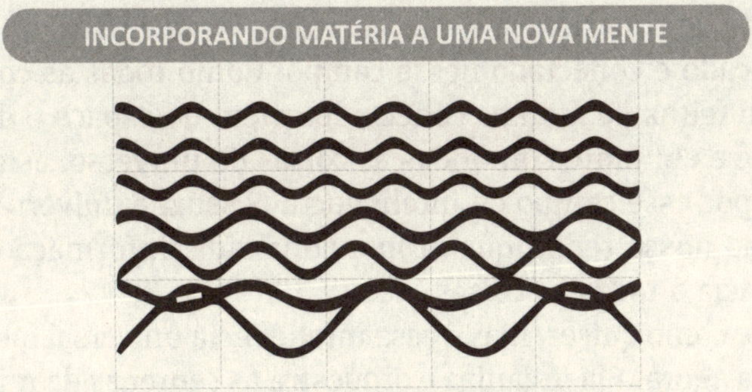

FIGURA 8.5B

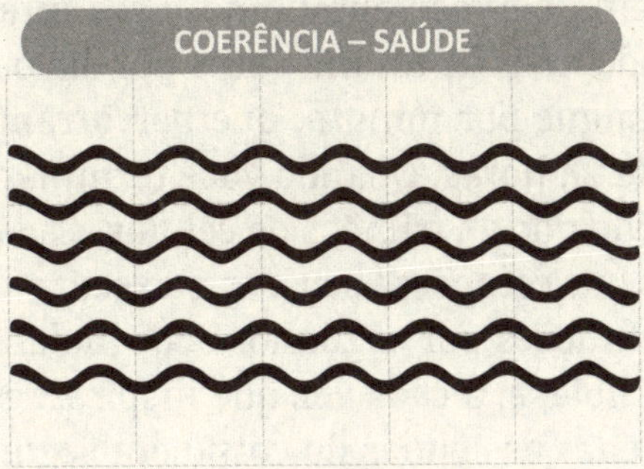

FIGURA 8.5C

Quando a energia mais elevada e mais coerente interage com a energia mais lenta e incoerente, começa a levar a matéria a um estado mais organizado.

Quanto mais organizada e coerente sua energia, mais você sincroniza a matéria em uma frequência organizada, e quanto mais rápida essa frequência, melhor e mais intenso o sinal eletromagnético que a célula recebe. Lembre o que você aprendeu no capítulo anterior, que as células são cem vezes mais sensíveis aos sinais eletromagnéticos (energia) do que aos sinais químicos, e são estes que alteram a expressão do DNA. Quanto mais incoerente e não sincronizada sua energia, menor a capacidade das células de se comunicar. Você aprenderá a ciência de como criar coerência muito em breve.

Além da soleira quântica

Como o campo quântico é um campo invisível de informação, é a frequência além do espaço e do tempo de onde todas as coisas provêm e é composto de consciência e energia, tudo o que é físico no universo está unificado e conectado nesse campo. Como todas as coisas materiais são feitas de átomos conectados além do espaço e do tempo, então você e eu, junto com todas as coisas do universo, estamos conectados por esse campo de inteligência pessoal e universal, dentro de nós e ao nosso redor, que proporciona vida, informação, energia e consciência a todas as coisas.

Chame como quiser, mas é essa inteligência universal que está lhe dando vida agora. Ela organiza e orquestra as centenas de milhares de notas da sinfonia harmoniosa que é sua fisiologia, as coisas que fazem parte do seu sistema nervoso autônomo. Essa inteligência mantém seu coração batendo mais de 101 mil vezes por dia para bombear mais de 7,5 litros de sangue por minuto, que percorrem mais de 160 mil quilômetros a cada 24 horas. Quando você terminar de ler esta frase, seu corpo terá produzido 25 trilhões de células. Cada uma das setenta trilhões de células que compõem seu corpo executa algo entre cem mil e seis trilhões de funções por segundo. Você inalará dois milhões de litros de oxigênio hoje, e, a cada vez que inspirar, esse oxigênio será distribuído para todas as células do corpo em segundos.

Você acompanha tudo isso de forma consciente? Ou algo que tem uma mente e uma vontade muito maiores que as suas faz isso por você? Isso é amor. De fato, essa inteligência o ama tanto que o traz à vida por amor. É a mesma mente universal que anima todos os aspectos do universo material. Esse campo invisível da inteligência existe além do espaço e do tempo, e dele provêm todas as coisas materiais.

Essa inteligência faz nascer supernovas em galáxias distantes, faz as rosas desabrocharem em Versalhes. Mantém os planetas girando ao redor do Sol e as marés subindo e descendo em Malibu. Como existe em todos os lugares, em todos os momentos e está dentro de você e ao seu redor, essa inteligência deve ser pessoal e universal. Portanto, há uma consciência subjetiva de livre-arbítrio (a consciência individual) chamada "você" e uma consciência objetiva (a consciência universal) responsável por toda a vida.

Se fechasse os olhos e desviasse a atenção de seu corpo e de todas as pessoas, coisas e eventos que surgem em diferentes momentos e lugares do ambiente externo, deixando o tempo de lado por um instante, você, como observador quântico, estaria removendo sua energia da vida familiar e investindo sua consciência no campo desconhecido das possibilidades. Como o local onde você coloca sua atenção é o local onde coloca sua energia, se continuar colocando sua consciência na vida conhecida, sua energia será investida nessa vida familiar. Contudo, se investisse sua energia no campo desconhecido das possibilidades além do espaço e do tempo e se tornasse uma consciência (um pensamento no potencial quântico), você atrairia uma nova experiência para si. Ao entrar em um estado meditativo, sua consciência subjetiva de livre-arbítrio se fundiria com a consciência objetiva universal, e você plantaria uma semente de possibilidade.

O sistema nervoso autônomo auto-organizado é sua conexão com a inteligência inata que mencionei e que executa todas essas funções automáticas para você. Com certeza o responsável pelas funções mencionadas não é o seu neocórtex pensante. São os centros cerebrais inferiores, abaixo do neocórtex, que executam o programa de modo subconsciente. É com essa inteligência amorosa que você se funde na meditação quando abandona o ego e passa de egoísta a altruísta, quando se torna pura consciência, quando não é mais um corpo no ambiente ou tempo linear, quando está além do corpo, do eu, das coisas, do tempo e do espaço. Quando você se torna simplesmente uma consciência em um campo infinito de possibilidades.

Você está no desconhecido. A partir do desconhecido, todas as coisas são criadas. Você está no campo quântico. E você e eu já temos todo o maquinário biológico necessário para realizar a façanha de nos tornarmos pura consciência.

Capítulo 9

Três histórias de transformação pessoal

Neste capítulo, você conhecerá algumas pessoas que colocaram a energia de sua consciência no mundo imaterial além dos sentidos e acolheram uma possibilidade repetidas vezes, até ela se materializar em suas vidas.

A história de Laurie

Aos 19 anos, Laurie foi diagnosticada com uma rara doença óssea degenerativa, chamada displasia fibrosa poliostótica. Nesse quadro de saúde debilitante, o corpo substitui o osso normal por um tecido fibroso de qualidade inferior, e a estrutura proteica de suporte do esqueleto se torna incomumente fina e irregular. O processo de crescimento atípico associado à síndrome faz com que os ossos inchem, enfraqueçam e depois fraturem. A displasia fibrosa pode ocorrer em qualquer parte do esqueleto; no corpo de Laurie, se manifestou no fêmur direito, na cavidade do quadril direito, na tíbia direita e em alguns ossos do pé direito. Os médicos disseram que não havia cura.

A displasia fibrosa é uma condição genética que em geral não se manifesta até a adolescência. No caso de Laurie, antes de qualquer sinal da doença aparecer, ela passou um ano inteiro mancando cheia de dor pelo *campus* da faculdade com o que acabou se revelando uma fratura do fêmur. Ela ficou chocada ao saber que havia quebrado um osso, pois não sofrera nenhum trauma. Excetuando o fato de ter um pé maior que o outro, até aquele momento Laurie não tivera nenhuma evidência de que havia algo de errado consigo. Tivera uma juventude relativamente ativa, exercitando-se com corrida, dança e tênis. Na época em que começou a mancar, até começara a treinar fisiculturismo competitivo.

Após o diagnóstico, a vida de Laurie mudou da noite para o dia. Seu cirurgião ortopédico avisou que ela era frágil e extremamente vulnerável. Insistiu em que ela andasse apenas de muletas até o agendamento das cirurgias: primeiro um enxerto ósseo, seguido da inserção de uma haste femoral de Russell-Taylor no eixo ósseo. Depois de ouvir a notícia, Laurie e sua mãe passaram uma hora chorando na cafeteria do hospital. Era como uma espécie de pesadelo; a vida de Laurie, como ela a conhecia, parecia ter terminado de repente.

A percepção de Laurie sobre suas limitações reais e imaginárias começou a dominar sua vida. Para evitar fraturas adicionais, seguiu as ordens do cirurgião; obediente, passou a usar muletas. Teve de sair do estágio de *marketing* que havia começado havia pouco em uma grande empresa de Manhattan. Em vez disso, começou a preencher os dias com consultas médicas. O pai insistiu em que ela fosse ao maior número possível de especialistas em ortopedia; a mãe, aos prantos, levou Laurie de um consultório para outro nas semanas seguintes.

Cada vez que via um novo médico, Laurie, perseverante, esperava um parecer diferente, apenas para receber as mesmas más notícias outra vez. Em poucos meses, dez cirurgiões haviam analisado seu caso. O último médico com que ela se consultou teve uma opinião diferente; disse que a cirurgia que os outros médicos haviam recomendado não ajudaria em nada porque a inserção da haste fortaleceria o osso doente apenas nos locais mais fracos e causaria mais fraturas na área mais vulnerável logo acima ou abaixo da haste. Aconselhou Laurie a esquecer a cirurgia e continuar usando muletas ou cadeira de rodas. Ou simplesmente tornar-se sedentária pelo resto da vida.

A partir de então, Laurie permaneceu quieta a maior parte do tempo, com medo de quebrar algum osso. Sentia-se impotente, pequena e frágil, cheia de ansiedade e pena de si mesma. Voltou para a faculdade um mês depois, mas ficou a maior parte do tempo confinada no apartamento que dividia com outras cinco mulheres. Cultivou uma capacidade impressionante de encobrir uma depressão clínica severa e crescente.

Medo do pai

O pai de Laurie era um homem violento desde que ela conseguia se lembrar. Mesmo depois de os filhos estarem crescidos, todos os membros da família tinham de estar preparados para a ira daquele homem de punhos rápidos nos momentos mais inesperados. Todo mundo vivia em estado de vigilância constante, perguntando-se quando o mau gênio dele irromperia. Embora Laurie com certeza não soubesse disso na época, o comportamento de seu pai tinha ligação intrínseca com seu quadro de saúde.

Os recém-nascidos passam uma enorme parte de seus dias no estado de ondas cerebrais delta. Durante os primeiros doze anos, as crianças progridem de forma gradual para um estado theta e depois para um estado alfa antes de chegar ao estado beta, em que passarão a maior parte da vida adulta. Como você leu antes, theta e alfa são estados de onda altamente sugestionáveis. Crianças pequenas ainda não têm uma mente analítica para editar ou entender o que acontece com elas; portanto, todas as informações que absorvem de suas experiências são codificadas diretamente na mente subconsciente.

Devido à maior sugestionabilidade, no momento em que se sentem emocionalmente alteradas por alguma experiência, as crianças prestam atenção a quem ou ao que quer que tenha causado aquilo; assim, ficam condicionadas a formar memórias associativas conectando aquela causa à emoção da experiência em si. Se a causa for um dos pais, com o tempo as crianças se apegam a esse cuidador e pensam que as emoções que sentem a partir da experiência são normais, pois ainda não têm capacidade de analisar a situação. É assim que as experiências da primeira infância se tornam estados de ser subconscientes.

Embora Laurie não soubesse quando seu problema de saúde foi diagnosticado, os eventos carregados de emoção que ela experimentara ao crescer com o pai ficaram marcados em seu sistema de memória implícito além da mente consciente, programando sua biologia. Sua reação à raiva do pai – sentir-se fraca, impotente, vulnerável, estressada e amedrontada todos os dias – tornou-se parte de seu sistema nervoso autônomo, de modo que seu corpo memorizou quimicamente aquelas emoções e o ambiente sinalizou os genes associados ao distúrbio para que se ativassem. Como essa resposta era autônoma, Laurie não seria capaz de alterá-la enquanto permanecesse presa ao corpo emocional. Ela só conseguia analisar seu estado de ser de acordo com as emoções do passado, mas as respostas de que precisava existiam além daquelas emoções.

Depois de Laurie receber o diagnóstico de displasia fibrosa, a mãe imediatamente anunciou para toda a família que a filha fora declarada "frágil" segundo a medicina moderna, a fim de que Laurie ficasse a salvo da violência física do pai. Embora ele tenha continuado a abusar emocional e verbalmente de Laurie até morrer, quinze anos depois, a doença ironicamente a protegeu de mais abusos físicos.

Consolidação da identidade na doença

O senso perverso de segurança que Laurie desenvolveu se tornou um meio de sobrevivência. Como resultado, ela começou a se beneficiar de um tratamento especial (quase sempre necessário). Fosse ocupando um assento no ônibus ou no metrô quando havia apenas espaço em pé, fazendo com que suas amigas esperassem em filas enquanto ela ficava sentada em algum banco próximo ou se acomodando rapidamente em um restaurante lotado, Laurie descobriu que sua doença começava a trabalhar para ela.

Laurie começou a confiar fortemente em sua doença para conseguir o que queria. Agora ela conseguia gerenciar melhor um mundo que nunca havia visto como seguro. O benefício emocional de manipular sua realidade para conseguir o que queria se tornou muito conveniente, e Laurie recebia muito mais do que realmente precisava para aliviar o estresse de seu corpo e evitar lesões. Em pouco tempo, a doença se tornou sua identidade.

A seguir, no final da adolescência, Laurie desenvolveu uma rebelião contra a vida que julgava ter-lhe sido imposta por seus médicos, seus pais e seu destino. No semestre seguinte após o diagnóstico, entrou em um sólido estado de negação da doença. Decidiu se tornar a primeira fisiculturista "manca", retornando ao esporte com devoção total. Em uma obsessão cega, ao mesmo tempo em que aguentava firme e impunha uma atitude positiva apenas com a mente consciente, Laurie encontrou maneiras criativas de suportar peso sem destroçar seus membros.

Pensou que, ao tentar superar a dor, se tornaria mais saudável. Só que seus esforços foram um tiro no pé, porque Laurie se sentia péssima a maior parte do tempo, e a dor piorava. Como às vezes acontece com pacientes com displasia fibrosa poliostótica, Laurie também desenvolveu escoliose e sofria de fortes dores nas costas o tempo todo. Quando tinha 20 anos, começou a desenvolver artrite na coluna e em outros lugares.

Depois de se formar na faculdade, apesar de se desdobrar entre uma casa nova e um novo emprego, Laurie tornou-se muito sedentária e se sentiu ainda mais isolada do mundo. Seu medo, ansiedade e depressão permaneceram. Ela invejava a vida da maioria de seus colegas, perdeu amizades e interesses românticos, porque vivia mais como seus pais do que como uma jovem.

Aos vinte e poucos anos, Laurie usava uma bengala o tempo todo para se locomover, mesmo quando não estava se recuperando de uma das doze fraturas graves que veio a sofrer. Como se esses problemas não fossem suficientes, também teve microfraturas perigosas. Seus ossos eram tão fracos que fraturas por estresse maiores apareciam sob fissuras microscópicas e se conectavam a outras áreas do osso enfraquecido para formar fraturas ainda maiores que podiam ser vistas nos raios X.

Aos 30 anos, Laurie tinha mais problemas nas costas do que o pai de 72 anos e basicamente envelheceu antes do tempo. Ficava dias de cama e faltava tantas semanas ao trabalho que era forçada a deixar os empregos. Adiou a pós-graduação porque a escola que a aceitara não tinha elevador. Teve que abrir mão de festas, visitas a museus, compras, viagens, *shows* e outras atividades que envolvessem muito tempo em pé ou andando. Ficou presa no ciclo de pensar e sentir que mencionei anteriormente. Laurie pensava que era limitada e frágil por dentro, e seu corpo manifestava limitação e fragilidade por fora. Quanto mais vulnerável e fraca Laurie se sentia, mais vulnerável e fraca ficava. Ao mesmo tempo, continuava a sofrer fraturas que reforçavam sua crença de que era frágil, reafirmando ainda mais sua identidade e validando seu estado de ser.

Laurie ajustou a dieta e tomou várias vitaminas e suplementos junto com as drogas para fortalecer os ossos, mas nada parecia deter as fraturas. Ela podia fraturar um osso simplesmente ao subir um lance de escadas ou mesmo ao descer um meio-fio. Era como esperar o próximo pesadelo da série.

Ironicamente, quando Laurie não estava usando muletas ou mancando, parecia perfeitamente saudável. A maioria das pessoas supunha que sua bengala fosse algum tipo de acessório excêntrico, e muitas não acreditavam que Laurie realmente tivesse uma doença debilitante, o que às vezes tornava difícil e frustrante receber o tratamento especial de que ela costumava precisar. Tentar convencer as pessoas de que tinha uma doença solidificou ainda mais a identidade de Laurie como uma pessoa doente, estabeleceu sua intenção de provar que era deficiente e ancorou sua crença no *status* de deficiente. Enquanto o resto do mundo parecia dar duro para esconder suas fraquezas e vulnerabilidades, Laurie descobriu que vivia anunciando as dela constantemente.

Laurie gastava muita energia tentando controlar seu ambiente o máximo possível. Prestava muita atenção a tudo o que comia e bebia, medindo tudo o que consumia. Cada caminhada pela vizinhança era calculada. Ela até pesou o quanto podia levar do supermercado para casa: 4,5 quilos, que era também o limite do peso que poderia engordar sem piorar a condição de seus ossos.

Era exaustivo, mas era tudo o que Laurie sabia fazer. Seu leque de opções ficou cada vez mais reduzido à medida que ela limitava a quantidade de coisas que podia fazer na tentativa de evitar fraturas. À medida que seu estilo de vida se estreitava, sua mente se estreitava junto. Os medos de Laurie aumentaram, a depressão piorou. Quando enfim tentou trabalhar de novo, não conseguiu nem sequer manter um emprego.

A mesma mulher que havia sido corredora, dançarina e fisiculturista competitiva agora estava limitada a fazer ioga só para manter a forma. Aos trinta e poucos anos, até a *hatha* ioga passou a ser demais para Laurie. A partir dali, durante anos seu exercício ficou reduzido a sentar-se em uma cadeira e respirar vigorosamente (embora o médico enfim permitisse que Laurie voltasse a nadar aos 40 anos).

Laurie fez algumas tentativas de cura com terapeutas, homeopatas, médicos holísticos, terapias energéticas, terapias do som, sempre buscando soluções fora de si. Algumas vezes se sentia melhor após uma cura energética, ia direto para o ortopedista e exigia novos raios X, apenas para murchar quando os resultados retornavam inalterados.

Acabou pensando: "Talvez isso seja o melhor que dê para ficar". Acordava abatida todas as manhãs, dominada por um sentimento de pavor, convencida de que não conseguiria lidar com o que quer que o mundo lhe reservasse.

Laurie aprende o que é possível

Laurie e eu nos conhecemos em 2009, depois de ela assistir a *Quem somos nós?* e ficar fascinada pelo conceito de que uma pessoa poderia criar uma vida totalmente nova. Nos conhecemos por acaso, enquanto eu jantava antes de um *workshop* que estava ministrando em um centro de retiros perto de Nova York. Conversamos sobre os cursos de mudança pessoal que eu dava, e ela se matriculou imediatamente para minha turma seguinte, em agosto.

Quando Laurie chegou ao seu primeiro evento, ouviu que era absolutamente possível mudar seu cérebro, seus pensamentos, seu corpo, seu estado emocional e sua expressão genética. Durante o *workshop*, falei sobre mudanças físicas, mas as crenças de Laurie sobre sua doença e seu corpo eram tenazes, e suas emoções estavam presas com firmeza em seu passado. Ela não tinha absolutamente nenhuma intenção de curar seu corpo, principalmente porque não acreditava que fosse possível. Ela participou do curso só porque queria se sentir melhor por dentro.

Laurie tratou de aplicar os princípios que ensinei da melhor maneira possível, mesmo que não parecesse se sentir diferente. A primeira coisa que fez, quase imediatamente após o primeiro curso de fim de semana, foi parar de compartilhar seu diagnóstico com outras pessoas. Embora não pudesse controlar suas emoções, concluiu que ainda tinha controle sobre o que dizia em voz alta. Portanto, a menos que precisasse pedir uma cadeira em uma festa ou explicar a um ficante por que não poderia sair para dar uma caminhada com ele, Laurie parou de reconhecer sua condição. Optou por enfocar para onde estava indo no futuro: em direção a um eu interior feliz, a uma conexão profunda com alguma fonte divina desconhecida, a um trabalho maravilhoso em que se destacasse, a um parceiro de vida e a relacionamentos íntimos e saudáveis com amigos e parentes.

Laurie se concentrou em mudar alguns comportamentos simples. Observava seus pensamentos e palavras e lembrava-se de interromper os velhos padrões repetitivos e destrutivos. Continuou fazendo as meditações e participando dos meus cursos. Para atribuir significado ao que estava fazendo, relia religiosamente as anotações de aula e mantinha contato com colegas de curso. Com o tempo, em uma pequena, mas perceptível, parte do dia, Laurie passou a se sentir melhor, mais disposta, mais apta e mais forte. Ela dizia "Mude" para si mesma vinte vezes por dia, sempre que notava que sua mente estava se extraviando no passado. Embora os pensamentos negativos se infiltrassem centenas de vezes por dia, pouco a pouco Laurie criou alguns pensamentos novos, anotou-os e tentou acreditar neles profundamente.

Laurie deu duro, mas levou quase dois anos para realmente conseguir sentir os novos pensamentos. Em vez de ficar frustrada durante o período de espera, Laurie lembrava a si mesma de que levara muito tempo para criar a doença a partir de seu estado emocional, de modo que levaria algum tempo para parar de criar. Também lembrava-se de que teria que passar pela morte biológica, neurológica, química e genética do velho eu antes que o novo eu surgisse.

As circunstâncias em seu ambiente externo pioraram antes de melhorar. Uma inundação destruiu o apartamento de Laurie, e outras situações em seu prédio criaram novos problemas de saúde. Laurie contou que, toda vez que se sentava para fazer sua meditação e ensaiar sua vida ideal, sentia como se estivesse mentindo para si mesma; depois, abrir os olhos para as circunstâncias do presente parecia um tapa na cara. Incentivei-a a parar de definir a realidade com seus sentidos e a continuar atravessando o rio da mudança.

Laurie ainda chegava aos *workshops* mancando, às vezes mal-humorada, às vezes agradecida, e seguia na lida. Reuniu o máximo de colegas locais que pôde para meditarem juntos. Dificilmente quaisquer situações na vida de Laurie eram agradáveis, então ela pensava: "Que diabos, posso muito bem fechar os olhos e ter uma hora por dia em que a realidade pareça diferente e eu tenha um corpo sem dor, um lar seguro e tranquilo e um relacionamento pleno e amoroso com o mundo exterior e com meus amigos e familiares".

No começo de 2012, durante um de meus *workshops* progressivos, Laurie teve um aprofundamento significativo em sua experiência de meditação. Foi um sacode literal e figurativo até o seu âmago. Fisicamente, foi como uma perturbação seguida de uma liberação. Seu corpo estremeceu, o rosto se contorceu e os braços voaram para o alto enquanto ela fazia de tudo para ficar firme na cadeira. Emocionalmente, foi uma alegria inexplicável. Laurie chorou, riu, e de sua boca saíram sons que ela não conseguia explicar. Todo o medo e controle que ela antes usava para se manter senhora de si enfim afrouxaram. Pela primeira vez ela sentiu uma presença divina e soube que não estava mais sozinha.

Laurie contou: "Senti algo, alguém, uma presença divina, e essa consciência não ignorava minha existência e não descuidava do meu bem-estar, como eu antes parecia acreditar. Essa consciência estava prestando atenção. Perceber isso foi uma mudança avassaladora para mim". Toda a energia que Laurie colocava no controle de seus movimentos físicos e de sua vida em geral enfim começou a relaxar e se descontrair, e a energia que ela usava para manter o controle começou a ficar livre.

No evento seguinte, notei que Laurie estava andando sem bengala e sem mancar. Ela estava feliz, sorridente, rindo consigo mesma, em vez de irritada, carrancuda e trêmula de dor. Estava transmutando medo em coragem, frustração em paciência, dor em alegria e fraqueza em força. Estava começando a mudar. Por dentro e por fora. Livre do vício das emoções limitantes, seu corpo agora vivia menos no passado, enquanto Laurie se movia na direção de um novo futuro.

No começo da primavera de 2012, o ortopedista disse a Laurie, durante um exame de rotina, que cerca de dois terços do comprimento de uma fratura que ela tinha no fêmur desde os 19 anos (e que aparecera em todos os cerca de cem raios X feitos até então) haviam desaparecido. Ele não tinha nenhuma explicação a oferecer, mas sugeriu que Laurie começasse a andar de bicicleta na academia por dez minutos duas vezes por semana. A mensagem foi como música para os ouvidos de Laurie, e lá se foi ela.

Sucesso e contratempos

Todo o trabalho de Laurie para atravessar o rio da mudança estava começando a valer a pena. Ela enfim estava obtendo um *feedback* que confirmava algum tipo de progresso físico. Ao ir além de seu corpo, do ambiente e do tempo todos os dias, Laurie também ia além da personalidade conectada à sua realidade externa presente e passada, além de seu corpo emocionalmente viciado e habituado e além do futuro previsível que sempre havia esperado com base em sua memória. Todo o esforço de Laurie para suplantar sua mente analítica, mudar suas ondas cerebrais para um estado mais sugestionável, encontrar o momento presente e se aventurar no sistema de programação emocionalmente alterado no início de sua vida enfim estava gerando mudanças.

Laurie começou a acreditar que sua mente estava curando seu corpo apenas pelo pensamento. E a velha fratura ligada ao antigo eu estava sendo curada porque Laurie estava literalmente se tornando outra pessoa. Ela não mais disparava e conectava os circuitos do cérebro conectados à antiga personalidade porque não mais pensava e agia da mesma maneira. Ela parou de condicionar seu corpo à mesma mente por reviver o passado com as mesmas emoções. Ela estava "desmemorizando" o antigo eu e se lembrando de ser um novo eu, ou seja, disparando e conectando novos pensamentos e ações no cérebro, mudando sua mentalidade e ensinando emocionalmente a seu corpo como seria seu futuro eu.

Laurie estava sinalizando novos genes de novas maneiras durante a meditação diária por simplesmente mudar seu estado de ser. Esses genes estavam produzindo novas proteínas que estavam curando as proteínas responsáveis pelas fraturas relacionadas à doença. A partir do que aprendeu nos *workshops*, ela deduziu que suas células ósseas precisavam receber o sinal certo de sua mente para desativar o gene da displasia fibrosa e ligar o gene para a produção de uma matriz óssea normal. Ela explicou assim:

> Eu sabia que, ao longo dos anos, todas aquelas fraturas haviam se manifestado estruturalmente a partir da expressão de proteínas enfermas em minhas células ósseas porque eu vivia no modo de sobrevivência, com emoções de medo, vitimização e dor. E me sentia fraca. Eu tinha poder suficiente para manifestar fraqueza com perfeição no meu corpo. Programei os genes para permanecerem ligados porque memorizei essas emoções subconscientemente no corpo. Meu corpo, como minha mente, vivia no passado. Então imaginei que, se os ossos são feitos de colágeno, que é uma proteína,

e se eu quisesse que minhas células ósseas produzissem colágeno saudável, teria de entrar no meu sistema nervoso autônomo, ir além da minha mente analítica, ultrapassar minha mente subconsciente, reprogramar meu corpo com novas informações e permitir que ele recebesse novas ordens todos os dias. Quando recebi as boas notícias, senti que já estava no meio do rio da mudança.

Laurie manteve suas meditações e continuou a participar de meus *workshops*. Continuou a ter momentos de dor física, mas a frequência, intensidade e duração desses episódios diminuíram consideravelmente. Ela fez o máximo de mudanças possível. Trocou de academia só para frequentar um ambiente diferente. Passou a aplicar o desodorante primeiro na axila direita, não na esquerda. Cruzava os braços com o esquerdo por cima do direito, em vez do direito sobre o esquerdo, como lhe era mais natural, sempre que se lembrava de fazê-lo. Sentava-se em uma cadeira diferente em seu apartamento. Dormia do outro lado da cama, embora isso significasse dar a volta até o outro lado da cama.

Ela relatou: "Por mais ridículo que possa parecer, eu estava tentando dar a meu corpo o maior número possível de sinais novos e diferentes. Como me mudar para um casarão nos Hamptons não era realista, essas pequenas coisas tinham que quebrar o galho".

Laurie chegou a colocar bilhetes por toda parte em seu ambiente para se lembrar de permanecer consciente e provocar pensamentos e sentimentos sobre o futuro. Ela escreveu "Sou grata", "Anime-se!", "Amor" em fita crepe e colou as notas atrás de várias portas. Colou um bilhete no painel do carro dizendo: "Seus pensamentos são incrivelmente poderosos. Escolha-os com sabedoria". Bilhetes de incentivo e afirmações não eram novidade para Laurie, mas ela nunca conseguira acreditar neles antes porque não sabia como mudar suas crenças.

No final de janeiro de 2013, quando se consultou com o ortopedista de novo, ele disse que, pela primeira vez em 28 anos, não havia evidências de fraturas. Nenhuma. Os ossos estavam inteiros, sem danos. Laurie escreveu para mim: "Não consigo expressar em palavras a alegria que isso me dá. Agora me sinto empoderada e encorajada. Sei que já passei da metade do caminho no rio da mudança".

Suas células ósseas agora estavam programadas para produzir novas proteínas saudáveis. Seu sistema nervoso autônomo estava restaurando o equilíbrio dentro de seu corpo em nível físico, químico e emocional; estava realizando a cura por meio de uma inteligência maior. Laurie sabia que podia confiar e se entregar mais agora. Seu corpo continuava a responder a uma nova mente.

No mês seguinte à consulta com o ortopedista, Laurie voou para o Arizona para um de meus *workshops* avançados. Uma hora depois de chegar, recebeu um telefonema do assistente do médico, informando que os resultados dos exames de sangue e urina tinham chegado e indicavam que a doença ainda estava bastante ativa. O médico recomendou que ela retomasse a terapia com bifosfonatos intravenosos pela primeira vez em muitos anos.

Laurie ficou com o coração partido. Os raios X haviam dado a impressão de que ela estava sã novamente, mas os testes de laboratório indicavam o contrário. Em questão de segundos ela perdeu o prumo e teve certeza de que havia fracassado. Quando me contou a notícia, assegurei que seu corpo ainda estava vivendo no passado e só precisava de mais um tempo para emparelhar com sua mente. Sugeri que continuasse o trabalho por mais alguns meses e então refizesse o teste de urina.

Inspirada por algumas pessoas de nossos *workshops* que realizaram mudanças na saúde, Laurie voltou para casa e praticou a sério. Em suas meditações, sentia vívida e intensamente a vida que poderia ter. Parou de se imaginar só com ossos curados e se imaginou bem no todo – cheia de vida, radiante, resistente, jovial, com boa saúde e energia. Ensaiava mentalmente e acolhia emocionalmente tudo o que queria, incluindo um corpo funcional e ágil. Dizia a si mesma que a idosa que tinha sido entre os 19 e 47 anos era apenas uma história do passado.

Mente nova, novo corpo

Nos meses seguintes, Laurie simplesmente começou a se sentir mais feliz, mais alegre, mais livre e mais saudável. Começou a pensar com mais clareza sobre o futuro. Raramente sentia dores no corpo, e caminhava sem auxílio.

Quando maio de 2013 chegou, Laurie sentiu certo receio de refazer o teste de laboratório. Adiou a consulta para junho. Discutiu sua hesitação e ansiedade com uma aluna experiente dos *workshops*, que lhe pediu para pensar em algumas coisas boas que podia imaginar a respeito de entrar no hospital e fazer o exame. Naquele momento, Laurie percebeu que tinha muitos recursos emocionais positivos e vivificadores a que recorrer. Começou a citar uma longa lista, mencionando a limpeza do hospital, a solicitude de todos os funcionários, a facilidade para ir lá e ser atendida. Era exatamente a mudança de foco de que ela precisava.

No dia da consulta, enquanto dirigia para o hospital, Laurie agradeceu pelo sol brilhante, pelo trânsito que fluía bem, por seu carro, por sua perna que ajudava na condução do veículo, pela visão perfeita, pela vaga para estacionar que encontrou com facilidade e assim por diante. Tempos depois ela relatou:

> **Entrei, dei meu nome, fechei os olhos e meditei na sala de espera até chegar a minha vez. Urinei em um recipiente, entreguei o potinho para a enfermeira e fui embora, sentindo-me grata pelo simples ato de caminhar. Larguei o resultado de mão. Totalmente. Em meu íntimo eu estava bem, fosse qual fosse o resultado. Isso me permitiu esquecer o assunto por completo. Eu não esperava nada. Sentia-me feliz, obsessivamente agradecida. Parei de analisar e apenas confiei.**

Laurie lembrou-se de eu ter dito que, no momento em que ela começava a analisar como ou quando ocorreria a cura, isso significava que ela estava voltando ao antigo eu, porque o novo eu nunca pensaria dessa maneira insegura. Laurie prosseguiu:

> **Então, sem motivo, simplesmente me senti grata no presente, antes da experiência real. Eu não precisava esperar os resultados para me sentir feliz ou agradecida. Eu estava em um estado de gratidão autêntica, apaixonada pela vida, como se aquilo já tivesse acontecido. Eu não precisava mais de algo fora de mim para me fazer feliz. Eu já estava inteira e feliz porque algo dentro de mim era mais inteiro e completo.**

Ela não tinha quase nada em qualquer "grande escala" externa para medir seu sucesso, satisfação e segurança. Não tinha renda, nem casa, nem parceiro, nem um negócio, nem filhos, nem mesmo qualquer trabalho voluntário recente do qual sentisse particular orgulho. Mas Laurie tinha o amor dos amigos e dos membros da família com quem conseguia se relacionar. E tinha um novo amor por si mesma. Ela havia percebido que nunca tivera amor por si antes, apenas interesse próprio. Mais tarde, comentou que era uma distinção que ela jamais teria entendido em seu antigo estado mental estreito. Laurie se sentia bem contente consigo e com sua vida. "Pela primeira vez desde que comecei essa jornada, simplesmente não estava dando bola para o exame. Estava feliz comigo mesma."

Duas alegres semanas depois, chegaram os resultados dos exames. O assistente do médico disse a Laurie: "Seus resultados estão perfeitamente normais. O índice foi de 40. Em apenas cinco meses, os valores caíram de um nível anormal e elevado de 68 para o atual".

Laurie havia atravessado o rio e estava na praia de uma nova vida. Não havia mais evidências de seu passado vivendo em seu corpo. Ela estava livre. Havia nascido de novo. Ela me disse:

> Ocorreu-me de súbito que minha identidade como "paciente" e "pessoa enferma, portadora de uma doença" havia se tornado mais forte do que qualquer outro papel que desempenhei na vida. Eu fingia ser essa pessoa, mas o tempo todo eu sabia que não era. Toda a minha atenção e energia foram consumidas em ser paciente, em vez de ser mulher, namorada, filha, funcionária ou até mesmo uma pessoa feliz e completa. Agora sei que não havia energia disponível para eu ser outra pessoa até tirar a atenção da minha antiga personalidade e do meu antigo eu e reinvestir minha atenção e energia em um novo eu. Sou muito grata por agora ser eu em vez de ser aquela.

Laurie não tem arrependimentos e ressentimentos significativos, nem sensação de perda por causa do passado. Como ela diz:

> Eu não gostaria de julgar, guardar rancor de meu passado ou renunciar a ele, porque essa escolha eliminaria o sentimento de totalidade. É como se minha condição passada na verdade fosse

uma bênção, porque superei minhas limitações e agora estou apaixonada por quem sou. Estou em paz. Mudei de verdade em nível biológico e celular. Sou a prova da mensagem de que sua mente pode curar seu corpo, e, acredite, ninguém fica mais surpreso do que eu.

A história de Candace

Em apenas um ano, o relacionamento de Candace já não estava funcionando. Após os primeiros meses juntos, ela e o namorado enredaram-se em brigas incessantes, acusações voláteis, desconfiança constante e trocas de acusações contínuas. Ambos eram ciumentos e inseguros, então suas conversas eram frustrantes, na melhor das hipóteses. Os dois eram assombrados por expectativas insatisfeitas que o outro não tinha esperança de tornar realidade.

Com uma raiva que desconhecia, Candace se viu em disputas violentas aos gritos e tendo chiliques incontroláveis. Esses rompantes faziam com que se sentisse indigna, vitimada e insegura. Todo esse comportamento era novidade para ela; Candace nunca havia sido uma pessoa irritada, frustrada ou aborrecida e jamais tivera chiliques em 28 anos de vida.

Embora no fundo soubesse que permanecer naquela situação não era benéfico, Candace não conseguia escapar do apego emocional ao relacionamento doentio. Como ficou viciada nas emoções estressantes, aquela se tornou sua nova identidade. Sua realidade pessoal criou sua nova personalidade. O ambiente externo de Candace controlava como ela pensava, agia e sentia. Ela se tornou uma vítima presa na própria vida.

Inundada pela forte energia das emoções de sobrevivência, Candace começou a funcionar como uma viciada, precisando daquele jorro emocional de sentimentos e acreditando que era algo "lá fora" que fazia com que ela sentisse, pensasse e reagisse de determinadas maneiras. Ela não conseguia pensar ou agir melhor do que se sentia. Presa naquele estado emocional, recriava e repetia os mesmos pensamentos, as mesmas escolhas, os mesmos comportamentos e as mesmas experiências.

Candace usava o namorado e todas as condições em seu mundo exterior para reafirmar quem ela pensava ser. Sua necessidade de sentir raiva, frustração, insegurança, desvalor, medo e vitimização estava associada ao relacionamento. Embora aquilo não servisse a seus ideais mais elevados, Candace tinha muito medo de mudar para remediar a situação. Ficou tão apegada àquelas emoções que reafirmavam sua identidade que preferia experimentar os sentimentos tóxicos familiares constantemente a ir embora e abraçar o desconhecido, dar um passo do conhecido para o desconhecido. Candace começou a acreditar que ela fosse as suas emoções; como resultado, memorizou uma personalidade baseada no passado que havia criado.

Cerca de três meses depois que as coisas começaram a degringolar de vez, o corpo de Candace não conseguiu mais suportar o estresse do estado emocional exacerbado. Seu cabelo começou a cair em chumaços; em questão de semanas, quase um terço se fora. Ela começou a apresentar enxaquecas severas, fadiga crônica, problemas gastrointestinais, pouca concentração, insônia, aumento de peso, dor constante e inúmeros outros sintomas debilitantes que a destruíam silenciosamente.

Uma jovem de natureza intuitiva, Candace sentiu que a "doença" era um produto autoinfligido das questões emocionais. Pensar no relacionamento já era o bastante para desequilibrá-la fisiologicamente em antecipação a outro conflito. Candace ativava os hormônios do estresse e seu sistema nervoso autônomo apenas pelo pensamento. Cada vez que pensava no parceiro, falava ou reclamava do relacionamento para a família e os amigos, condicionava seu corpo à mente daquelas emoções. Era a conexão mente-corpo total, e, como Candace não conseguia desativar a resposta ao estresse, acabou por começar a regular os genes negativamente. Seus pensamentos estavam deixando-a literalmente doente.

Após seis meses de relacionamento, Candace vivia em completa disfunção, nos mais elevados níveis de estresse. Embora àquela altura já tivesse certeza de que os sintomas em seu corpo eram um sinal de alerta, subconscientemente continuou a escolher a mesma realidade que agora era seu estado normal de ser. Ao bombardear seu corpo com emoções negativas de sobrevivência, Candace sinalizava os genes errados de maneira errada.

Candace sentia-se morrendo lentamente de dentro para fora, sabia que precisava assumir o controle de sua vida, mas não tinha ideia de como fazê-lo. Como não conseguia encontrar coragem para sair do relacionamento, permaneceu nele por mais de um ano, vivendo em um atoleiro permanente de ressentimento e raiva. Certa ou não em sentir aquelas emoções, Candace assistiu a seu corpo pagar o preço.

Candace paga o pato

Em novembro de 2010, Candace enfim foi ao médico, que diagnosticou doença de Hashimoto (também conhecida como tireoidite de Hashimoto ou tireoidite linfocítica crônica), doença autoimune em que o sistema imunológico ataca a glândula tireoide. A doença de Hashimoto é marcada por hipotireoidismo (tireoide pouco ativa) com crises ocasionais de hipertireoidismo (tireoide hiperativa). Os sintomas – muitos dos quais Candace experimentava – incluem aumento de peso, depressão, mania, sensibilidade ao calor e ao frio, dormência, fadiga crônica, ataques de pânico, frequência cardíaca anormal, colesterol alto, baixo nível de açúcar no sangue, prisão de ventre, enxaquecas, fraqueza muscular, rigidez articular, cãibras, perda de memória, problemas de visão, infertilidade e queda de cabelo.

Durante a consulta, o endocrinologista disse a Candace que seu problema de saúde era genético e que nada poderia ser feito. Ela teria a doença de Hashimoto pelo resto da vida e precisaria tomar medicação para a tireoide indefinidamente, porque sua contagem de anticorpos nunca mudaria. Embora mais adiante Candace descobrisse que não havia histórico familiar da doença, a sorte pareceu lançada.

Ter um diagnóstico concreto proporcionou a Candace a dádiva inesperada da conscientização. Era evidente que ela precisava de um alerta, e ali estava ele. O colapso físico a fez refletir sobre o passado e ver a verdade de quem ela estava sendo. Caiu a ficha de que ela era a única responsável pela criação de uma doença autoimune que aos poucos a destruía física, emocional e mentalmente. Candace vivia em estado de emergência constante. Toda a energia de seu corpo era usada para mantê-la segura no ambiente externo, e não sobrava energia alguma para o ambiente interno. Seu sistema imunológico não aguentava mais.

Apesar do medo angustiante da mudança e do desconhecido, Candace enfim decidiu deixar o relacionamento cinco meses depois. Ela tinha plena compreensão de que o relacionamento não era saudável e não a beneficiava. Ela se perguntou: “Qual é o negócio?

Permanecer na disfunção e me jogar mais fundo no buraco? Ou escolher a liberdade e a possibilidade? Essa é a minha chance de uma vida nova e diferente".

A adversidade de Candace se tornou a gênese de sua evolução, autorreflexão e expansão. Ela se viu parada na beira do penhasco, querendo saltar para o desconhecido. A decisão de pular e mudar se tornou uma experiência apaixonante. Então ela saltou para o que via como infinitas possibilidades e potenciais, empurrada pelo desejo de finalmente parar de fazer o que não era amoroso para si e poder reescrever seu código biológico.

Foi um momento decisivo na vida de Candace. Ela havia lido meus dois livros anteriores, participado de um dos meus primeiros *workshops*, e sabia que, se acolhesse o diagnóstico e as emoções de medo, preocupação, ansiedade e tristeza que a doença inspirava, iria se autossugestionar e acreditar apenas em pensamentos iguais àqueles sentimentos. Ela poderia tentar pensar positivamente, mas seu corpo passava mal, então não funcionaria. Fazer tal escolha seria o placebo errado, o estado de ser errado.

Assim, Candace decidiu não aceitar sua doença. Recusou respeitosamente o diagnóstico do médico, lembrando-se de que a mente que cria a doença é a mesma que cria o bem-estar. Ela sabia que tinha de mudar suas crenças sobre o diagnóstico respaldado pela comunidade médica. Candace escolheu não ser sugestionável aos conselhos e opiniões de seu médico porque não estava com medo, vitimizada ou triste.

Na verdade, Candace estava otimista e entusiasmada, e essas emoções geraram um novo conjunto de pensamentos que lhe permitiram ver uma nova possibilidade. Ela não aceitou o diagnóstico, nem o prognóstico, nem o tratamento; não acreditou apressadamente no resultado nem no destino futuro mais provável; não se rendeu permanentemente ao diagnóstico nem ao plano de tratamento. Não condicionou seu corpo ao pior cenário futuro, não esperou o mesmo resultado previsível que todos os outros esperavam, nem atribuiu o mesmo significado que todos os demais com a mesma doença. Ela teve uma atitude diferente, então ficou em um estado de ser diferente.

Candace trata de se mexer

Embora Candace não aceitasse sua condição, havia muito trabalho pela frente. Ela sabia que, para mudar sua crença sobre a doença, teria de fazer uma escolha com uma amplitude de energia maior do que os programas conectados em seu cérebro e do que os vícios emocionais de seu corpo a fim de que o corpo pudesse responder a uma nova mente. Só então ela poderia experimentar a mudança energética necessária para reescrever seus programas subconscientes e apagar seu passado neurológica e geneticamente. Foi exatamente isso que começou a acontecer.

Embora Candace tivesse me ouvido falar tudo isso antes e tivesse conhecimento intelectual do assunto, nunca havia assimilado as informações a partir da experiência própria. No primeiro *workshop* a que compareceu após o diagnóstico, parecia exausta e caía no sono em sua cadeira. Eu sabia que ela estava lutando.

Quando chegou para o *workshop* seguinte, ela já tomava remédios para corrigir o estado químico desequilibrado da tireoide havia pouco mais de um mês, e estava mais alerta e interessada. Candace ficou incrivelmente inspirada com as histórias que contei durante o fim de semana. Quando ficou sabendo de outras pessoas que não eram vítimas das circunstâncias de seus mundos externos e que curas incomuns podiam acontecer, decidiu ser seu próprio projeto científico.

Então embarcou na jornada. Tendo conhecimento de epigenética e neuroplasticidade por causa de meus *workshops*, Candace sabia que não era mais vítima da doença e usou tudo o que sabia para se tornar proativa. Atribuiu um significado diferente ao seu futuro e com isso estabeleceu uma intenção diferente. Acordava todos os dias às 4h30 para fazer sua meditação e começou a condicionar emocionalmente o corpo a uma nova mente. Trabalhou para encontrar o momento presente, que percebeu ter perdido fazia tempo.

Candace queria ser feliz e saudável, então lutou muito para reaver sua vida. Mesmo assim, no começo foi penoso. Ela ficava muito frustrada por não conseguir ficar sentada por um longo período. Seu corpo, que havia sido treinado para ser a mente de frustração, raiva, impaciência e vitimização, compreensivelmente se rebelou. Como se estivesse treinando um animal indisciplinado, Candace teve de continuar acomodando o corpo no momento presente. Toda vez que passava pelo processo, recondicionava seu corpo a uma nova mente e se libertava um pouco mais dos grilhões do vício emocional.

Em suas meditações, Candace trabalhava todos os dias para superar seu corpo, seu ambiente e o tempo. Recusava-se a se levantar como a mesma pessoa que havia sentado para fazer a meditação, porque a velha Candace era quem havia ficado raivosa, frustrada e muito viciada quimicamente nas circunstâncias externas. Ela não queria mais ser aquela pessoa. Ouvia as meditações, emulava um novo estado de ser e não parava até estar apaixonada pela vida, em estado de gratidão genuíno, sem motivo específico.

Candace aplicou tudo o que aprendera participando de meus *workshops*, ouvindo todos os CDs, lendo todos os livros (mais de uma vez) e estudando suas anotações dos cursos. Com isso, foi conectando novas informações em seu cérebro a fim de se preparar para uma nova experiência de cura. Descobriu que conseguia abster-se com frequência cada vez maior de disparar e conectar as velhas conexões neurais de raiva, frustração, ressentimento, arrogância e desconfiança e que começava a conseguir disparar e conectar as novas conexões neurais de amor, alegria, compaixão e bondade. Ao fazer isso, Candace soube que estava podando as velhas conexões e fazendo brotar novas. Quanto mais se esforçava com vigor mental, mais se transformava.

Com o tempo, Candace ficou incrivelmente grata por estar viva, percebendo que, onde havia harmonia, a incoerência não tinha vez. Dizia a si mesma: "Não sou a velha Candace e não estou mais reafirmando aquela existência". Perseverou meses a fio. Quando dava por si sendo levada para o menor denominador comum, ficando zangada ou frustrada com as condições de seu mundo externo, ou se sentindo doente ou infeliz, dava uma guinada consciente. Ao mudar seu estado de ser com grande rapidez, Candace conseguia encurtar os períodos em que aquelas emoções a dominavam e assim ficava menos rabugenta, menos temperamental e menos parecida com a antiga personalidade.

Em alguns dias Candace se sentia tão mal que não queria sair da cama, mas se levantava mesmo assim e meditava. Dizia a si mesma que, sempre que transmutava as emoções inferiores em emoções elevadas, afastava-se biologicamente de seu passado e preparava seu cérebro e corpo para um novo futuro. Candace começou a perceber o quão valioso era seu trabalho interior, e este logo se tornou menos um esforço e mais uma dádiva.

Graças à persistência diária, Candace notou uma enorme mudança muito rápida e começou a se sentir melhor. Passou a se comunicar de forma diferente com os outros quando parou de olhar o mundo através de uma lente de medo e frustração e, em vez disso, passou a olhar através de uma lente de compaixão, amor e gratidão. Sua energia aumentou, e ela conseguia pensar com mais clareza.

Candace percebeu que não reagia da mesma maneira às condições familiares de sua vida porque as velhas emoções baseadas no medo não estavam mais em seu corpo. Ela estava superando suas reações instintivas porque agora via que as pessoas e condições que costumavam incomodá-la existiam apenas em relação a como ela se sentia. Ela estava se libertando.

Parte do processo de mudança incluía ficar consciente dos pensamentos inconscientes que costumavam passar despercebidos durante o dia. Em suas meditações, Candace decidiu que esses pensamentos nunca mais passariam despercebidos. Sob nenhuma circunstância ela se permitiria retornar aos comportamentos e hábitos relacionados ao antigo eu. Candace apagou seu quadro-branco biológica, neurológica e geneticamente, abrindo espaço para criar um novo eu, e seu corpo começou a liberar energia. Em outras palavras, ela mudou de partículas para ondas ao liberar as emoções armazenadas como energia em seu corpo. Seu corpo não mais vivia o passado.

Com essa energia recém-disponibilizada, Candace começou a ver a paisagem de um novo futuro. Perguntou-se: "Como quero me comportar? Como quero me sentir? Como quero pensar?". Ao se levantar todos os dias, meses a fio, em estado de gratidão, ela ensinou emocionalmente a seu corpo que o novo futuro já havia chegado, o que sinalizou novos genes de novas maneiras, levando o corpo de volta à homeostase. Do lado oposto da raiva, Candace encontrou compaixão. Do lado oposto da frustração, descobriu paciência e gratidão. Do lado oposto de sua vitimização, havia uma criadora esperando para criar alegria e bem-estar. Havia a mesma energia intensa de ambos os lados, mas agora Candace era capaz de liberá-la enquanto se movia de partículas para ondas, da sobrevivência para a criação.

Doce sabor do sucesso

Quando Candace voltou ao médico sete meses após o diagnóstico, ele ficou surpreso com a mudança da paciente. Os exames de sangue voltaram perfeitos. Na rodada inicial de testes, em fevereiro de 2011, o hormônio estimulador da tireoide (TSH) estava em 3,61 (alto), e a contagem de anticorpos em 638 (mostrando grande desequilíbrio). Em setembro de 2011, o TSH de Candace havia caído para 1,15 (normal), e a contagem de anticorpos estava em 450 (saudável), embora ela não estivesse mais tomando nenhum medicamento. Ela se curou em menos de um ano.

O médico quis saber o que a paciente tinha feito para obter os ótimos resultados. Parecia quase bom demais para ser verdade. Candace explicou que sabia que havia criado o problema de saúde, por isso decidiu realizar por si um experimento de "descriação". Contou para o médico que, meditando todos os dias e mantendo um estado de emoção elevado, ela sinalizava novos genes epigeneticamente em vez de permitir que emoções não saudáveis continuassem a sinalizar os antigos genes. Explicou que havia trabalhado regularmente em quem queria se tornar e parado de responder a tudo no ambiente externo como um animal no modo de sobrevivência – brigando, fugindo, chutando ou gritando. Tudo ao seu redor estava basicamente igual, mas ela agora respondia de uma forma que era mais amorosa consigo mesma.

O médico, parecendo absolutamente espantado, falou: "Gostaria que todos os meus pacientes fossem como você, Candace. Ouvir sua história é simplesmente incrível".

Candace não sabe como exatamente sua cura aconteceu. Nem precisa. Ela só sabe que se tornou outra pessoa.

Jantei com Candace um tempo depois de tudo isso acontecer, em um momento em que ela estava sem medicação havia meses e não apresentava qualquer sintoma. Sua saúde estava fantástica, o cabelo havia crescido de volta, e ela se sentia ótima consigo mesma. Mencionou várias vezes que estava muito apaixonada por sua vida atual.

Eu disse a ela rindo: "Você está apaixonada pela vida, e a vida, por você. Você tem mais é que estar apaixonada por sua vida; você que criou essa vida diariamente, ao longo de meses".

Candace explicou que apenas confiava em um campo infinito de potenciais e sabia que algo mais além dela a ajudara a se curar. Tudo o que ela realmente tivera de fazer tinha sido ir além de si mesma, entrar no sistema nervoso autônomo e depois continuar plantando as sementes de uma nova vida. Sem saber como aconteceu, simplesmente aconteceu. E, quando aconteceu, ela se sentiu melhor do que nunca.

A vida de Candace agora é completamente diferente de sua vida quando foi diagnosticada com a doença de Hashimoto. Ela é sócia de um programa de ensino de desenvolvimento pessoal e também mantém um emprego corporativo. Tem um relacionamento amoroso, novas amizades e novas oportunidades de negócios. Uma nova personalidade, em última análise, cria uma nova realidade pessoal.

Um estado de ser é uma força magnética que atrai eventos da mesma natureza; portanto, quando Candace se apaixonou por si, estabeleceu um relacionamento amoroso consigo. Por se sentir digna, por ter respeito por si mesma e por toda a vida, começaram a aparecer condições nas quais ela tinha oportunidades de contribuir, ser respeitada e fazer diferença no mundo. Claro que, quando ela avançou para uma nova personalidade, a antiga personalidade pareceu uma outra vida. A nova fisiologia começou a levá-la a níveis de alegria e inspiração maiores. A doença pertencia à antiga personalidade. Candace agora era outra pessoa.

Não é que Candace tenha se viciado na alegria; ela só não era mais viciada em ser infeliz. Quando começou a experimentar maiores níveis de felicidade, descobriu que sempre há mais felicidade, mais alegria e mais amor para experimentar, porque cada experiência cria uma combinação diferente de emoções. Candace começou a querer desafios em sua vida a fim de descobrir em que medida poderia usar essas informações na transformação.

A lição final que Candace aprendeu foi que sua doença e seus desafios nunca tiveram a ver com outra pessoa. Sempre tiveram a ver com ela. Em seu antigo estado de ser, Candace acreditava firmemente que era vítima de seu relacionamento e de suas circunstâncias externas e que a vida sempre acontecia "em cima" dela. Tomar consciência do trabalho a fazer, assumir total responsabilidade por si e sua vida e perceber que o que havia acontecido nunca teve nada a ver com o que estava fora dela era não apenas um enorme empoderamento, mas também uma das maiores dádivas que Candace poderia ter pedido.

A história de Joann

Joann viveu a maior parte de sua vida em ritmo acelerado. Aos 59 anos, mãe de cinco filhos e esposa dedicada, Joann também era uma empresária e empreendedora bem-sucedida em constante malabarismo entre vida doméstica, dinâmica familiar, carreira em ascensão e negócios prósperos. Embora o objetivo fosse permanecer sã, saudável e equilibrada, Joann não conseguia imaginar sua vida de outra maneira que não intensa, agitada e ocupada; vivia no limite e provando a todos que sua mente era ativa e aguçada.

Joann puxava-se constantemente para assumir o máximo possível e ao mesmo tempo mantinha padrões excepcionalmente altos. Era uma líder admirada por muitos, sempre requisitada para dar conselhos. Seus colegas a chamavam de "Supermulher", e ela era. Ou pensava ser.

Tudo isso terminou de forma abrupta em janeiro de 2008, quando Joann saiu do elevador do prédio onde morava e desmaiou a quinze metros da porta de seu apartamento. Ela não havia se sentido bem naquele dia, então tinha ido a uma clínica buscar ajuda e estava voltando para casa. Em questão de momentos, tudo em seu mundo havia mudado, e ela se viu agarrada à vida por um fio.

Após oito meses de exames, os médicos diagnosticaram esclerose múltipla progressiva secundária (EMSP), um estágio avançado de esclerose múltipla (EM), doença crônica na qual o sistema imunológico ataca o sistema nervoso central. Os sintomas variam muito, dependendo do indivíduo, mas podem começar com dormência em uma perna ou braço, progredindo até paralisia e cegueira. Os sintomas podem abranger problemas não apenas físicos, mas também cognitivos e psiquiátricos.

Os sintomas de Joann haviam sido tão vagos e esporádicos nos quatorze anos anteriores que ela os descartara como meros subprodutos de um estilo de vida frenético. Mas agora seu quadro de saúde tinha um rótulo e parecia uma sentença de prisão perpétua, sem chance de liberdade condicional. Ela se viu jogada nas profundezas do mundo médico ocidental, desafiada pela forte crença de que esclerose múltipla é uma doença permanente.

Poucos anos antes do diagnóstico, Joann suspendera os negócios da família em Calgary e partira para uma mudança de vida em

Vancouver, na costa oeste do Canadá, algo que sua família queria fazer havia anos. Depois da mudança, Joann enfrentou um desafio após o outro, enquanto a deterioração das finanças e dos recursos da família os deixava em situação muito precária. A autoestima, confiança e saúde de Joann foram a pique. Ao se ver incapaz de se tornar maior que seu ambiente, seu estado mental e físico começou a ruir.

O dinheiro ficou cada vez mais curto, enquanto os outros estressores aumentavam. Em breve a família não conseguiria suprir as necessidades básicas de alimentação e moradia. No início de 2007, a mulher que todo mundo sempre vira como Supermulher chegou ao fundo do poço, e, antes do final do ano, a família voltou para Calgary.

A esclerose múltipla é uma doença inflamatória na qual o revestimento isolante das células nervosas do cérebro e da medula espinhal é danificado junto com as fibras nervosas. A doença impede o sistema nervoso de se comunicar e enviar sinais para várias partes do corpo. A EM de Joann, do tipo progressivo, se desenvolve ao longo do tempo, geralmente causando problemas neurológicos permanentes à medida que avança. Seus médicos disseram que era incurável.

De início Joann ficou determinada a não permitir que a EM a definisse. No entanto, despencou rápido rumo à incapacidade física e ao declínio cognitivo. Joann passou a depender dos outros para cuidados básicos à medida que suas limitações aumentavam. Por causa dos problemas sensoriais e motores, começou a precisar de muletas, andadores e cadeira de rodas. Por fim, teve de contar com uma *scooter* para deficientes para se locomover.

Não foi grande surpresa Joann desmoronar quando sua vida desmoronou. Seu corpo enfim fez o favor que Joann não faria a si mesma, ou seja, parar e dizer: "Chega! Deu!". Ela forçou demais. Mesmo tendo alcançado sucesso nos primeiros anos, no fundo se sentia um fracasso na maior parte do tempo porque se julgava sem cessar e sempre pensava que poderia fazer um trabalho melhor. Nunca ficava satisfeita. O que quer que fizesse ou conquistasse nunca era bom o suficiente.

Mais importante ainda é que Joann não queria parar porque teria de lidar com aquele sentimento iminente de fracasso. Então mantinha-se ocupada, colocando toda a atenção em seu mundo exterior, em várias experiências com pessoas e coisas em diferentes momentos e lugares, para não precisar dar atenção ao mundo interior de pensamentos e sentimentos.

A maior parte da vida de Joann fora preenchida com o apoio que dava a outras pessoas, celebrando seus sucessos e as incentivando, mas ela nunca permitiu que ninguém visse o que não estava funcionando na vida dela. Joann escondeu sua dor de todo mundo. Ela doava constantemente, mas nunca recebia, porque jamais se permitia receber. Além disso, passou a vida inteira negando a si mesma a evolução pessoal por nunca se expressar. Faz sentido que, ao tentar mudar seu mundo interior usando as condições de seu mundo exterior, ela inevitavelmente manifestasse apenas fracasso.

Quando por fim entrou em colapso, Joann estava tão fraca e derrotada que mal tinha forças para lutar pela vida. Todo aquele tempo vivendo em modo de emergência, reagindo constantemente às condições do mundo externo, havia roubado a força vital de Joann, drenando toda a energia de seu mundo interno, o lugar de reparo e cura. Ela simplesmente ficara esvaziada.

Joann muda a mentalidade

A única coisa que Joann sabia sem sombra de dúvida era que a doença que as ressonâncias magnéticas mostravam estar esburacando seu cérebro e coluna vertebral não tinha aparecido da noite para o dia. Seu corpo havido sido devorado lentamente em seu cerne, o sistema nervoso central. Depois de todos aqueles anos ignorando os sintomas, Joann ficara "enervada" por causa do medo de olhar para dentro de si. Substâncias químicas tóxicas bateram à porta de suas células todos os dias, até o gene da doença enfim abrir a porta e se ligar.

Acamada, Joann teve como primeiro objetivo retardar a progressão da EM. Por ter lido meu primeiro livro, ela sabia que o cérebro não sabe a diferença entre o que poderia se tornar real internamente, apenas pelo pensamento, e a experiência concreta externa. Joann sabia que o ensaio mental poderia mudar seu cérebro e seu corpo. Começou a ensaiar fazendo ioga mentalmente; depois de algumas semanas de prática diária, conseguiu executar algumas posições com o próprio corpo, até mesmo em pé. Esses resultados a motivaram muito.

Todos os dias Joann instruía seu cérebro e corpo apenas com o pensamento. Assim como os pianistas do Capítulo 5 que ensaiaram tocar piano mentalmente e cultivaram os mesmos circuitos neurológicos que os sujeitos que praticaram os exercícios fisicamente, Joann estava instalando os circuitos em seu cérebro para parecer que ela já estava andando e se movimentando. Lembra as pessoas que aumentaram a força praticando levantamento de peso ou flexão de bíceps apenas mentalmente? Assim como eles, Joann sabia que, mudando sua mentalidade, poderia fazer seu corpo aparentar que a experiência de cura já tivesse começado.

Logo ela conseguiu ficar em pé por breves momentos, depois conseguiu caminhar com apoio. Joann estava bastante vacilante e ainda dependia da *scooter*, mas pelo menos não estava mais confinada à cama nem sentindo pena de si mesma. Ela tinha dado a volta nisso.

Quando começou a meditar regularmente só para acalmar sua mente, Joann percebeu como era triste e raivosa. As comportas se abriram. Joann percebeu que se sentia fraca, isolada, rejeitada e indigna na maior parte do tempo. Desequilibrada, sem chão e desconectada, Joann sentiu como se tivesse perdido uma parte vital sua. Observou como negava a si mesma enquanto agradava aos outros e como não conseguia se reconhecer sem se sentir culpada. Enxergou que estava sempre tentando controlar o que parecia ser uma espiral de caos ao seu redor e viu que aquilo nunca funcionara. Em um nível mais profundo, ela soubera disso o tempo todo, mas optara por ignorar, esforçando-se implacavelmente e fingindo que estava tudo bem.

Por mais doloroso que fosse, Joann agora enxergava como havia criado sua doença. Decidiu tomar consciência de todos os pensamentos, ações e emoções subconscientes que a definiam como a personalidade que havia criado aquela realidade pessoal específica. Ela sabia que, uma vez que pudesse olhar quem estava sendo, teria condições de mudar esses aspectos. Quanto mais ela se tornava consciente de seu eu inconsciente e de seu estado de ser, mais domínio adquiria sobre o que havia escondido de sua vista.

No início de 2010, Joann sentiu que a progressão da esclerose múltipla havia desacelerado. Seu objetivo passou a ser deter o avanço por completo. Em maio, quando mencionou a ideia a um neurologista que perguntou quais eram seus objetivos em relação à doença, o médico encerrou a consulta abruptamente. Em vez de desanimar, Joann ficou mais decidida após o incidente.

Levando a cura para o próximo nível

Quando Joann participou de um *workshop* em Vancouver, não conseguia caminhar sozinha. Durante o fim de semana, pedi aos participantes que estabelecessem uma intenção firme em suas mentes e a combinassem com uma emoção elevada em seus corpos. O objetivo era recondicionar o corpo para uma nova mente em vez de continuar a condicioná-lo com emoções de sobrevivência.

Eu queria que os participantes abrissem seus corações e ensinassem seus corpos emocionalmente como seria o futuro. Era o ingrediente que faltava na prática mental diária de Joann. Adotar o pensamento de caminhar por seis a dez metros com apoio apenas da bengala empolgou Joann além da crença. Agora ela estava adicionando o segundo elemento do efeito placebo à equação: expectativa com emoção.

A combinação de expectativa com emoção – convencendo seu corpo emocionalmente de que o evento futuro da cura estava acontecendo no momento presente – levaria Joann para o nível seguinte. Seu corpo, como a mente inconsciente, tinha de acreditar para que a coisa acontecesse. Se Joann abraçasse a alegria de estar bem e desse graças antes de que a cura ocorresse, seu corpo receberia uma amostra de seu futuro no momento presente.

Sugeri a Joann que prestasse atenção a seus pensamentos, pois foram seus pensamentos que a deixaram doente. Pressionei-a para ir além da personalidade que estava ligada à sua condição, o que era necessário antes que ela pudesse criar uma nova personalidade e uma nova realidade pessoal. Assim ela poderia aplicar significado e intenção ao que estava fazendo.

Dois meses depois desse *workshop*, Joann participou de um segundo evento mais avançado em Seattle. Sua *scooter* quebrou no dia anterior à viagem para o evento, então ela usou sua cadeira de rodas motorizada para se locomover. Apesar de inicialmente se sentir mais vulnerável por causa disso, Joann logo se sentiu mais apta para se movimentar. Sua memória associativa relacionada à experiência positiva do evento anterior e à expectativa de melhorar no evento atual foi o que deflagrou o processo. Se 29% dos pacientes de quimioterapia podem experimentar náuseas antecipadas antes do tratamento (como você leu no Capítulo 1), talvez seja possível que alguns dos participantes do *workshop* experimentem um bem-estar antecipado quando voltam ao ambiente do curso. Qualquer que tenha sido o gatilho, Joann viu uma nova possibilidade e, entusiasmada, recomeçou a abraçar emocionalmente o futuro no momento presente.

Durante a última meditação daquele *workshop*, fez-se a mágica. Joann experimentou uma enorme mudança interna e sentiu algo que a comoveu profundamente. Sentiu seu corpo mudar automaticamente assim que entrou no sistema nervoso autônomo, que recebeu as novas instruções e assumiu o controle. Sentiu-se elevada, muito feliz e livre. Após a meditação, Joann levantou-se da cadeira como uma pessoa diferente da que era ao sentar. Ela estava em um novo estado de ser. Então caminhou até a frente da sala sem nenhum apoio, nem mesmo a bengala. Atravessou a sala de olhos arregalados, rindo como uma criança. Ela podia sentir e mover as pernas, inativas havia anos.

Ela saiu do habitual – e foi incrível. Para minha surpresa, Joann sinalizou novos genes de novas maneiras durante aquela meditação. Ela mudou sua condição em apenas uma hora.

Quando ultrapassou sua identidade de esclerose múltipla, Joann tornou-se uma pessoa diferente. Foi aí que parou de tentar desacelerar, deter ou reverter a esclerose múltipla. Ela não tentou provar mais nada para si, sua família, seus médicos ou qualquer outra pessoa. Entendeu e experimentou pela primeira vez que sua verdadeira jornada sempre teve a ver com estar inteira. E cura verificável sempre tem a ver com ficar inteiro. Joann esqueceu que tinha uma doença e se dissociou dessa identidade por um momento. A liberdade que isso gerou e a amplitude dessa emoção elevada foram fortes o suficiente para ativar um novo gene. Joann sabia que a esclerose múltipla era simplesmente um rótulo, como "mãe", "esposa" ou "chefe". Ela mudou o rótulo simplesmente desistindo de seu passado.

Mais milagres

Quando Joann chegou em casa três dias depois, o milagre continuou a se desenrolar sem que ela soubesse. Enquanto fazia ioga fisicamente (e não apenas mentalmente) depois de participar do segundo *workshop*, ela percebeu que podia levantar um pé do chão. Tentou levantar o outro. Sucesso! Aí percebeu que conseguia flexionar os pés pela primeira vez em anos. E podia mexer os dedos dos pés, o que não acontecia havia muito tempo.

Lágrimas de alegria rolaram dos olhos de Joann. Aturdida e maravilhada, naquele instante ela soube que tudo era possível não por causa de algum medicamento ou procedimento externo, mas por causa das mudanças internas que ela havia feito. Joann sabia que poderia ser o próprio placebo.

Em pouco tempo Joann aprendeu a caminhar novamente. Dois anos depois, ainda caminha sem ajuda e está mais brincalhona e cheia de vida. A força de seu corpo aumentou, e hoje ela é capaz de fazer muitas coisas que achava que nunca mais conseguiria fazer. O mais importante é que Joann se sente viva e cheia de uma alegria sem fim. Sente-se inteira e, como agora ela consegue *receber*, continua recebendo cura.

Joann me disse recentemente:

> Minha vida é mágica, cheia de sinergias incríveis, de abundância e de dádivas inesperadas de todo tipo. É borbulhante, faiscante e eletrizante, com um novo reflexo mais leve de mim mesma. É o novo eu. Ou melhor, é o verdadeiro eu que tentei manter sob controle e escondido durante a maior parte de minha vida.

Joann agora vive a maior parte dos dias em gratidão. Ainda dedica tempo a ficar ciente de seus pensamentos e sentimentos, isto é, cultiva seu estado de ser todos os dias, prestando atenção ao que diz a si mesma e ao que pensa dos outros também. Em suas meditações, se observa e se familiariza com o modo como age. Muito raramente passa por sua mente consciente um pensamento que ela não quer experimentar.

A atual neurologista de Joann apoia suas escolhas e ficou impressionada com o que viu. A médica teve de reconhecer o poder da mente que Joann demonstrou bem diante de seus olhos, com laudos médicos e exames de sangue que não mostram sinais de esclerose múltipla.

Laurie, Candace e Joann efetuaram remissões drásticas sem usar recursos externos. Mudaram suas condições de saúde de dentro para fora, sem medicamentos, cirurgia, terapia ou qualquer outra coisa que não a própria mente. Eles se tornaram os seus próprios placebos.

Agora vamos dar uma olhada científica no cérebro de outras pessoas de meus *workshops* que conseguiram realizar mudanças drásticas semelhantes, para ver exatamente o que aconteceu no processo dessas transformações notáveis.

Capítulo 10

Informação para a transformação: a prova de que você é o placebo

Este livro fala sobre trazer a mente para a matéria. Agora você entende que o placebo funciona porque o indivíduo aceita e acredita em um remédio conhecido – uma pílula, injeção ou procedimento falsos que substituem o verdadeiro – e se entrega ao resultado sem maiores análises de como isso vai acontecer.

Poderíamos dizer que a pessoa associa sua experiência futura com determinada pessoa conhecida (digamos, um médico) ou coisa (um medicamento ou procedimento), em horário e local específicos em seu ambiente externo, a uma mudança em seu ambiente interno; ao fazer isso, altera seu estado de ser. Após algumas experiências constantes, a pessoa espera que seu futuro seja exatamente como seu passado. Uma vez que esse elo esteja consolidado, o processo se torna altamente eficaz. Trata-se de um estímulo conhecido produzindo automaticamente uma resposta conhecida.

A conclusão é a seguinte: no efeito placebo clássico, nossa crença está em algo fora de nós. Entregamos nosso poder ao mundo material, onde nossos sentidos definem a realidade. Mas será que o placebo pode funcionar a partir de uma criação do mundo imaterial do pensamento e tornar essa possibilidade desconhecida uma nova realidade? Esse seria um uso mais sagaz do modelo quântico.

As três participantes de *workshops* sobre as quais você leu no capítulo anterior realizaram essa proeza. Escolheram acreditar em si mais do que em qualquer outra coisa. Mudaram por dentro e, sem que nada material causasse o fenômeno, entraram no mesmo estado de alguém que tivesse tomado um placebo. É o que muitos de meus alunos fazem para melhorar. Quando entendem como o placebo funciona, a pílula, injeção ou procedimento podem ser retirados, e o mesmo resultado se desenrola.

Devido à pesquisa nos *workshops*, bem como aos repetidos depoimentos que recebi de pessoas de todo o mundo, agora sei que você é o placebo. Meus alunos demonstram que, em vez de investir a crença deles no conhecido, podem depositá-la no desconhecido e torná-lo conhecido.

Pense nisso por um momento. A ideia da cura verificável existe como uma realidade potencial desconhecida no campo quântico até ser observada, realizada e materializada. A cura vive como uma possibilidade em um campo infinito de informações definido como "nada" em termos físicos a não ser todas as possibilidades materiais combinadas. Portanto, o futuro potencial de experimentar a remissão espontânea de uma doença existe como um desconhecido situado além do espaço e do tempo até ser experimentado e conhecido nesse espaço e tempo. Quando o desconhecido além dos sentidos se torna uma experiência conhecida por seus sentidos, você está no caminho da evolução.

Portanto, se você consegue experimentar repetidamente uma cura no mundo interior dos pensamentos e sentimentos, com o tempo essa cura deve acabar se manifestando como uma experiência externa. Se você torna um pensamento tão real quanto a experiência no ambiente externo, não haverá evidência em seu corpo e cérebro mais cedo ou mais tarde? Em outras palavras, baseado no que aprendeu, se você ensaiar mentalmente o futuro desconhecido com uma intenção clara e uma emoção elevada e repetir esse processo, deverá ter alterações neuroplásticas reais no cérebro e alterações epigenéticas no corpo.

Se continuar entrando em um novo estado de ser todos os dias, lembrando seu cérebro e condicionando seu corpo à mesma mente, você deve ver mudanças estruturais e funcionais como se estivesse tomando o placebo. A figura 10.1 mostra em um gráfico simples como esse processo se desenrola.

FIGURA 10.1

A maior parte das mudanças começa com o simples processo de alguma coisa externa alterar algo dentro de nós. Se você dá início à jornada interior e começa a modificar seu mundo interior de pensamentos e sentimentos, isso deve criar um bem-estar maior. Se você continuar repetindo o processo na meditação, com o tempo as mudanças epigenéticas devem começar a alterar seu aspecto externo – e você se torna o seu placebo.

Portanto, em vez de alinhar sua fé (que eu defino como acreditar em um pensamento mais do que qualquer outra coisa) e sua crença em algo conhecido, será que você consegue colocar sua atenção em uma possibilidade desconhecida e então, conforme os princípios discutidos neste livro, tornar conhecida essa realidade desconhecida? Ao abraçar emocionalmente a experiência em sua mente várias vezes, você consegue passar do imaterial para o material, do pensamento para a realidade?

A essa altura, você deve entender que não precisa de pílulas inócuas, santuários sagrados, símbolos antigos, feiticeiros (da variedade moderna ou tradicional), cirurgia simulada ou solo santo para se curar. Este capítulo apresenta evidências científicas que mostram como nossos alunos fizeram isso. Eles alteraram a própria biologia apenas pelo pensamento. Não foi algo apenas na mente, foi também no cérebro.

Todas as evidências de apoio deste capítulo são fornecidas para inspirá-lo a ver por si o poder da meditação. Desejo que, depois de ver a prova do possível, você aplique os mesmos princípios à sua transformação pessoal e colha benefícios em todas as áreas da sua vida. Depois de ler essas histórias, quando chegar à Parte II deste livro, você terá mais intenção respaldando sua jornada interior porque atribuirá mais significado ao que está fazendo; por conseguinte, obterá melhores resultados.

Do conhecimento à experiência

Aprendi algo muito importante ao ensinar esse processo. Cheguei à conclusão de que todo mundo acredita secretamente na própria grandeza. Quando vai firme e vai fundo, qualquer pessoa – seja um CEO corporativo, um zelador de escola primária, uma mãe solteira de três filhos, seja um presidiário – acredita naturalmente em si.

Todos nós acreditamos em possibilidades. Todos imaginamos um futuro melhor do que a realidade em que habitamos. Por isso pensei que, se pudesse oferecer informações científicas vitais e as instruções necessárias sobre como aplicar essas informações, indivíduos dedicados poderiam experimentar graus variados de transformação pessoal. Afinal, a ciência é a linguagem contemporânea do misticismo. Transcende religião, cultura e tradição. Desmistifica o místico e unifica comunidades. Já vi isso acontecer muitas e muitas vezes em meus seminários ao redor do mundo.

Em meus *workshops* avançados, nos quais eu e meus colegas medimos mudanças biológicas e energéticas nos participantes, individualmente e no grupo como um todo, utilizo vários princípios descritos neste livro (e muitos outros) para ensinar o modelo científico de transformação. O modelo progride à medida que os alunos desenvolvem suas habilidades. Para ajudar as pessoas a entender as possibilidades, sempre menciono a física quântica e depois estabeleço uma relação com as mais recentes informações em neurociência, neuroendocrinologia, epigenética, biologia celular, ciência das ondas cerebrais, psicologia energética e psiconeuroimunologia. Vemos novas possibilidades se manifestar como resultado do aprendizado de novas informações.

Uma vez que nossos alunos aprendem e adotam essas informações, conseguem atribuir mais significado às suas meditações e práticas contemplativas. Mas não basta compreender as informações de modo intelectual ou conceitual. Os alunos têm de conseguir repetir por si o que aprenderam. Depois que conseguem explicar o conhecimento, o modelo progressivo fica mais conectado em seus cérebros, e eles podem instalar o *hardware* neurológico. Ao repetir o que aprenderam, eles criam um programa de *software* permanente. Se aplicarem o novo conhecimento corretamente, este poderá servir como precursor de uma nova experiência.

Ou seja, depois de alinhar a mente e o corpo, os alunos adquirem sabedoria com uma nova experiência, por abraçar a nova emoção associada. Aí começam a incorporar as informações, pois estão instruindo quimicamente o corpo para que entenda emocionalmente o que a mente entende intelectualmente. Nesse ponto, começam a acreditar e a saber que é verdade. Mas meu desejo é que, em vez de fazê-lo apenas uma vez, meus alunos repitam a experiência à vontade, até que se torne uma nova habilidade, um hábito ou estado de ser.

Quando alcançamos consistência, estamos à beira de um novo paradigma científico, porque qualquer coisa repetível é ciência. Quando você e eu chegamos ao nível de competência em que podemos mudar nossos estados internos apenas pelo pensamento e isso é repetidamente observado, medido e documentado, estamos à beira de uma nova lei científica. Agora podemos contribuir com novos conhecimentos sobre a natureza da realidade para o modelo científico geral adotado pelo mundo de hoje, de modo a capacitar mais pessoas. Essa é minha ambição há anos.

Esforço-me ao máximo para ensinar aos participantes de nossos *workshops* como as práticas internas alteram biologicamente o cérebro e o corpo, para que entendam com total clareza o que estão fazendo. Quando não sobra espaço para conjecturas, dogmas ou suposições, ficamos mais sugestionáveis a uma possibilidade quântica. Grandes avanços resultam de grandes esforços. No entanto, as medições correspondem às habilidades dos alunos.

Em meus *workshops*, os alunos se afastam de suas vidas por três a cinco dias para facilitar o processo de não mais se definirem pela realidade pessoal do passado. Praticam a mudança para novos estados de ser. Ao deixar de reafirmar aspectos do eu da antiga personalidade que não pertencem ao futuro e fingir ser outra pessoa ou inventar o eu de nova personalidade, eles se tornam o novo eu que imaginam a fim de produzir mudanças epigenéticas, assim como os idosos do Capítulo 4, que fingiram ser 22 anos mais jovens.

Desejo que os participantes dos *workshops* superem a si mesmos e suas identidades em suas meditações, transcendendo corpo, matéria, lugar e tempo, a fim de que se tornem pura consciência. Quando isso ocorre, eu os vejo mudar o cérebro e o corpo à frente do ambiente (a vida habitual), de modo que, quando retornam à rotina depois do *workshop*, não mais são vítimas de condicionamento inconsciente do mundo exterior. É nesse domínio que o incomum e o milagroso acontecem.

Como quero dar aos alunos a instrução certa e proporcionar oportunidades para que personalizem todas as novas informações que estão aprendendo e com isso produzam uma transformação pessoal, criei um tipo de evento em 2013. Caso esteja lembrado, discuti a evolução dessa ideia no Prefácio. Na nova modalidade de *workshop* (realizado em fevereiro daquele ano, em Carefree, no Arizona, e em julho, em Englewood, no Colorado), quis medir a transformação em tempo real, enquanto acontecia.

Minha intenção era que, uma vez obtidos, os dados se tornassem mais informações que eu pudesse usar para ensinar aos participantes sobre a transformação que haviam acabado de experimentar. Com essas informações, eles poderiam ter outra transformação, que poderia ser medida, e assim por diante, ao passo que começassem a fechar a lacuna entre os mundos do conhecimento e da experiência. Chamo esses *workshops* de "Informação para transformação". Minha paixão está nisso.

Medindo a mudança

Quando comecei a jornada, descobri um neurocientista brilhante e talentoso chamado Jeffrey Fannin, que desinteressadamente me ajudou a medir o que o cérebro dos alunos fazia. O Dr. Fannin, fundador e diretor executivo do Centro de Aprimoramento Cognitivo em Glendale, Arizona, trabalha no campo da neurociência há mais quinze anos e tem vasta experiência no treinamento do cérebro para o desempenho ideal. É especialista em traumatismo craniano, acidente vascular cerebral, dor crônica, transtorno do déficit de atenção (TDA) e transtorno do déficit de atenção com hiperatividade (TDAH), transtornos de ansiedade, depressão e recuperação de traumas, além de treinamento de alto desempenho esportivo com mapeamento cerebral, aprimoramento de habilidades de liderança por meio de sincronização das ondas cerebrais, melhora da função cerebral, aumento da destreza mental e emocional e transformação pessoal.

Ao longo dos anos, Fannin atuou em pesquisas de ponta com tecnologia de eletroencefalograma (EEG), que mede a atividade elétrica dos neurônios, para avaliar com precisão o grau de equilíbrio da energia das ondas cerebrais de uma pessoa, medição que ele chama de estado cerebral total. Sua pesquisa enfoca os padrões de crenças subconscientes e a fusão de sucesso pessoal com desempenho cerebral equilibrado.

Fannin também integrou uma equipe de pesquisa da Universidade Estadual do Arizona que estudou neurociência e liderança usando dados coletados na Academia Militar dos Estados Unidos em West Point. Essa pesquisa lhe permitiu participar do desenvolvimento e ensino de um curso exclusivo na Universidade Estadual do Arizona chamado "Neurociência da liderança". Também integrou por muitos anos o corpo docente da Universidade Walden, perto de Phoenix, lecionando neurociência cognitiva nos cursos de mestrado e doutorado.

Convidei o Dr. Fannin e sua equipe para os dois *workshops* nos quais medimos qualidades e elementos cerebrais específicos, como coerência *versus* incoerência (ordem ou desordem das ondas cerebrais), amplitude (energia das ondas cerebrais), organização (grau em que as diferentes regiões do cérebro trabalham juntas em harmonia), tempo relativo necessário para uma pessoa entrar em meditação profunda (período que leva para mudar as ondas cerebrais e passar para um estado mais sugestionável), relação theta/alfa (grau em que o cérebro funciona em estado holístico e como diferentes compartimentos cerebrais se comunicam através de regiões inteiras – frontal e posterior, lado esquerdo e lado direito), relação delta/theta (capacidade de regular e controlar a tagarelice mental e os pensamentos intrusivos) e sustentabilidade (capacidade de manter um estado de meditação consistente ao longo do tempo).

Criamos quatro estações de escaneamento cerebral equipadas com máquinas de EEG para avaliar os participantes antes e depois do *workshop*, a fim de observar como os padrões de ondas cerebrais mudavam. Analisamos mais de cem pessoas em cada evento. Também selecionei aleatoriamente quatro participantes para examinar seus cérebros em tempo real durante cada uma das três sessões de meditação diárias. No total, registramos 402 EEGs nos dois *workshops* de 2013. O EEG é um procedimento seguro e não invasivo, que realiza medições em vinte pontos na parte externa da cabeça. Essas medições de ondas cerebrais fornecem uma série de informações sobre a capacidade de desempenho do cérebro.

Os EEGs foram então convertidos em EEGs quantitativos (EEGq), uma análise matemática e estatística da atividade do EEG retratada como um gráfico com gradações de cores para comparar a atividade registrada no exame com a atividade de base normal. As várias cores e padrões retratados em diferentes frequências oferecem mais informações sobre como os padrões de ondas cerebrais afetam pensamentos, sentimentos, emoções e comportamentos do indivíduo.

De saída nossos dados gerais demonstraram que 91% dos indivíduos observados nos EEGs apresentaram um estado significativamente melhorado da função cerebral. A maioria dos alunos passou de um estado menos coerente (ou menos ordenado) para um estado mais coerente ao final das sessões de meditação transformacional. Além disso, mais de 82% dos mapas de EEGq registrados nos dois eventos demonstraram que os participantes estavam funcionando dentro da faixa normal da atividade cerebral saudável.

Aprendi que, quando seu cérebro trabalha direito, você trabalha direito. Quando seu cérebro é mais coerente, você é mais coerente. Quando seu cérebro está mais completo e equilibrado, você está mais completo e equilibrado. Quando você consegue regular seus pensamentos negativos e intrusivos no dia a dia, você é menos negativo e intrusivo. E foi exatamente isso que testemunhamos com os alunos nesses eventos.

A média nacional para se entrar e permanecer em um estado meditativo é de pouco mais de um minuto e meio[118]. Ou seja, é esse o tempo que a maioria das pessoas leva para mudar suas ondas cerebrais e entrar em estado meditativo. O tempo médio dos 402 alunos que avaliamos foi de 59 segundos, ou seja, menos de um minuto. Houve alunos que conseguiram alterar suas ondas cerebrais (e seu estado de ser) em apenas quatro, cinco e nove segundos.

Que fique claro: não estou interessado em fazer disso uma competição (o que derrotaria nosso objetivo); no entanto, os dados ilustram dois pontos importantes. Primeiro, ir além da mente analítica das ondas cerebrais beta e entrar em um estado mais sugestionável é uma habilidade que você pode aprimorar se continuar praticando. Segundo, os alunos são capazes de usar os métodos que meus colegas e eu ensinamos para ir além do cérebro pensante e entrar no sistema operacional da mente subconsciente com relativa facilidade.

Curiosamente, nossa pesquisa também mostrou um padrão perceptível e consistente na maneira como o cérebro de nossos alunos trabalha em termos holísticos. Vimos significativa alternância nos padrões alfa/theta (como os diferentes compartimentos cerebrais se comunicam) nos lobos frontais enquanto eles meditavam. Isso significa que as duas metades do cérebro conversam de maneira mais equilibrada e unificada. Os padrões de proporção dual do lobo frontal que observamos parecem produzir a experiência de agradecimento e gratidão profundos, que surge repetidamente de forma rítmica e ondulatória. Portanto, os dados sugerem que, quando os alunos estão nesse estado elevado de gratidão durante o ensaio mental, a experiência interior é tão real que eles acreditam que os eventos estão acontecendo em tempo real ou já aconteceram. Eles ficam gratos porque essa é a emoção que sentimos quando o que queremos acontece.

Meditadores experientes também mostraram um aumento na proporção de ondas cerebrais theta e alfa baixa, o que significa que podem passar bastante tempo em estados alterados. De particular importância foi o aumento da regulação das ondas lentas; quando estão em um estado theta de ondas cerebrais, esses alunos têm coerência (ou ordem) acima do normal entre as regiões frontais e posteriores do cérebro. Vimos a região frontal esquerda, associada à emoção positiva, ser ativada repetidamente, o que é consistente com a indução de um estado de êxtase meditativa.

Em outras palavras, quando esses alunos entram em meditação, produzem ondas cerebrais mais lentas e mais coerentes, que sugerem que estão em estados profundos de relaxamento e consciência ampliada. Além disso, a unificação entre a parte frontal e posterior, bem como entre os lados esquerdo e direito do cérebro, indica que os indivíduos estão se sentindo mais felizes e mais inteiros.

Tenho uma ideia luminosa

Ao observar uma aluna ser mapeada em tempo real durante uma meditação no primeiro evento, acabei entendendo algo notável. Enquanto observava seu cérebro na varredura, vi o quanto ela estava trabalhando e como o cérebro se afastava cada vez mais do equilíbrio e dos estados meditativos mais profundos de alfa e theta. Vi que ela estava analisando e julgando a si e sua vida com a emoção experimentada naquele momento, conforme evidenciado pelas ondas cerebrais mais altas e incoerentes associadas a um estado beta de longa amplitude (indicando altos níveis de estresse, ansiedade, excitação, emergência e desequilíbrio geral).

Testemunhei como ela tentava em vão usar o cérebro para mudar o próprio cérebro, o que não funcionava. Também vi que ela estava usando o ego para tentar mudar o próprio ego, o que também não estava funcionando. Ao usar um programa para tentar mudar outro programa, ela apenas endossava o programa, não o reescrevia. Ainda estava na mente consciente, tentando mudar a mente subconsciente; por causa disso se mantinha fora do sistema operacional, onde reside a verdadeira mudança. Me aproximei dela depois, conversamos por alguns minutos, e ela admitiu que estava passando por um momento difícil. Tive uma luz naquele momento e soube exatamente o que tinha de ensinar a seguir.

Ela tinha de desapegar e ir além do corpo para mudar o corpo, ir além do ego para mudar o ego, ir além do programa para mudar o programa e ir além da mente consciente para mudar a mente subconsciente. Tinha de se tornar o desconhecido para criar o desconhecido. Tinha de se tornar um novo pensamento imaterial, sem nada de material, a fim de estabelecer uma nova experiência material. Tinha de ir além do espaço e do tempo para mudar o espaço e o tempo.

A aluna tinha de se tornar pura consciência. Tinha de ir além de suas associações com uma identidade ligada ao seu ambiente conhecido (casa, emprego, cônjuge, filhos, problemas), além de seu corpo (rosto, gênero, idade, peso, aparência) e além do tempo (hábito previsível de viver no passado ou no futuro, sempre perdendo o momento presente). Tinha de ultrapassar o eu atual para formar um novo eu. Tinha de parar de ficar atrapalhando a si mesma para que algo maior pudesse assumir o controle.

Quando somos matéria tentando mudar a matéria, nunca funciona. Quando somos partícula tentando alterar partícula, nada acontece, porque vibramos na mesma velocidade da matéria, e nessa condição não podemos exercer efeito significativo sobre ela. É nossa consciência (nosso pensamento intencional) e nossa energia (nossa emoção elevada) que influenciam a matéria. Só quando estamos conscientes podemos alterar nosso cérebro, nosso corpo e nossa vida e criar um futuro no tempo.

Como é a consciência que dá forma a todas as coisas e que usa o cérebro e o corpo para produzir diferentes níveis de mente, quando você chega ao estágio em que é pura consciência, fica livre. Então, comecei a deixar os alunos em meditação por longos períodos de tempo, para que se tornassem ninguém, nada, coisa nenhuma, em lugar nenhum e tempo algum, até que se sentissem confortáveis no campo infinito das possibilidades.

Eu queria que a consciência subjetiva dos alunos se fundisse com a consciência objetiva do campo por longos períodos. Eles tinham de encontrar o ponto exato do momento presente e investir sua energia e consciência em um vazio que não é realmente vazio, que na verdade é um espaço preenchido com um número infinito de possibilidades, até que se sentissem à vontade no desconhecido. Só quando estivessem realmente presentes nesse lugar potente, além do espaço e do tempo, o lugar de onde provêm todas as coisas materiais, eles poderiam começar a criar. Foi aí que as mudanças reais começaram a acontecer durante os *workshops*.

Uma rápida visão geral dos exames usados

Vou falar agora sobre dois tipos de varredura cerebral para que você possa entender as alterações que estou prestes a mostrar. Vamos simplificar as coisas. O primeiro tipo de mapeamento que usamos mede o grau de atividade entre as áreas do cérebro (veja a figura 10.2, no encarte colorido, junto com as demais figuras deste capítulo). As varreduras mapeiam dois tipos de atividade. A hiperatividade (ou regulação excessiva) é representada por linhas vermelhas conectando diferentes pontos do cérebro. Imagine linhas telefônicas conectando um local a outro para estabelecer a comunicação entre essas áreas. Ter muitas linhas vermelhas ao mesmo tempo indica muita ação cerebral. A hipoatividade (falta de regulação) é representada por linhas azuis, indicando um mínimo de comunicação entre as diferentes áreas do cérebro.

A espessura das linhas representa o desvio padrão ou a quantidade de desregulação (ou regulação anormal) entre os dois pontos que a linha conecta. Por exemplo, as linhas vermelhas finas indicam que o nível de atividade entre esses locais é de 1,96 de desvio padrão (DP) acima do normal. As linhas azuis finas indicam que o nível de atividade entre esses locais é de 1,96 de DP abaixo do normal. As linhas médias indicam desvio padrão de 2,58 acima (vermelho) ou abaixo (azul) do normal. As linhas grossas indicam desvio padrão de 3,09 acima ou abaixo do normal.

Quando você vê muitas linhas vermelhas grossas em uma varredura, isso significa que o cérebro está trabalhando demais. Quando vê muitas linhas azuis grossas, isso sugere pouca comunicação entre diferentes áreas do cérebro; o cérebro, portanto, está hipoativo. Pense assim: quanto mais espessa a linha vermelha, maior o volume de dados que o cérebro está processando; quanto mais espessa a linha azul, menor o volume de dados que o cérebro está processando.

O segundo tipo de varredura que usamos vem da análise de EEGq e é chamado de relatório Z-Score, uma medida estatística que nos diz não apenas se um ponto está acima ou abaixo da média, mas também a que distância está da medida normal. A escala desse relatório varia de -3 a +3 de DP. O azul mais escuro representa DP de 3 ou mais abaixo do normal, enquanto os azuis mais claros indicam DP de 2,5 a 1 abaixo do normal. O azul-esverdeado corresponde a DP de aproximadamente 0 a 1 abaixo do normal. O verde indica a linha de base normal. O verde-claro é registrado na área externa do normal, mas é considerado DP de 0 a 1 acima do normal. O amarelo e o laranja-claro são DP de aproximadamente 1 a 2 acima do normal, o laranja mais escuro é DP de cerca de 2 a 2,5 acima do normal, e o vermelho é DP de 3 ou mais acima do normal. (Veja a figura 10.3.)

O relatório Z-Score utilizado é chamado de potência relativa e mostra informações sobre a quantidade de energia no cérebro em diferentes frequências. Como o verde indica a faixa normal, quanto mais verde houver em uma varredura, mais a pessoa estará em conformidade com a atividade normal das ondas cerebrais. Cada círculo colorido (semelhante a uma cabeça humana vista de cima) representa o que o cérebro de uma pessoa está fazendo em cada frequência de onda cerebral. O círculo na região superior esquerda de cada varredura mostra a frequência mais baixa de ondas cerebrais (delta), e cada círculo a seguir retrata um estado de onda cada vez mais alto, progredindo até as ondas cerebrais beta mais altas, na região inferior direita. Um ciclo por segundo na frequência das ondas cerebrais é conhecido como hertz (Hz). Da esquerda para a direita e de cima para baixo, progride de 1 a 4 ciclos por segundo (delta), de 4 a 8 ciclos por segundo (theta), de 8 a 13 ciclos por segundo (alfa), de 13 a 30 ou mais ciclos por segundo (beta de baixa e média amplitude). A atividade beta pode ser subdividida em diferentes bandas de frequência, como 12 a 15 Hz, 15 a 18 Hz, 18 a 25 Hz e 25 a 30 Hz.

Assim, as cores de cada área mostram o que está acontecendo em cada estado de onda cerebral. Por exemplo, muito azul na maioria do cérebro em delta de 1 ciclo por segundo sugere que há pouca atividade cerebral nesse intervalo de delta. Muito vermelho no alfa de 14 Hz no lobo frontal significa que há atividade alfa aumentada nessa área do cérebro.

Também deve ser entendido que essas medidas podem ser interpretadas de maneira diferente, dependendo do que o sujeito está fazendo quando a varredura é realizada. Por exemplo, delta de 1 Hz representado em azul sugeriria que a energia no cérebro nessa frequência está em DP de 3 abaixo do normal. No sentido clínico, isso pode ser interpretado como anormalmente baixo. Mas, como foi registrado quando o sujeito estava meditando, a varredura sugeriria que o delta de 1 Hz abriu a porta para uma conexão mais forte com o campo de energia do consciente coletivo. Em outras palavras, à medida que a energia no neocórtex é diminuída, o sistema nervoso autônomo é mais facilmente acessado. Daqui a pouco, você verá vários exemplos que deixarão tudo isso claro. Enquanto isso, olhe novamente a figura 10.3. Ela fornece uma visão geral do que acabei de explicar.

Coerência versus incoerência

Agora veja a figura 10.4. A imagem à esquerda (antes da meditação) representa um cérebro com muita tagarelice, funcionando em alto nível de excitação (beta de grande amplitude) e bastante incoerente. A espessura das linhas vermelhas mostra que esse cérebro está com DP de 3 acima do normal (porque quanto mais espessa a linha vermelha, mais acelerado e desequilibrado está o cérebro). Observando as linhas vermelhas, você pode ver atividades incoerentes excessivas acontecendo por todo o cérebro. O azul na região frontal do cérebro representa hipoatividade (DP de 2 a 3 abaixo do normal), mostrando que os lobos frontais estão inativos ou desligados e, portanto, não restringem a hiperatividade no resto do cérebro.

Esse cérebro tem problemas de atenção, está tão sobrecarregado que não tem um líder para controlar a tagarelice. É como um sistema de TV via satélite com cinquenta canais em volume altíssimo e com os canais mudando a cada segundo. Mudanças rápidas e excessivas no foco de atenção levam de um processo de pensamento para o seguinte, de modo que o cérebro está supervigilante, altamente excitado, sobrecarregado e super-regulado. Chamamos isso de padrão cerebral incoerente, porque as diferentes partes do cérebro não estão trabalhando juntas.

Agora, dê uma olhada na segunda imagem (após a meditação). Você não precisa ser um neurocientista para ver a diferença entre a primeira imagem e essa. Aqui quase não se veem linhas vermelhas ou azuis, demonstrando atividade cerebral normal, com pouquíssima hiperatividade ou hipoatividade. A tagarelice parou, e o cérebro está trabalhando de forma mais holística. O cérebro dessa pessoa agora está em equilíbrio; podemos dizer, portanto, que esse cérebro demonstra um padrão mais coerente. (A atividade restante em azul e vermelho, como indicado pela seta, representa atividade sensorial-motora, o que provavelmente significa que a pessoa esteja se contraindo ou piscando e em um estado de movimento rápido dos olhos, ou REM, que normalmente acontece em sono muito leve.) Essa mudança ocorreu em um dos alunos após uma única meditação.

Agora vamos explorar mais alguns estudos de alunos dos *workshops*. Apresentarei primeiro um histórico de cada um para que você possa ver em que condição estavam quando começaram o *workshop*, depois explicarei o que as varreduras mostraram e por fim descreverei o novo estado de ser que cada aluno criou.

Cura de Parkinson sem placebo ou medicamento

O ANTIGO EU DE MICHELLE

Michelle está na faixa dos 60 anos; foi diagnosticada com a doença de Parkinson em 2011, depois de notar um tremor involuntário progressivo no braço, mão e pé esquerdos. Em novembro de 2012, tornou-se paciente no Instituto Neurológico Barrow, em Phoenix. O médico assistente disse que ela provavelmente já tinha Parkinson havia dez ou quinze anos e que teria de conviver com os sintomas. O plano de

Michelle era lidar com a progressão das limitações físicas à medida que envelhecesse. Começou a tomar Azilect (mesilato de rasagilina), medicamento usado para a doença de Parkinson que impede a captação de dopamina no receptor, diminuindo a assimilação. A droga produziu pouquíssimas mudanças visíveis.

Michelle se tornou aluna em novembro de 2012. O mês de dezembro foi excelente. Sua rotina diária de meditação trouxe uma sensação de paz e alegria que começou a reduzir seus sintomas a um grau perceptível. Michelle tinha certeza de que esse curso de ação a ajudaria a superar o mal de Parkinson.

Ela continuou a experimentar ótimas sessões de meditação até o início de fevereiro de 2013. Em meados daquele mês, a mãe de Michelle foi internada em terapia intensiva em Sarasota, na Flórida, e Michelle viajou para ficar com ela. No dia em que Michelle voou de volta ao Arizona para nosso *workshop*, ainda naquele mês, sua mãe foi colocada sob cuidados paliativos. O avião de Michelle pousou em Phoenix cerca de uma hora e meia antes de seu primeiro exame cerebral. Nem é preciso dizer que ela estava física e emocionalmente exausta no momento da varredura; as imagens mostraram o estresse extremo que ela enfrentava.

Ao final do *workshop*, Michelle sem dúvida estava em um estado de ser mais calmo e positivo, com os sintomas de Parkinson quase imperceptíveis. Após o *workshop*, voltou à Flórida para ficar com a mãe. Embora o relacionamento entre ela e a mãe sempre tivesse sido difícil, como resultado de seus esforços no *workshop* Michelle sentiu-se fortalecida o bastante para ser solidária, amorosa e totalmente livre de quaisquer problemas antigos que pudessem interferir no amor que sentia pela mãe.

No entanto, devido à doença e posterior falecimento da mãe, além de um grave derrame sofrido por sua irmã no Texas, Michelle foi forçada a voar de um lado para o outro entre Flórida e Texas para lidar com os desafios da família. Sua rotina foi bastante afetada, e em junho ela parou de fazer as meditações. A vida estava atrapalhada, e ela tinha muitas responsabilidades. Parar as meditações foi como parar de tomar o placebo. Quando notou os sintomas retornarem, Michelle começou a meditar novamente e melhorou a passos largos.

AS VARREDURAS DE MICHELLE

Como Michelle mora perto da clínica do Dr. Fannin, no Arizona, conseguimos acompanhar seu progresso por mais de cinco meses, realizando uma série de seis exames cerebrais periódicos. Quero explicar a evolução de Michelle nesse período.

Dê uma olhada na parte intitulada "antes da meditação" da figura 10.5. Essa é a varredura no *workshop* de fevereiro de 2013, depois de Michelle voltar da Flórida estressada e exausta por causa da doença de sua mãe. As grossas linhas vermelhas indicam que seu cérebro estava em DP de 3 em todas as áreas, exibindo muita atividade, hipercoerência e excesso de regulamentação. Na doença de Parkinson, isso é bastante comum. A falta dos neurotransmissores adequados (especificamente dopamina) faz com que os neurônios exibam um sistema de comunicação irregular entre cada região do cérebro, com redes neurais disparando fora de controle. O resultado é um tipo de disparo neuronal espástico ou hiperativo que afeta o cérebro e o corpo. Como resultado, funções motoras involuntárias interferem no movimento normal.

Agora veja a parte intitulada "depois da meditação" da mesma figura. Esse é o cérebro de Michelle após quatro dias de mudança de estado durante a meditação. Está muito próximo de um cérebro normal, com muito pouca hiperatividade, incoerência ou excesso de regulamentação. No final do nosso evento, ela não experimentava tremores involuntários, contrações ou problemas motores, e o exame confirma essa alteração.

Agora, vejamos as leituras do EEGq da figura 10.6A, antes da meditação. Se você olhar do meio da segunda linha até a última linha (imagens em azul), verá que o cérebro de Michelle não mostra ondas alfa ou beta funcionando. Lembre-se de que azul significa atividade cerebral reduzida. Com Parkinson, isso normalmente é representado por atividade cognitiva diminuída, aprendizado comprometido e perda de envolvimento. Aqui você pode ver que Michelle não consegue consolidar novas informações. Ela não é capaz de sustentar uma imagem interna porque não está produzindo ondas alfa. Seus padrões beta de pequena amplitude também mostram a dificuldade para manter níveis de consciência. Toda a energia de seu cérebro está voltada para lidar com a hipercoerência; assim, é como uma lâmpada que vai de 50 watts para 10 watts. O volume de energia no cérebro é reduzido.

Se você observar a parte depois da meditação do gráfico, verá o que parece um cérebro muito melhorado e equilibrado. Todas as áreas verdes na maioria das imagens indicadas com setas representam atividade cerebral normal e equilibrada. Agora o cérebro consegue funcionar em alfa, e Michelle pode entrar em estados internos com mais facilidade, lidar melhor com o estresse e entrar no sistema operacional subconsciente para influenciar as funções autonômicas. Até a atividade beta voltou ao normal (verde), indicando que ela está mais consciente, alerta e atenta. A atividade equilibrada resultou em poucos problemas motores.

As imagens circuladas em vermelho na parte inferior de beta de maior amplitude revelam ansiedade. Essa é a atitude com a qual Michelle luta e que trabalha para mudar de uma perspectiva interna. Coincidentemente, foi a ansiedade que amplificou os sintomas de Parkinson no passado. À medida que diminui a ansiedade, Michelle diminui os sintomas de Parkinson. Os tremores agora indicam a Michelle quando sua vida está desequilibrada. Quando regula seus estados internos, ela produz mudanças em sua realidade externa.

Três meses depois, Michelle teve o cérebro examinado outra vez no consultório do Dr. Fannin. A varredura de 9 de maio de 2013 da figura 10.6B mostra o cérebro melhor, exatamente conforme o relato de Michelle. Ela havia melhorado em meio a todos os diferentes estresses de sua vida. Como fazia as meditações todos os dias (pense nisso como tomar o placebo diariamente), Michelle mudava o cérebro e o corpo continuamente para serem maiores do que as condições no ambiente. A verificação mostra que ela praticamente zerou outro desvio padrão em relação à verificação anterior na parte inferior do gráfico. Você pode ver claramente que a ansiedade melhorou, e, como resultado, a condição dela também. Menos ansiedade significa menos tremores. Michelle estava sustentando e, assim, memorizando esse estado de ser por um longo período. E seu cérebro mostra as mudanças.

Se você observar a varredura cerebral de Michelle em 3 de junho de 2013, na figura 10.6C, verá uma ligeira regressão do progresso, embora ela ainda esteja melhor do que quando começou. Michelle havia parado de fazer a meditação (e, portanto, parado de tomar o placebo), e o cérebro regrediu ligeiramente ao que conhecia antes. O cérebro com a seta na área azul de 13 Hz significa hipoatividade na área sensorial-motora; portanto, menor capacidade de controlar os tremores involuntários. Nesse padrão de ondas cerebrais, Michelle tem menos energia para controlar o corpo. Você também pode ver, nas áreas circuladas em vermelho na parte inferior da varredura, o retorno de beta de maior amplitude, correlacionada à ansiedade.

Por ocasião do exame de 27 de junho de 2013, mostrado na figura 10.6D, Michelle havia voltado a meditar no início do mês, e a varredura mostrou um cérebro significativamente melhor. Ela experimentava menos ansiedade geral, como demonstrado em vermelho na linha inferior, entre 17 e 20 Hz. Agora compare essa imagem com a figura 10.6E, de 13 de julho de 2013, após o *workshop*. O vermelho diminuiu ainda mais, e o azul que havia aparecido em alfa na primeira varredura (em fevereiro), indicando hipoatividade, desapareceu por completo. Michelle continuava a melhorar, e suas mudanças se tornavam mais consistentes.

O NOVO EU DE MICHELLE

Hoje em dia, Michelle quase nunca apresenta nenhum dos sintomas motores involuntários associados à doença de Parkinson. Espasmos muito pequenos às vezes ocorrem quando ela fica estressada ou cansada, mas, na maior parte do tempo, ela está bem e normal. Quando Michelle está equilibrada e alegre, fazendo suas meditações diariamente, seu cérebro funciona bem, e ela também. Tanto em nossas verificações contínuas quanto em seus relatórios, Michelle não está apenas mantendo sua condição, ela continua a ficar cada vez melhor. Michelle segue meditando porque entende que precisa tomar o placebo todos os dias.

Reversão de traumatismo cerebral e lesão da medula espinhal apenas pelo pensamento

O ANTIGO EU DE JOHN

Em novembro de 2006, John quebrou o pescoço na sétima vértebra cervical e primeira torácica como passageiro de um carro que girou fora de controle e capotou em alta velocidade. Devido ao impacto, John também sofreu um grave ferimento na cabeça. Os médicos foram rápidos e categóricos no prognóstico. John seria tetraplégico pelo resto da vida. Nunca voltaria a andar e teria um uso muito limitado dos braços e mãos. As vértebras estavam 100% deslocadas, resultando em danos na medula espinhal.

Só quando John fez uma cirurgia os médicos viram a extensão exata dos ferimentos. Dois dias depois, o neurologista disse à esposa de John que a medula espinhal estava "intacta", mas que aquele tipo de lesão poderia ter o mesmo resultado que um rompimento completo. Seria, como em todas as lesões da medula espinhal, um jogo de espera.

Quando você é envolvido pela realidade de viver na unidade de terapia intensiva e, mais tarde, em um centro de reabilitação, pode ser extremamente difícil não se deixar levar pelo pensamento convencional. Quando John e sua família perguntaram sobre sua possível recuperação, os médicos disseram que, dada a lesão e a ausência de retorno de qualquer tipo de funcionamento normal até aquele momento, eles deveriam começar a aceitar o inevitável. John seria deficiente pelo resto da vida. Os médicos martelaram essa mensagem várias vezes como uma parte necessária do processo de seguir em frente. Mas John e sua esposa não conseguiam aceitá-la.

Conheci John de cadeira de rodas, em 2009, junto com a esposa, a família e uma fisioterapeuta incrível que entende de neuroplasticidade. São algumas das pessoas mais energéticas e otimistas que já conheci. Começamos nossa jornada juntos em grande empolgação.

AS VARREDURAS DE JOHN

Dê uma olhada na figura 10.7, da varredura cerebral de John antes da meditação. A primeira imagem revela hipoatividade acentuada. O DP é de mais de 3 abaixo do normal. A medição da coerência de John, com grossas linhas azuis tão significativas, é o oposto do estudo da condição de Parkinson de Michelle, que mostrou linhas vermelhas grossas. Essa varredura revela uma capacidade diminuída de diferentes partes do cérebro de trabalhar bem juntas. O cérebro estava ocioso e sem energia. John dispunha de capacidade limitada de responder a qualquer coisa por qualquer período. Não conseguia sustentar a atenção, e sua consciência era limitada. Por causa da lesão traumática, o cérebro estava em estado de excitação muito baixa e mostrava alto grau de incoerência.

Agora olhe o exame do cérebro após quatro dias de meditação. Na primeira imagem, na margem superior esquerda, em delta de 1 Hz, o vermelho revela mais atividade. Nesse caso é um bom sinal, porque está acontecendo mais coerência em delta nos dois hemisférios. John está começando a mostrar um processamento cerebral dual mais equilibrado. Como sua lesão traumática é mais visível em delta e theta, a hiperatividade em delta sugere que o cérebro está acordando. O resto do cérebro em alfa e beta mostra atividade mais equilibrada e melhor função cognitiva. Isso indica que ele tem mais acesso para controlar a mente e o corpo.

Agora veja a figura 10.8. A cor azul, começando do meio da segunda linha até o final da linha inferior, de novo indica que John não tem ondas cerebrais alfa ou beta. O azul distribuído por tudo nos domínios alfa e beta nos hemisférios esquerdo e direito sugere que ele está vegetando e trabalhando com recursos limitados. O azul mostra menor capacidade cognitiva e menor capacidade de controlar o corpo. A mente de John simplesmente não está lá.

Após quatro dias de meditação, 90% do cérebro de John retornou ao normal, como mostra o verde da imagem. Isso é muito bom. Ele ainda tem alguma hipoatividade no hemisfério esquerdo, onde as setas apontam, indicando problemas de habilidade verbal e expressão, mas é muito melhor do que o primeiro exame. John continua meditando, e seu cérebro continua mostrando mais energia, mais equilíbrio e mais coerência. John recuperou o acesso aos caminhos neurais latentes que existiam antes. Seu cérebro acordou, lembrou-se de como trabalhar e agora tem energia para funcionar melhor.

O NOVO EU DE JOHN

John ficou em pé no final de nosso evento de fevereiro de 2013. Recuperou o controle total dos intestinos e da bexiga. Ele se mantém em pé em uma postura mais normal e integrada. Seus movimentos são mais coordenados. A frequência, intensidade e duração dos tremores espásticos diminuíram consideravelmente. John até faz um treino completo de academia regularmente, graças à ajuda de sua incrível terapeuta, B. Jill Runnion (diretora do Synapse – Centro de

Neurorreativação em Driggs, Idaho), que também estuda meu trabalho e tem habilidades e mente ilimitada para desafiar John, estabelecendo as condições certas. Os exercícios de John de agachamento vertical sem auxílio progrediram de um ângulo de 10 graus para 45 graus.

John agora tem controle total para abaixar o corpo para uma posição sentada. Também consegue realizar um exercício específico de fisioterapia que envolve tensionar os músculos da perna e do tronco e empurrar um trenó para longe do corpo com resistência. John agora está evoluindo da posição de bruços para quatro apoios completamente sozinho e começando a engatinhar.

Poucos meses depois do *workshop*, John assombrou a equipe médica com todas as melhorias em seu funcionamento cognitivo. Os avanços excederam o que qualquer um dos especialistas já tinha visto em um paciente com lesão medular. Era como se John finalmente acordasse, e os exames mostram que ele agora tem mais acesso ao cérebro e ao corpo. John também demonstra mais controle sobre partes adormecidas do cérebro e do corpo porque agora tem mais capacidade de regular o corpo.

A integração geral e os padrões de movimento coordenado de John progrediram consideravelmente, permitindo-lhe sentar-se à mesa sem ajuda, com os pés plantados no chão. As habilidades motoras foram aprimoradas a ponto de ele poder segurar uma caneta e assinar seu nome, usar um *smartphone* para enviar mensagem de texto, segurar o volante para dirigir e segurar uma escova de dentes. As mudanças cognitivas demonstram mais autoconfiança e maior alegria interior. Ele tem um senso de humor muito maior e está mais consciente do que nunca.

No verão de 2013, John pôde fazer uma viagem de *rafting* por corredeiras, mantendo-se sem ajuda em um bote durante seis horas por dia e dormindo em uma barraca no chão. Conseguiu viver na região selvagem do Idaho, longe do contato com o mundo exterior, por sete dias e seis noites. Ele não poderia ter feito isso um ano antes.

Toda vez que John e eu conversamos, ele diz a mesma coisa: "Dr. Joe, não tenho ideia do que está acontecendo". Eu dou sempre a mesma resposta: "No momento em que você souber o que está acontecendo, John, a coisa acaba. O desconhecido está além da nossa compreensão. Acolha-o".

Gostaria de fazer uma observação final sobre o caso de John. Todo mundo sabe que uma lesão na medula espinhal não é curada com abordagens convencionais típicas. Tenho certeza de que não é a matéria que está mudando a matéria em John. Ou seja, não são a química ou as moléculas que estão alterando a medula espinhal danificada. De uma perspectiva quântica, ele teria de ter uma frequência coerente de energia elevada, que teria de elevar ou arrastar a matéria de forma consistente para uma nova mente. Ele teria de exibir uma energia ou onda elevada que vibrasse a uma frequência mais rápida que a matéria, combinada com uma intenção clara, a fim de alterar as partículas da matéria. Portanto, é a energia, epifenômeno da matéria, que está reescrevendo o programa genético e curando sua medula espinhal.

Superação da mente analítica e descoberta da alegria

O ANTIGO EU DE KATHY

Kathy é CEO de uma grande empresa, advogada, esposa e mãe dedicada. Foi treinada para ser altamente analítica e racional. Usa o cérebro todos os dias para antecipar resultados e estar preparada para todos os cenários possíveis com base em sua experiência. Antes de ser apresentada ao meu trabalho, nunca havia meditado. De saída, Kathy percebeu o quanto analisava tudo em sua vida. Tinha uma enorme lista de tarefas diárias e afirmou que seu cérebro nunca desligava. Olhando para trás, confessou que nunca estivera no momento presente.

AS VARREDURAS DE KATHY

Dê uma olhada na varredura cerebral antes da meditação de Kathy, na figura 10.9. As medições da proporção delta-theta representam a capacidade de manter o foco e a concentração para processar e lidar com pensamentos intrusivos e estranhos. A seta na parte de trás do cérebro, no lado direito, onde está localizada a maior mancha vermelha, mostra que Kathy está vendo imagens em sua mente. A seta perto da área vermelha menor, do lado esquerdo, indica que Kathy está em conversa interna sobre as imagens. As imagens e as conversas constantes em sua mente fazem com que seu cérebro fique preso em um *loop*.

Na varredura depois da meditação, realizada no final do *workshop*, você pode ver claramente que o cérebro de Kathy está mais equilibrado, mais completo e mais normal. Ela não tem mais tagarelice mental porque o cérebro está integrando e processando informações com mais eficiência. Ela está em um estado de coerência. A mudança no estado cerebral é acompanhada por alegria, clareza e amor muito maiores.

Agora vamos ver as medições de coerência na figura 10.10. No início do *workshop*, o cérebro de Kathy estava em beta de grande amplitude, um estado de alta excitação, análise e emergência. As grossas linhas vermelhas em alfa e beta mostram DP de 3 acima do normal. O cérebro é hiperativo, desequilibrado e altamente incoerente, e Kathy tem problemas para controlar a ansiedade.

Agora dê uma olhada na varredura depois da meditação, realizada no último dia do evento de fevereiro. Você vai reconhecer um cérebro mais normal e equilibrado, com muito menos ondas cerebrais beta de grande amplitude e muito mais coerência.

Kathy ainda tinha trabalho a fazer, então montamos um experimento após o *workshop*, já que ela mora na área de Phoenix e poderia visitar a clínica do Dr. Fannin. Foi mostrada uma imagem de um cérebro saudável, equilibrado e normal em um exame de EEGq, e o Dr. Fannin disse a Kathy que era nisso que ela precisava focar a atenção. Ele sugeriu que, quando entrasse em um novo estado de ser durante a meditação, Kathy deveria selecionar aquele resultado potencial pelos próximos 29 dias. Como ela poderia atribuir mais significado ao placebo, manteria maior grau de intenção quanto aos benefícios da prática.

Funcionou. Se você observar a figura 10.11, que mostra a varredura de 8 de abril de 2013, cerca de seis semanas depois, verá um cérebro ainda mais normal, sem evidência de ansiedade (em vermelho). Além disso, confira a figura 10.12. Você consegue ver a progressão de 20 de fevereiro de 2013, quando o exame de Kathy apresenta vermelho nas frequências mais altas de ondas cerebrais (21 a 30 Hz), até o final do evento de fevereiro, quando o exame cerebral mudou para verde na segunda imagem (e está muito mais normal)? As áreas vermelhas mostram níveis muito altos de ansiedade (beta de grande amplitude) e análise excessiva porque as ondas cerebrais nas frequências mais altas

(21 a 30 Hz) estão hiperativas; o cérebro estava trabalhando demais. No início de abril (mostrado na figura 10.13), o cérebro de Kathy está equilibrado, coerente e muito mais sincronizado. Hoje Kathy tem um cérebro muito diferente e confirma se sentir uma pessoa diferente.

O NOVO EU DE KATHY

Kathy relata inúmeras mudanças positivas em sua carreira, sua vida cotidiana e seus relacionamentos. Ela medita todos os dias e, quando pensa que não tem tempo para meditar, trata de achar. Ela entende que a atitude que criou sua mente e cérebro desequilibrados está relacionada ao tempo e às condições em seu ambiente externo. Kathy diz que as respostas para suas perguntas vêm com mais facilidade e muito menos esforço. Ela ouve seu coração com mais frequência e se recupera antes de entrar em ciclos de vigilância. Raramente fica presa em *loops*, e se vê agindo de maneira mais gentil e paciente. Kathy é mais feliz de dentro para fora.

Cura de miomas por alteração da energia

O ANTIGO EU DE BONNIE

Em 2010 Bonnie apresentou dor significativa e sangramento excessivo durante a menstruação. Foi diagnosticada a produção excessiva de estrogênio, e Bonnie foi incentivada a usar hormônios bioidênticos. Aos 40 anos, ela considerou essa solução extrema para seu diagnóstico.

Bonnie lembrou que sua mãe tivera os mesmos sintomas naquela idade, havia tomado pílulas hormonais e morrido de câncer de bexiga. Embora possa não haver conexão específica entre a terapia hormonal e o câncer de bexiga, o que chamou a atenção de Bonnie foi apresentar os mesmos sintomas que a mãe. Ela não queria desenvolver o mesmo resultado.

O sangramento vaginal começou a durar mais (às vezes até duas semanas); Bonnie ficou anêmica e letárgica, e engordou cerca de dez quilos. Perdia cerca de dois litros de sangue por mês durante a menstruação. Um ultrassom pélvico confirmou os miomas. Bonnie passou por uma infinidade de exames de sangue e foi informada de que estava na perimenopausa e provavelmente tinha um cisto no ovário. O especialista que recomendou a terapia hormonal disse a Bonnie que os miomas não desapareceriam e que o sangramento grave continuaria pelo resto da vida.

Escolhi Bonnie aleatoriamente para um dos mapas cerebrais extras durante nosso evento em Englewood, Colorado, em julho de 2013. Ela ficou mortificada quando a apontei indicando que fora selecionada para a varredura. A menstruação de Bonnie havia começado na noite anterior ao *workshop*, e ela costumava usar uma fralda grande para absorver a quantidade de sangue que perdia. Quando instruí os alunos para se deitarem depois de várias meditações, Bonnie estava preocupada com o fato de que sangraria por tudo até o chão.

Por causa da dor extrema que acompanhava sua menstruação, até se sentar era desconfortável para Bonnie. Mesmo assim, ela estava determinada a continuar praticando as técnicas de meditação todos os dias em nome da paz mental. Durante a primeira meditação em que foi examinada, Bonnie teve uma experiência que só pode descrever como mística. Sentiu seu coração se abrir e expandir. Jogou a cabeça para trás e sua respiração se alterou. Bonnie viu uma luz inundar seu corpo e experimentou uma tremenda sensação de paz. Também ouviu as palavras "Sou amada, abençoada e não sou esquecida". Bonnie chorou durante a meditação, e seu exame cerebral mostrou que ela estava em estado de de êxtase.

AS VARREDURAS DE BONNIE

Dê uma olhada no EEG de Bonnie na figura 10.14. Tivemos a sorte de capturar toda a experiência em tempo real. O primeiro gráfico mostra uma atividade normal das ondas cerebrais. Tudo está em equilíbrio e tranquilo. Nas três varreduras de Bonnie nas figuras 10.15, que capturaram o que estava acontecendo com ela em diferentes momentos durante a meditação, você pode ver a energia e amplitude elevadas em seus lóbulos frontais, o que representa o processamento de um bocado de informação e emoção. Ela está em um estado expandido de consciência, com picos intervalados. A maior parte da atividade acontece nas ondas cerebrais theta, o que significa que ela está em sua mente subconsciente. A experiência interior é muito real para Bonnie naquele momento. Ela está tão completamente focada no pensamento que este se torna a experiência. O quociente emocional é representado pela quantidade de energia (amplitude) que o cérebro processa. Veja o comprimento vertical das linhas nos locais apontados pelas setas. Trata-se de uma energia muito coerente. Bonnie está em um estado elevado de consciência.

Agora olhe a figura 10.16. O EEGq de Bonnie em tempo real tem uma seta apontando para 1 Hz em ondas cerebrais delta, ilustrando sua conexão com o campo quântico (em azul). Bonnie também aumentou a energia em seu lobo frontal nas ondas cerebrais theta (em vermelho), o que combina exatamente com o que acontecia no EEG. Observe o círculo vermelho e a seta que destaca os lobos frontais. A imagem que você está vendo é um instantâneo da atividade cerebral de Bonnie durante a meditação. Como uma das funções do lobo frontal é tornar os pensamentos reais, o que ela experimenta em theta com os olhos fechados é muito real. Poderíamos dizer que a experiência interior de Bonnie foi como um sonho muito vívido e lúcido. A seta vermelha em 12 Hz de alfa, apontando a mancha vermelha no centro do cérebro, mostra a tentativa de Bonnie de entender a experiência interior e depois processar o que via com o olho de sua mente. O resto de seu cérebro está saudável e equilibrado (em verde).

O NOVO EU DE BONNIE

A experiência de Bonnie naquele dia mudou-a para sempre. A amplitude de energia relacionada à experiência interior foi maior do que qualquer experiência passada de seu ambiente externo; com isso, seu passado foi biologicamente removido. A energia no pico da meditação suplantou os programas conectados em seu cérebro e o condicionamento emocional no corpo, e o corpo respondeu instantaneamente a uma nova mente, a uma nova consciência. Bonnie mudou seu estado de ser. Em menos de 24 horas, o sangramento parou por completo. Ela não teve dor e instintivamente soube que estava curada. Desde o evento, Bonnie experimentou apenas ciclos menstruais normais. Não teve nenhum sangramento excessivo nem dor desde o *workshop*.

Vivência de êxtase

O ANTIGO EU DE GENEVIEVE

Genevieve, uma artista e musicista de 45 anos, atualmente reside na Holanda e viaja bastante por causa de sua vocação. Durante o evento de fevereiro, eu estava assistindo à varredura de seu cérebro com o Dr. Fannin durante a meditação, e começamos a notar algumas mudanças significativas de energia na metade da jornada interior de Genevieve. Ao vermos uma leitura específica em seu exame, nos entreolhamos, sabendo que algo estava para acontecer. Nos viramos para olhar para Genevieve e vimos lágrimas de alegria escorrendo por seu rosto. Ela estava em êxtase, em total prazer, e seu corpo respondia prontamente. Nunca tínhamos visto algo assim.

AS VARREDURAS DE GENEVIEVE

Se você observar a figura 10.17, verá uma varredura cerebral relativamente normal antes da meditação de Genevieve. As áreas verdes espalhadas por todo o cérebro indicam uma mulher saudável e bem ajustada, com um cérebro equilibrado. As áreas azuis de atividade sensório-motora diminuída antes de ela começar, em alfa de 13 a 14 Hz, onde você vê as setas, provavelmente indicam *jet lag*, porque Genevieve chegara da Europa naquele dia. Se você observar o cérebro dela durante a meditação, verá um aumento geral no equilíbrio. O que acontece a seguir é o mais extraordinário. Quando a vimos atingir aquele pico no final da meditação, soubemos, pela observação da varredura, que ela tinha um bocado de energia no cérebro.

Agora dê uma olhada na figura 10.18. Esse tipo de atividade em vermelho, mostrando grandes quantidades de energia em todas as frequências das ondas cerebrais, sugere que Genevieve estava em um estado altamente alterado. Alguém que não soubesse que ela estava meditando e apenas visse a varredura diria que ela estava experimentando um nível extremo de ansiedade ou psicose. Mas, como o depoimento de Genevieve descreveu seu estado de puro êxtase, sabemos que todo aquele vermelho representa muita energia no cérebro, que estava com DP de 3 acima do normal. É energia, na forma de emoção armazenada no corpo como mente, sendo liberada e retornando ao cérebro.

A figura 10.19, que mostra a leitura do EEG, valida essa interpretação. Se você analisar as linhas roxas onde está a flecha, verá que essa parte do cérebro está processando dez vezes a quantidade normal de energia. A área circulada em vermelho nos diz que a experiência emocional é tão profunda que está sendo armazenada na memória de longo prazo de Genevieve. Ao mesmo tempo, ela também está tentando entender verbalmente o que está acontecendo consigo naquele momento. Ela poderia estar dizendo para si mesma algo do tipo "Oh meu Deus! Isso é incrível. Me sinto tão bem! O que é esse sentimento?". A experiência interior é tão real quanto qualquer evento externo, e Genevieve não está tentando fazer aquilo acontecer; simplesmente está acontecendo. Ela não está visualizando, está vivenciando um momento profundo.

Examinamos Genevieve novamente em julho, no evento no Colorado, e ela ainda exibia as mesmas mudanças de energia. Quando lhe demos o microfone nos dois eventos, tudo o que ela conseguiu dizer foi que estava tão apaixonada pela vida que seu coração estava totalmente aberto e ela se sentia conectada a algo maior. Genevieve estava em estado de graça e se sentia tão bem que queria ficar no momento presente. Se você observar a figura 10.20, verá que o cérebro dela repetiu os mesmos padrões e efeitos do evento de fevereiro no *workshop* de julho. A experiência seguiu acontecendo meses depois. Genevieve ficou verdadeiramente alterada a partir da transformação pessoal.

O NOVO EU DE GENEVIEVE

Falei com Genevieve várias semanas após o evento de julho. Ela disse que não era mais a mesma pessoa do começo do ano. Sua mente se aprofundara, e ela estava mais presente e muito mais criativa. Ela sente um profundo amor por todas as coisas e, o mais importante, sente-se tão plena que não pensa mais que precise ou queira alguma coisa. Ela se sente inteira.

Estado de êxtase: movendo a mente para fora do corpo

O ANTIGO EU DE MARIA

Maria é uma mulher altamente funcional com atividade cerebral normal. Durante a primeira meditação do dia, um exercício de 45 minutos, ela experimentou uma mudança significativa nas ondas cerebrais em questão de instantes.

AS VARREDURAS DE MARIA

Veja a figura 10.21 e observe a diferença entre as ondas cerebrais normais de Maria e seu estado de êxtase. Observei quando ela entrou em um estado de energia aumentada, e parecia que ela estava tendo um orgasmo no cérebro. O exame mostra um cérebro totalmente ativo com uma experiência completa de *kundalini* (energia latente armazenada no corpo que, quando despertada, provoca estados mais elevados de consciência e de energia no cérebro). Se você observar as varreduras de Maria, poderá ver que todas as áreas do cérebro experimentaram uma energia muito elevada. Quando a *kundalini* é despertada, pode subir da base da espinha até o topo do cérebro, onde pode produzir uma experiência mística extremamente profunda. Muitos estudantes dos *workshops* têm esses orgasmos cerebrais. Na varredura de Maria, todas as áreas do cérebro estão totalmente envoltas em energia, e suas ondas cerebrais mostram três a quatro vezes a amplitude normal. Seu cérebro é coerente e muito sincronizado. Se você observar as varreduras, verá que o êxtase ocorre em ondas, como um orgasmo. Maria não estava tentando fazer nada disso, simplesmente aconteceu. Todo o cérebro foi envolvido no evento interno, e, como resultado, ela ficou preenchida de intensa energia.

O NOVO EU DE MARIA

Maria continua a ter experiências místicas semelhantes. Cada vez que ocorrem, ela relata sentir-se mais relaxada, mais consciente e mais íntegra. Ela acolhe o momento desconhecido.

Agora é a sua vez

Esses poucos exemplos (dentre muitos documentados) provam que é possível ensinar o efeito placebo. Agora que você tem todas as informações, histórias e provas do que é possível, é hora de aprender como fazer para poder experimentar a própria transformação. Os próximos dois capítulos descrevem as etapas que você pode seguir para iniciar seu processo de meditação pessoal. Desejo que você coloque em prática todo o conhecimento que aprendeu até agora, para que possa experimentar a verdade de seus esforços. Como você recebeu as ferramentas necessárias para atravessar o rio da mudança, espero vê-lo do outro lado.

Parte 2

TRANSFORMAÇÃO

Capítulo 11

Preparativos para a meditação

Agora que você leu e absorveu todas as informações da Parte 1, está pronto para avançar para a transformação. Neste capítulo vamos examinar o que você precisa saber para se preparar para meditar, de modo que, quando chegar ao próximo capítulo, esteja pronto para ser conduzido à meditação. Todas as pessoas citadas neste livro que mudaram algo em si tiveram primeiro que voltar-se para dentro e mudar seu estado de ser. Então, pense na sua prática de meditação como uma maneira de você tomar o placebo todos os dias. Só que, em vez de tomar uma pílula, você estará indo para dentro de si. Com o tempo, sua meditação será como sua crença em tomar medicamentos.

Quando meditar

Dois horários do dia são os mais favoráveis à meditação: logo antes de ir dormir à noite, e logo depois de acordar pela manhã. Isso porque, ao adormecer, você naturalmente passa por todo o espectro de ondas cerebrais, do estado beta de vigília para o estado alfa mais lento, quando fecha os olhos, depois para o estado theta ainda mais lento, quando está semiadormecido e semiacordado, até chegar ao estado delta do sono profundo. Quando acorda de manhã, você faz o percurso ao contrário: subindo de delta para theta, depois alfa e por fim beta, quando está totalmente acordado e consciente.

Se você medita quando está se preparando para dormir ou quando acaba de sair do sono, é mais fácil entrar nas ondas cerebrais alfa ou theta; você está mais preparado para ficar em um estado alterado porque é a direção da qual você veio ou para onde está se encaminhando. Pode-se dizer que a porta para a mente subconsciente está aberta nesses dois horários. Pessoalmente, prefiro meditar de manhã, mas qualquer horário está ótimo. Escolha o que melhor funcionará para você e mantenha-se nele. Se conseguir meditar todos os dias, isso se tornará um bom hábito e será algo que você vai aguardar ansiosamente.

Onde meditar

O mais importante é escolher um local onde você não se distraia ao meditar. Como vai se desconectar do mundo físico externo, escolha um lugar calmo, onde possa ficar sozinho e não haja interrupções (seja por outras pessoas, seja por animais de estimação), um lugar para onde possa voltar todos os dias e que possa usar como seu ambiente sagrado de meditação.

Não recomendo que você medite na cama, porque a cama se associa ao sono. (Pelo mesmo motivo, não recomendo que se deite ou use uma poltrona reclinável ao meditar.) Escolha uma cadeira ou um local no chão onde possa sentar-se por até uma hora, longe de correntes de ar e em um cômodo de temperatura agradável.

Se preferir meditar com música, escolha instrumentais ou vocais sem letra, suaves, relaxantes e indutores de transe. (De fato, um pouco de música funciona bem para encobrir ruídos de fundo se você não estiver em um ambiente completamente silencioso.) Não utilize músicas que tragam lembranças de algum evento passado ou que possam distrair de alguma maneira. Além disso, desligue o computador e o telefone caso estejam na sala. E tente evitar o aroma de café ou comida. Você pode até usar uma venda nos olhos ou tampões de ouvido para aumentar o efeito da privação sensorial, pois o objetivo em sua preparação é eliminar o máximo possível de estímulos externos.

Deixando o corpo confortável

Vista roupas confortáveis e folgadas e tire o relógio ou qualquer joia que possa causar distração. Se usa óculos, tire-os também. Beba um pouco de água antes de se sentar e tenha um copo ao seu alcance, caso precise. Use o banheiro antes de começar e tome outras providências semelhantes para não se distrair durante a meditação.

Quer esteja sentado em uma cadeira, quer esteja no chão de pernas cruzadas, mantenha a coluna ereta. Seu corpo deve estar relaxado, mas sua mente precisa manter o foco para não ficar tão relaxada que você adormeça. Se sua cabeça começar a cair à frente durante a meditação, é sinal de que você está entrando em um estado mais lento de ondas cerebrais; portanto, não se preocupe muito com isso. Com alguma prática, seu corpo ficará condicionado e não vai querer cochilar.

Ao iniciar a meditação, feche os olhos e respire lenta e profundamente. Em breve você deve passar de um estado de ondas beta para um estado alfa. Esse estado mais tranquilo, mas ainda focado, ativa seu lobo frontal, que, como você já sabe, diminui o volume dos circuitos cerebrais que processam tempo e espaço. Embora a princípio você não vá conseguir entrar facilmente no próximo estado mais lento, theta, com a prática poderá desacelerar ainda mais as ondas cerebrais. Theta é o estado de onda em que o corpo está adormecido, mas a mente está acordada, e é onde você pode alterar mais facilmente os programas automáticos do corpo.

Quanto tempo meditar

A meditação em geral vai levar de 45 minutos a uma hora, mas permita-se bastante tempo, se possível, para acalmar a mente antes de começar. Se precisar terminar em um horário determinado, defina um alarme para disparar dez minutos antes, a fim de ter condições de encerrar a sessão sem precisar parar abruptamente. Não deixe que o tempo seja uma distração. Lembre-se de que, assim como você está se afastando das informações sensoriais, também está deixando de ter consciência do tempo; se ficar constantemente preocupado com a hora, vai aniquilar seu objetivo. Se precisar de mais alguns minutos no seu dia para poder meditar sem essa distração, considere acordar mais cedo ou ir para a cama mais tarde.

Dominando sua vontade

Quero alertá-lo sobre um obstáculo muito comum para quem inicia uma prática de meditação. Sempre que você começa a mudar alguma coisa em sua vida, seu corpo operando como a mente sinaliza o cérebro para ficar no controle de novo. De repente você pode começar a ouvir vozes negativas em sua cabeça, tipo "Por que você não começa amanhã?", "Você é muito parecido com sua mãe", "O que há de errado com você?", "Você nunca vai mudar", "Isso não parece estar certo". É o corpo tentando desbancá-lo para poder ser a mente de novo. Você pode inconscientemente ter condicionado o corpo a ser impaciente, frustrado, infeliz, vitimista ou pessimista, para citar alguns exemplos. Então é assim que ele quer se comportar subconscientemente.

No momento em que você responde a essa voz como se o que ela está dizendo fosse verdade, sua consciência mergulha de volta no programa automatizado, e aí você volta a pensar os mesmos pensamentos, a realizar as mesmas ações e a viver pelas mesmas emoções, mas ainda assim esperando que algo mude em sua vida. Se você usa sentimentos e emoções como um barômetro para a mudança, o que acontece é que inviabiliza essa possibilidade. Porém, quando liberta o corpo das amarras das emoções, você consegue relaxar no momento presente (falarei mais sobre isso ainda neste capítulo) e libera energia do corpo, passando de partícula a onda, disponibilizando a energia para estabelecer um novo destino. Para chegar ao estágio de ensinar a seu corpo uma nova maneira de ser, você precisa sentar o corpo e mostrar a ele quem é que manda.

Temos um rancho com dezoito cavalos, e dominar a vontade para manter o foco na meditação é semelhante a montar em um garanhão depois de não cavalgar com ele há algum tempo. Quando subo na sela, o garanhão não dá a mínima para mim. Ele sente o cheiro das éguas do outro lado da propriedade, e é para lá que vai a atenção dele. É como se ele dissesse: "Por onde você andou nos últimos oito meses? Adquiri uns maus hábitos enquanto você esteve ausente, a mulherada está lá, não me interessa o que você quer fazer, vou é derrubar você. Quem manda aqui sou eu". Ele fica bem louco, mostra-se temperamental e controlador e tenta me jogar contra o cercado. Mas fico atento a ele, e, quando sua cabeça começa a virar na direção das éguas, eu o controlo.

No momento em que o vejo começar a se desvencilhar do meu comando, agarro as rédeas com calma, mas firmeza, puxo e espero. Não demora muito, ele para e dá uma bufada, eu o acaricio no flanco e digo: "Muito bem". Damos dois passos, vejo sua cabeça começando a virar de leve outra vez, faço-o parar e espero. Ele bufa de novo e, quando entende que estou no comando, recomeçamos a avançar. Repito o mesmo procedimento até ele enfim se render a mim.

Esse tipo de reorientação suave, mas firme, é exatamente a mesma abordagem a ser usada com seu corpo quando você se senta para meditar. Pense no seu corpo como o animal que você, como consciência, está treinando. Toda vez que você fica ciente de que sua atenção se desviou e a traz de volta dessa maneira, recondiciona seu corpo para uma nova mente. Você domina a si mesmo e seu passado.

Digamos que você acorde pela manhã e tenha uma lista de pessoas para ligar, de tarefas a serem executadas, 35 mensagens e um monte de *e-mails* para responder. Se a primeira coisa que você faz a cada manhã é pensar em todas as coisas que precisa fazer, seu corpo já está no futuro. Quando você se senta para meditar, sua mente naturalmente pode querer ir nessa direção. Se você permitir, seu cérebro e corpo irão para o mesmo futuro previsível, porque você antecipa um resultado com base na experiência de ontem.

Então, no momento em que percebe que sua mente quer ir nessa direção, basta puxar as rédeas, acalmar o corpo e trazê-lo de volta ao momento presente, assim como faço ao montar meu garanhão. Se no momento seguinte você começar a pensar "Sim, mas tenho que fazer isso, me esqueci daquilo e preciso fazer o que não consegui ontem", apenas traga sua mente de volta ao presente outra vez. Se isso continuar acontecendo e provocar frustração, impaciência, preocupação etc., lembre-se de que qualquer emoção que você experimente faz parte do passado. Você percebe e fica ciente: "Ah, minha mente-corpo quer ir para o passado. Tudo bem. Vamos nos acalmar e relaxar de volta ao presente".

Assim como sua mente tenta distraí-lo, seu corpo pode fazer o mesmo. Pode ficar enjoado, criar dor ou provocar coceira no meio das costas; se isso acontecer, lembre-se de que é apenas o corpo tentando ser a mente. Ao dominar seu corpo, você se torna maior do que ele. Se conseguir dominá-lo durante a meditação, quando voltar às atividades do dia, estará mais presente, mais consciente e menos inconsciente.

Mais cedo ou mais tarde, assim como meu garanhão se rende a mim e segue meus comandos sem deixar que as éguas ou qualquer outra coisa o distraiam, seu corpo também se submeterá à sua mente durante a meditação, sem ser capturado por pensamentos dispersivos. Quando cavalo e cavaleiro são um, quando mente e corpo trabalham juntos, simplesmente não existe sensação melhor. Você está em um novo estado de ser. É incrivelmente fortalecedor.

Entrando em um estado alterado

A meditação que vou ensinar no próximo capítulo começa com uma técnica que os budistas chamam de foco aberto. É muito útil para entrar no estado alterado que tentamos alcançar, porque, em nossa existência cotidiana normal, vivendo no modo de sobrevivência e marinando nos hormônios do estresse, naturalmente temos um foco muito restrito. Colocamos toda a nossa atenção nas coisas, pessoas e problemas (focando na partícula ou matéria, não na onda ou energia) e definimos a realidade pelos nossos sentidos. Podemos chamar esse tipo de atenção de focada no objeto[119].

Com toda a nossa atenção no mundo exterior, que nesse estado parece mais real do que o mundo interior, nosso cérebro permanece boa parte do tempo em estado beta de grande amplitude, o padrão de onda cerebral mais reativo, instável e volátil de todos. Como estamos em alerta máximo, não temos condições de criar, devanear, resolver problemas, aprender coisas novas ou nos curarmos. Com certeza não é um estado propício para meditar. A atividade elétrica no cérebro aumenta, e, graças à resposta de luta ou fuga, a frequência cardíaca e a respiração aceleram-se. Nosso corpo não pode gastar muitos recursos, se é que pode gastar alguma coisa, no crescimento e na saúde porque está sempre na defensiva, tentando nos proteger, tentando apenas nos ajudar a sobreviver ao longo do dia.

Sob essas condições nada favoráveis, o cérebro tende a se compartimentar, o que significa que algumas regiões começam a trabalhar separadas das outras em vez de todas juntas, e algumas até trabalham em oposição umas às outras, como pisar no freio e no acelerador ao mesmo tempo. É uma casa dividida contra si mesma.

Além de suas partes não se comunicarem bem umas com as outras, o cérebro não mais se comunica com o resto do corpo de maneira eficiente e ordenada. Como o cérebro e o sistema nervoso central controlam e coordenam todos os outros sistemas do corpo – mantendo o coração batendo, os pulmões respirando, digerindo alimentos e eliminando resíduos, controlando o metabolismo, regulando o sistema imunológico, ajustando os hormônios e mantendo incontáveis outras funções em operação –, ficamos desequilibrados. Nosso cérebro envia mensagens muito desordenadas e sinais desintegrados para o resto do corpo através da medula. Como resultado, nenhum sistema do corpo recebe uma mensagem clara. As mensagens são muito incoerentes.

Imagine o sistema imunológico respondendo: "Não sei como produzir um glóbulo branco com essas instruções". E o sistema digestivo dizendo: "Não sei dizer se devo secretar ácido no estômago ou no intestino delgado. Essas ordens estão bem confusas". Enquanto isso, o sistema cardiovascular lamenta: "Não sei se o coração deve pulsar no ritmo ou fora do ritmo, porque o sinal que estou recebendo está bastante fora do ritmo. Será que tem mesmo um leão na esquina de novo?".

Esse estado desequilibrado nos mantém fora da homeostase ou do equilíbrio, e é fácil ver como nos predispõe a doenças, produzindo arritmias ou pressão alta (sistema cardiovascular desequilibrado), indigestão e refluxo ácido (sistema digestivo desequilibrado) e propensão a resfriados, alergias, câncer, artrite reumatoide e outros problemas (função imunológica desequilibrada), para citar apenas alguns exemplos. Esse estado de ondas cerebrais embaralhadas e cheias de estática é o estado de incoerência a que me referi no capítulo anterior. Não há ritmo ou ordem nas ondas cerebrais ou nas mensagens que o cérebro envia ao corpo. É uma cacofonia total.

Na técnica de foco aberto, fechamos os olhos, desviamos nossa atenção do mundo exterior e de suas armadilhas e abrimos o foco para prestar atenção ao espaço ao nosso redor (na onda em vez de na partícula). Isso funciona porque, quando sentimos esse espaço, não damos atenção a nada material e não pensamos. Nossos padrões de ondas cerebrais mudam para um alfa mais tranquilo e criativo (e eventualmente para theta). Nesse estado, nosso mundo interior se torna mais real para nós do que o mundo exterior, o que significa que ficamos em uma posição muito melhor para fazer as mudanças que queremos.

Pesquisas mostram que, quando usamos a técnica de foco aberto de forma adequada, o cérebro vai ficando mais organizado e sincronizado, e os diferentes compartimentos começam a trabalhar juntos e de modo mais ordenado. O que se sincroniza junto se conecta junto. Nesse nível de coerência, o cérebro consegue enviar sinais mais coerentes através de todo o sistema nervoso para o resto do corpo, e tudo começa a se mover no ritmo, trabalhando junto. Em vez de cacofonia, agora cérebro e corpos tocam uma bela sinfonia. Disso resulta nos sentirmos mais inteiros, integrados e equilibrados. Meus colegas e eu vimos esse tipo de alteração cerebral coerente na maioria dos alunos que examinamos em nossos *workshops*, então sabemos que essa técnica funciona.

O ponto exato do presente

Depois de orientá-lo no foco aberto, a meditação irá conduzi-lo na prática de encontrar o momento presente. Estar presente nos dá acesso a possibilidades no nível quântico que antes estavam fora de alcance. Lembra-se de eu ter dito que, no campo quântico, as partículas subatômicas existem simultaneamente em um conjunto infinito de possibilidades? Para que isso seja verdade, o universo quântico não pode ter apenas uma linha de tempo. Deve ter um número infinito de linhas de tempo, contendo simultaneamente todas as possibilidades empilhadas umas sobre as outras.

Toda experiência de passado, presente e futuro de tudo, desde o menor micro-organismo até a cultura mais avançada do universo, existe dentro do campo de informações ilimitadas chamado de campo quântico. Eu disse que o mundo quântico não tem tempo, mas a verdade é que ele tem todo o tempo simultaneamente; o que o mundo quântico não tem é o tempo linear, que é a maneira como costumamos pensar sobre o tempo.

O modelo quântico da realidade afirma que todas as possibilidades existem no momento presente. Contudo, se você acorda todas as manhãs e faz a mesma sequência de eventos, as mesmas escolhas que levam aos mesmos comportamentos, que criam as mesmas experiências, que produzem o mesmo retorno emocional, você não está aberto a nenhuma das outras possibilidades e não vai a nenhum lugar novo.

Dê uma olhada na figura 11.1. O círculo representa você no momento presente em uma linha de tempo específica. A linha à esquerda representa seu passado, e a linha à direita representa seu futuro. Digamos que todos os dias você acorda, vai ao banheiro, escova os dentes, leva o cachorro para fora, bebe café ou chá, come o mesmo desjejum, se veste da mesma maneira, dirige para o trabalho por uma rota familiar e assim por diante. Cada um desses eventos é representado por um ponto na linha do tempo do futuro imediato.

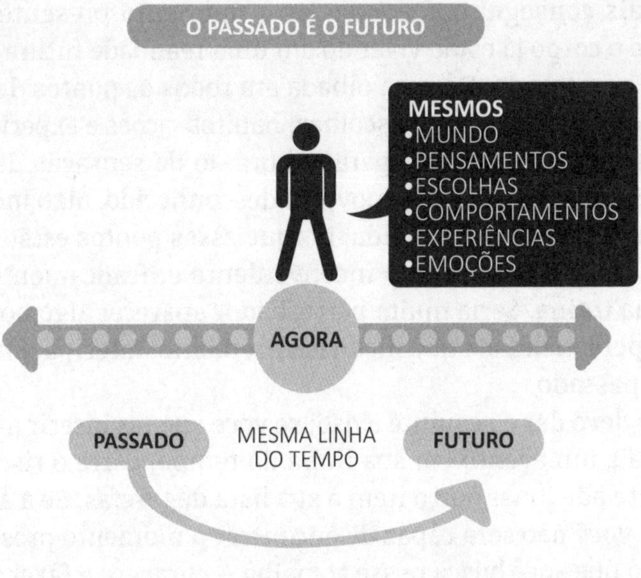

FIGURA 11.1

Cada ponto na linha do tempo representa o mesmo pensamento, escolha, comportamento, experiência e emoção de dias, semanas, meses e até anos passados. Portanto, o passado torna-se o futuro. Uma vez que um hábito é um conjunto redundante de pensamentos, ações e sentimentos automáticos adquiridos por meio de repetição frequente – ou seja, quando o corpo se torna a mente –, para a maioria o corpo já está programado para estar no mesmo futuro previsível baseado em nosso estado de ser do passado. Se memorizamos emoções que nos mantêm conectados ao passado e esses sentimentos dirigem nossos pensamentos, nosso corpo está literalmente vivendo no passado. Raramente estamos no momento presente.

Então, digamos que você passou pela mesma sequência todos os dias durante dez anos. Seu corpo já está programado pelo hábito para estar no futuro com base no passado, porque, quando você começa a antecipar emocionalmente cada um dos eventos em sua linha do tempo, seu corpo (como a mente inconsciente) acredita que está na mesma realidade previsível. A mesma emoção sinaliza os mesmos genes da mesma maneira, e aí você está na linha de tempo do futuro previsível. Você pode pegar a linha de tempo do passado e apenas acomodá-la no futuro, porque nesse cenário o passado é o futuro.

Você é como os pianistas que instalaram um circuito no cérebro apenas pensando repetidamente em tocar a mesma sequência de teclas e como os indivíduos que exercitaram os dedos apenas em pensamento e produziram alterações físicas. Você instrui o cérebro e condiciona o corpo para o mesmo futuro ao ensaiar mentalmente o mesmo cenário previsível e cotidiano de ontem.

Jamais conseguimos encontrar o momento presente porque o cérebro e o corpo já estão vivendo em uma realidade futura conhecida baseada no passado. Dê uma olhada em todos os pontos de sua linha do tempo que representam escolhas, hábitos, ações e experiências que criam as mesmas emoções para lembrá-lo da sensação de ser você. Não há espaço para que algo novo ou desconhecido, algo incomum ou milagroso apareça em sua vida, porque esses pontos estão juntinhos uns dos outros. Seria muito inconveniente e, francamente, atrapalharia sua rotina. Seria muito perturbador aparecer algo novo na vida de uma personalidade que inconscientemente antecipa o futuro com base no passado.

Aqui devo dar o seguinte aviso: se você apenas inserir a meditação como mais um evento em sua linha do tempo, corre o risco de simplesmente adicionar outro item à sua lista de tarefas. Se a abordagem for essa, você não será capaz de encontrar o momento presente. Para realizar o que você busca nesse trabalho – curar-se e fazer mudanças duradouras –, é preciso estar totalmente no presente, sem pensar em qual é o próximo evento previsível na sua linha do tempo. Isso porque você coloca sua energia em onde quer que preste atenção. Se prestar a mínima atenção em coisas, pessoas, lugares ou eventos do ambiente externo, estará reafirmando essa realidade.

Se você tem o hábito de ficar obcecado pelo tempo, pensando no passado (conhecido) ou no futuro baseado no passado (também conhecido), está perdendo o momento presente, no qual existe toda possibilidade. Quando se concentra no conhecido, você, como observador quântico, só pode obter mais do mesmo. Você vai colapsar todas as possibilidades do campo quântico nos mesmos padrões de informação chamados de sua vida.

Para acessar o potencial ilimitado à sua espera no campo quântico, você deve esquecer o conhecido (seu corpo, seu rosto, seu gênero, sua raça, sua profissão e até mesmo seu conceito do que deve fazer hoje) para que possa permanecer por um tempo no desconhecido, onde você não é um corpo, nem nada, nem ninguém em lugar nenhum e tempo algum. Você precisa se tornar pura consciência (nada além de um pensamento ou da consciência de estar ciente em um vazio de potenciais) para que seu cérebro possa se recalibrar.

Quando o corpo quer distraí-lo, mas você o domina e o reacomoda no momento presente repetidas vezes, até que ele aceite da maneira que leu anteriormente, a linha que vai para o futuro não mais existe, porque o corpo não está mais vivendo naquele destino previsível. Você desconectou ou desligou aqueles circuitos de energia.

Se o seu corpo está condicionado e viciado em emoções memorizadas que o mantêm conectado ao passado, mas você consegue trazê-lo de volta e acalmá-lo toda vez que se sente irritado ou frustrado, até o corpo enfim se render ao presente momento, a linha que vai para o passado também não existe mais. Você também se desconecta dessa linha.

Quando as linhas de passado e futuro desaparecem, seu destino genético previsível também desaparece. Nesse momento, não há mais passado para impulsionar o futuro e não há mais futuro previsível com base no passado. Você está apenas no presente, onde tem acesso a todos os potenciais e possibilidades. Quanto mais tempo você investe no desconhecido, desconectando-se das linhas do tempo e permanecendo nas possibilidades, mais energia libera do corpo e disponibiliza para criar algo novo.

A figura 11.2 demonstra como o passado e o futuro não mais existem quando cérebro e corpo estão totalmente no momento presente. A realidade previsível do conhecido não existe; por conseguinte, você está no reino desconhecido das possibilidades.

FIGURA 11.2

Quando você encontra o ponto certo do momento presente e esquece de si como a mesma personalidade, tem acesso a outras possibilidades que já existem no campo quântico. Isso porque você não mais está conectado ao mesmo corpo-mente, à mesma identificação com o ambiente e à mesma linha de tempo previsível. No momento, o mesmo passado e futuro familiar não existem mais, e você se torna pura consciência – apenas pensamento. É nesse momento que você pode modificar seu corpo, mudar alguma coisa em seu ambiente e criar uma nova linha do tempo.

A meditação descrita no próximo capítulo inclui um período em que você permanece no desconhecido poderoso, na escuridão das possibilidades, e investe sua energia no vazio de potenciais existentes no momento presente. Lembre-se de que, apesar de parecer que não há nada lá, não é apenas uma escuridão vazia; é o campo quântico, repleto de energia e possibilidades.

Quando meus colegas e eu examinamos nossos alunos de *workshops* avançados que conseguiram se tornar pura consciência (um pensamento separado da realidade conhecida), vimos os maiores avanços na capacidade de mudar o cérebro, o corpo e a vida. Se placebo tem a ver com mudar o corpo apenas pelo pensamento, um passo muito importante é se tornar apenas pensamento.

Ver sem os olhos

Aqui está um dos meus exemplos favoritos do que pode acontecer quando você enfoca o desconhecido na meditação. Há pouco tempo, em um *workshop* em Sydney, na Austrália, conduzi uma meditação na qual pedi aos participantes que não fossem corpo, nem nada, nem ninguém, e não estivessem em lugar nenhum e tempo algum, que se tornassem pura consciência, permanecendo no desconhecido (como você está prestes a fazer no próximo capítulo).

Enquanto observava o grupo meditar, notei uma mulher, chamada Sophia, sentada na terceira fila, meditando de olhos fechados, como todos. De repente, vi a energia dela mudar. Algo me disse para acenar para ela; acenei, e, ainda de olhos fechados, Sophia acenou de volta. Fiz um gesto para que dois instrutores que estavam do outro lado da sala se aproximassem. Quando chegaram a mim, apontei diretamente para Sophia, e ela acenou de volta sem abrir os olhos em momento algum.

"O que está acontecendo?", sussurraram os instrutores.

"Ela está enxergando sem os olhos", respondi.

Como eu disse, quando enfoca o desconhecido, você obtém o desconhecido. Encerrado o evento em Sydney, tivemos um *workshop* mais avançado, em Melbourne, uma semana depois, e Sophia compareceu. "Ei, vi você e vi os instrutores", disse ela, passando a descrever com extrema precisão tudo o que havia acontecido na sala durante a meditação, enquanto estava de olhos fechados. Após o *workshop*, Sophia decidiu se candidatar a instrutora corporativa, e eu a selecionei por causa de sua capacidade. Meses depois, ela veio para um treinamento.

Ao final de cada dia de treinamento, sempre faço com que os novos instrutores fechem os olhos enquanto repasso as lições do dia em trinta minutos, só para reativar os novos circuitos em suas memórias de longo prazo. Enquanto eu fazia isso, Sophia estava lá sentada de olhos fechados; de repente, abriu os olhos, balançou a cabeça, fechou os olhos de novo, virou-se para olhar para trás, depois virou-se e olhou direto para mim com uma expressão de espanto. Após ela repetir isso algumas vezes, fiz um sinal para que continuasse meditando, pois conversaríamos depois.

Sophia disse que agora não só conseguia enxergar à frente de olhos fechados ao meditar, mas também em 360 graus completos, ou seja, conseguia ver o que estava à frente, atrás dela e ao redor ao mesmo tempo. Como estava acostumada a enxergar de olhos abertos, ficou abrindo e fechando os olhos no ato reflexo de ver o que já estava vendo.

Por acaso, eu estava com o Dr. Fannin naquele treinamento; estávamos escaneando o cérebro de alguns instrutores para planejar quais padrões de ondas cerebrais mediríamos nos alunos de nosso primeiro *workshop* avançado no Arizona. Quando chegou a vez de Sophia, não comentei nada com o Dr. Fannin. Ele conectou Sophia à máquina de EEG, e nos sentamos de costas para ela, a uns dois metros de distância, para ver as imagens no monitor. De repente, a parte de trás do cérebro de Sophia, o córtex visual, iluminou-se na tela do computador.

"Oh, veja!", sussurrou o Dr. Fannin. "Ela está visualizando!"

"Não", disse eu baixinho, balançando a cabeça. "Ela não está visualizando."

"Como assim?", murmurou ele.

"Ela está vendo", respondi calmamente.

"Como assim?", repetiu ele, confuso.

Então acenei para Sophia. Ainda sentada de costas para mim, ela ergueu a mão acima da cabeça e acenou de volta. Foi impressionante. A prova estava ali na varredura: Sophia estava enxergando sem os olhos. Seu córtex visual estava processando informações como se ela estivesse vendo, mas era o cérebro que estava vendo, não os olhos.

Como eu disse, se você enfocar o desconhecido, terá o desconhecido. Pronto para ver por si?

Capítulo 12

Meditação para mudar as crenças e percepções

Neste capítulo, apresentarei uma meditação guiada projetada para ajudá-lo a mudar algumas crenças ou percepções sobre si mesmo ou sua vida. Recomendo meditar ouvindo uma gravação, seja dessa meditação (que ajuda a mudar duas crenças ou percepções e dura cerca de uma hora), seja de uma versão ligeiramente mais curta (que ajuda a mudar uma crença ou percepção e dura 45 minutos). Ambas as meditações estão disponíveis para compra em CDs de áudio ou arquivos MP3 no meu site (www.drjoedispenza.com).

A gravação de uma hora chama-se *You Are the Placebo Book Meditation: Changing Two Beliefs and Perceptions* (Meditação do livro *Você é o placebo*: mudando duas crenças e percepções), e a de 45 minutos chama-se *You Are the Placebo Book Meditation: Changing One Belief and Perception* (Meditação do livro *Você é o placebo*: mudando uma crença e percepção). Você também pode fazer uma gravação lendo o texto de qualquer uma das versões da meditação (você encontrará ambas no Apêndice).

Lembre-se de que crenças e percepções são estados subconscientes do ser. Começam com pensamentos e sentimentos que você pensa e sente repetidas vezes, até que acabam se tornando habituais ou automáticos e aí formam uma atitude. Conjuntos de atitudes tornam-se crenças, e conjuntos de crenças tornam-se percepções. Com o tempo, essa redundância cria uma visão do mundo e de si em grande parte subconsciente, afeta seus relacionamentos, comportamentos e tudo em sua vida.

Portanto, se você deseja mudar uma crença ou percepção, primeiro precisa mudar seu estado de ser. Mudar o estado de ser significa mudar a energia, porque, para afetar a matéria, você precisa se tornar mais energia e menos matéria, mais onda e menos partícula. Isso exige a combinação de uma intenção clara e uma emoção elevada - esses são os dois ingredientes.

Conforme você leu, o processo envolve tomar uma decisão com nível de energia alto o suficiente para que o pensamento sobre a nova crença se torne uma experiência com forte assinatura emocional, que o altere em algum nível naquele momento. É assim que você muda sua biologia, se torna o próprio placebo e traz sua mente para a matéria. Todos nós passamos por experiências que afetaram nossa biologia em um grau ou outro. Lembra-se das mulheres cambojanas do Capítulo 7, que desenvolveram problemas de visão por causa dos horrores que foram forçadas a testemunhar sob o regime do Khmer Vermelho? Esse é um exemplo extremo, claro, mas você pode usar o mesmo princípio para fazer uma mudança positiva.

Para funcionar, a nova experiência deve ser maior do que a experiência anterior. Em outras palavras, a experiência interna enquanto você medita deve ter uma amplitude maior (mais energia) do que a experiência passada que criou a crença e a percepção que você deseja mudar. O corpo deve responder a uma nova mente. Assim, você tem de colocar seu coração na emoção elevada; tem que ser algo arrepiante. Você precisa se sentir elevado, inspirado, invencível e fortalecido.

Nessa meditação, você terá a oportunidade de mudar duas crenças e percepções sobre si mesmo. Portanto, antes de começar, decida o que deseja modificar. Você pode selecionar uma das crenças limitantes comuns listadas no Capítulo 7 ou alguma outra coisa, tipo "Sempre vou sentir essa dor ou sofrer essa condição", "A vida é muito difícil", "As pessoas são hostis", "Sucesso dá muito trabalho", "Nunca vou mudar".

Depois de decidir, pegue um papel e trace uma linha vertical no meio. Do lado esquerdo, escreva as duas crenças e percepções que deseja mudar, uma embaixo da outra.

A seguir, pense um pouco: se não quer mais essas crenças e percepções, então no que deseja acreditar e o que deseja perceber sobre si mesmo e sua vida? Se você acreditasse nessas coisas novas e as percebesse, como se sentiria? Anote as novas crenças e percepções que deseja ter do lado direito do papel.

Como você verá em breve, essa meditação é dividida em três partes:

- Na primeira parte, a indução, você usará a técnica de foco aberto sobre a qual leu no capítulo anterior, para entrar em estados mais coerentes de ondas cerebrais alfa ou theta, nos quais fica mais sugestionável. Isso é vital, porque a única maneira de realmente influenciar sua saúde e se tornar o placebo é quando a sugestionabilidade é intensificada.
- Na segunda parte, você encontrará o momento presente e permanecerá no vazio quântico, no qual todas as possibilidades existem.
- Na terceira parte, você mudará suas crenças e percepções. Aqui, para guiá-lo sobre o que você fará quando estiver sentado em meditação, darei algumas orientações iniciais, seguidas do texto da meditação.

Se você é um meditador experiente, sinta-se à vontade para fazer toda a meditação já na primeira vez. Se é novato, pode praticar a primeira parte todos os dias durante uma semana, depois adicionar a segunda parte na segunda semana e juntar as três partes na terceira semana. De qualquer forma, continue fazendo a mesma meditação diariamente até ver algumas mudanças acontecendo em sua vida.

Se está praticando a meditação que descrevi em *Quebrando o hábito de ser você mesmo*, quero salientar que a meditação deste livro é totalmente diferente, ainda que você vá encontrar algumas semelhanças no começo das duas meditações (a fase de indução). Se puder fazer apenas uma meditação por dia, recomendo tentar esta nova meditação por alguns meses para poder colher os benefícios em sua plenitude. Depois você pode decidir com qual meditação deseja continuar ou alternar entre as duas, como queira.

Indução

Criando coerência e ondas mais lentas com foco aberto

Quando você entra no estado meditativo de foco aberto, passa de partícula para onda, do foco estreito que costuma ter sobre pessoas, lugares e coisas do mundo exterior para um foco mais amplo, no qual não se concentra em nada físico, mas no espaço. Afinal, se um átomo é cerca de 99,9% de energia e estamos sempre focados na partícula, talvez seja hora de prestar atenção à onda, porque nossa consciência e nossa energia estão intrinsecamente combinadas, e colocar atenção em nossa energia é o que amplifica nossa energia.

Quando você usa essa técnica, seu cérebro se recalibra ao natural, porque, para fazê-lo direito, você precisa largar da mente analítica (que está muito ocupada pensando em beta alta como identidade). Essa identidade, que você reconhece como sendo você, está conectada ao ambiente externo, aos seus vícios e hábitos emocionais e ao tempo. No momento em que ultrapassa esses elementos, você é pura consciência, e, como leu anteriormente, os diferentes compartimentos de seu cérebro começam a se comunicar melhor e suas ondas cerebrais se tornam muito ordenadas, enviando um sinal coerente para o resto do corpo, como você viu nos casos de participantes dos *workshops*.

Fique presente durante essa meditação; não tente descobrir nada nem tente visualizar. Apenas sinta. Se você consegue sentir onde está o tornozelo esquerdo, onde está o nariz, o espaço entre o esterno e o peito, está repousando sua consciência, percepção e atenção naqueles pontos. Você pode ter uma imagem em sua cabeça (do seu peito ou coração, por exemplo), mas não precisa se esforçar para isso; você só precisa tomar consciência do espaço dentro e ao redor do seu corpo no espaço.

Meditação: Parte 1

A primeira parte da meditação deve durar de 10 a 15 minutos.

Agora... você consegue repousar sua consciência... no espaço... entre seus olhos... no espaço?

E consegue sentir... a energia do espaço... entre seus olhos... no espaço?

E agora... você consegue ter consciência... do espaço... entre suas têmporas... no espaço?

E consegue sentir... o volume do espaço... entre suas têmporas... no espaço?

E agora... você consegue ter consciência... do espaço... que suas narinas... ocupam no espaço?

E consegue sentir... o volume do espaço... que o interior do seu nariz ocupa... no espaço?

E agora... você consegue ter consciência... do espaço... entre sua língua e o fundo da sua garganta... no espaço?

E consegue sentir... o volume do espaço... que o fundo da sua garganta ocupa... no espaço?

E agora... você consegue sentir... a energia do espaço... ao redor dos seus ouvidos... no espaço?

E consegue sentir... a energia do espaço... além dos seus ouvidos... no espaço?

E consegue ter consciência... do espaço... embaixo do seu queixo... no espaço?

E consegue sentir... o volume do espaço... em volta do seu pescoço... no espaço?

E agora... você consegue sentir... o espaço... além do seu peito... no espaço?

E consegue sentir... a energia do espaço... ao redor do seu peito... no espaço?

E agora... você consegue ter consciência... do volume de espaço... além dos seus ombros... no espaço?

E consegue sentir... a energia do espaço... em torno dos seus ombros... no espaço?

E agora... você consegue ter consciência... do espaço... atrás das suas costas... no espaço?

E consegue sentir... a energia do espaço... além da sua espinha... no espaço?

E agora... você consegue repousar... sua consciência... no espaço... entre suas coxas... no espaço?

E consegue sentir... a energia do espaço... conectando seus joelhos... no espaço?

E agora... você consegue sentir... o volume do espaço... em torno dos seus pés... no espaço?

E consegue sentir... a energia do espaço... além dos seus pés... no espaço?

E consegue ter consciência... do espaço... ao redor de todo o seu corpo... no espaço?

E consegue sentir... a energia do espaço... além do seu corpo... no espaço?

E agora... você consegue ter consciência... do espaço entre o seu corpo e as paredes da sala... no espaço?

E consegue sentir... o volume de espaço...
que a sala inteira ocupa... no espaço?

E agora... você consegue ter consciência... do
espaço... que todo o espaço ocupa... no espaço?

E consegue sentir... o espaço... que todo
o espaço ocupa... no espaço?

Tornando-se possibilidade

Encontrando o momento presente e permanecendo no vazio

Na próxima parte da meditação, você encontrará o ponto exato do momento presente, onde todas as coisas são possíveis. Para fazer isso, você deve abandonar sua identidade e se desconectar do corpo, do ambiente e do tempo, porque, quanto mais permanece no desconhecido, mais atrai o desconhecido para si.

Se as células nervosas que não mais disparam juntas não mais se conectam, você silencia os circuitos cerebrais conectados ao antigo eu. Como você leu, esses circuitos mantêm um programa embutido; portanto, caso tenha êxito em se desconectar dos circuitos, também estará se desconectando do programa. Você não mais sinalizará emocionalmente os mesmos genes da mesma maneira. Então, quando seu corpo entrar em um estado mais equilibrado e harmonioso, você se encontrará no ponto exato do momento presente, e é ali que todas as possibilidades existem.

Se você depara com sua mente vagando por pensamentos sobre pessoas que conhece, os vários problemas que você tem, eventos ocorridos no passado ou que vão acontecer no futuro, seu corpo, seu peso, sua dor, sua fome ou até quanto tempo essa meditação levará, simplesmente tome consciência desses pensamentos e traga a consciência de volta à escuridão ou ao vazio quântico de possibilidades. E mais uma vez renda-se ao nada.

Meditação: Parte 2

A segunda parte da meditação deve durar de 10 a 15 minutos.

E agora... é hora... de se tornar ninguém... coisa nenhuma... nada... lugar algum... em tempo algum... tornar-se... consciência pura... tornar-se uma consciência no campo infinito de potenciais... e de investir sua energia no desconhecido... E quanto mais você permanece no desconhecido... mais atrai uma nova vida para si... Simplesmente torne-se um pensamento na escuridão do infinito... e coloque sua atenção em coisa alguma... em ninguém... em tempo algum...

E se você... como observador quântico... percebe sua mente retornando ao conhecido... ao familiar... às pessoas... às coisas... ou aos lugares de sua realidade familiar conhecida... ao seu corpo... à sua identidade, às suas emoções... ao tempo... ao passado... ou ao futuro previsível... simplesmente tome consciência de que está observando o conhecido... e entregue sua consciência de volta ao vazio de possibilidades... e torne-se ninguém... coisa nenhuma... nada... lugar nenhum... em tempo algum... Expanda-se no reino imaterial dos potenciais quânticos... Quanto mais você se torna consciência na possibilidade... mais você cria possibilidades e oportunidades em sua vida... Fique presente...

Mudança de crenças e percepções sobre si mesmo e sua vida

Na seção final da meditação, é hora de trazer à tona a primeira crença ou percepção sobre sua vida que você deseja mudar. Vou perguntar se você deseja continuar acreditando e percebendo da mesma maneira. Caso sua resposta seja negativa, você será convidado a tomar uma decisão com intenção tão firme que a amplitude da energia relacionada a ela seja maior do que os programas conectados em seu cérebro e do que os vícios emocionais em seu corpo. Seu corpo então responderá a uma nova mente, a uma nova consciência.

A seguir perguntarei: "No que você quer acreditar e o que quer perceber sobre você e sua vida, e que tal seria isso?". Sua tarefa então será entrar em um novo estado de ser. Você precisará mudar sua energia, combinando uma intenção clara com uma emoção elevada, e elevar a matéria para uma nova mente. Você deve se levantar sentindo-se diferente de quando se sentou. Nesse caso, você terá mudado biologicamente.

A essa altura, o passado não mais existirá, porque a experiência de maior amplitude terá substituído o programa da experiência antiga. Por isso, fazer a escolha se torna uma experiência que você nunca esquece, porque se torna uma memória de longo prazo. Você torna conhecida uma possibilidade desconhecida, o que o remove do agora-passado e o coloca no agora-futuro, onde o evento já aconteceu. Lembre-se de que não cabe a você descobrir quando, onde ou como isso acontecerá. Seu trabalho é apenas entrar em um novo estado de ser e então ver o futuro que está criando.

A seguir você será orientado a mudar a segunda crença ou percepção, repetindo o mesmo processo.

Meditação: Parte 3

A parte final da meditação durará cerca de 20 a 30 minutos.

Agora... qual foi a primeira crença... ou percepção... que você quis mudar a seu respeito e a respeito de sua vida?

Você quer continuar a acreditar e perceber da mesma maneira?

Caso não queira... quero que você tome uma decisão... com intenção tão firme... que a amplitude gerada por esta decisão... crie um nível de energia maior do que os programas gravados em seu cérebro... e do que os vícios emocionais em seu corpo... e que permita que seu corpo responda a uma nova mente...

Permita que essa escolha se torne uma experiência que você nunca inesquecível... e deixe que esta experiência... produza uma emoção de tamanha energia... que reescreva os programas... e mude sua biologia... Saia do seu estado de comodidade e mude sua energia... para que sua biologia seja alterada por sua energia...

Agora é hora de entregar o passado de volta ao campo da possibilidade... e permitir que o campo infinito das possibilidades o ao campo da possibilidade...... Entregue-o.

Agora... em que você quer acreditar e o que quer perceber a respeito de si e da sua vida... e como você se sentiria?

Vamos lá... é hora de entrar em um novo estado de ser... e permitir que seu corpo responda a uma nova mente... mude sua energia combinando uma intenção clara com uma emoção elevada para que a matéria seja elevada a uma nova mente...

Deixe a escolha... trazer uma amplitude de energia... maior do que qualquer experiência do passado... e que seu corpo seja alterado por sua consciência, por sua energia... adquirindo um novo estado de ser... e faça com que este momento te defina... e que esse pensamento intencional se torne uma experiência interna tão poderosa... que traga uma energia emocional tão elevada, que se torne uma memória que você jamais esquecerá... substituindo a memória do passado por uma nova memória no seu cérebro e no seu corpo... Vamos lá! Empodere-se... Inspire-se... Faça dessa escolha uma decisão que você jamais esquecerá...

Agora... dê a seu corpo uma amostra do futuro que você deseja, mostrando a ele como será acreditar dessa maneira... e deixe seu corpo responder a uma nova mente...

Como você viverá a partir desse estado de ser?... Que escolhas você fará?... Como você se comportará?... Que experiências existem no seu futuro?... Como você viverá?... Como se sentirá?... Como você amará?...

Permita que infinitas ondas de possibilidades colapsem na experiência que você deseja em sua vida...

Você consegue ensinar emocionalmente ao seu corpo como é estar nesse novo futuro?... Vamos lá... abra seu coração... e acredite em possibilidade... Eleve-se... apaixone-se pelo momento... e experimente esse futuro agora...

Agora, entregue sua criação a uma mente superior... porque o que você pensa e experimenta nesse campo de possibilidades... se for realmente sentido... se manifestará em algum tempo futuro... de ondas de possibilidades para partículas na realidade... de imaterial para o material... de pensamento para energia, tornando-se matéria...

Agora... entregue sua nova crença ao campo de consciência que já sabe como organizar o resultado da maneira mais perfeita para você... plantando uma semente em possibilidade...

Agora... qual foi a segunda crença ou percepção sobre si mesmo e sua vida que você quis mudar?... É bom para você continuar acreditando e percebendo... da mesma maneira?

Caso não, é hora de tomar uma decisão com uma intenção tão firme... que a amplitude dessa decisão... traga um nível de energia tão poderoso que faça com que seu corpo responda a uma nova mente... e com que essa escolha seja definitiva... e que sua decisão se torne uma experiência que você jamais esqueçerá... Saia do seu estado familiar de acomodação e mude sua energia para que a matéria seja elevada a uma nova mente... Vamos lá! Continue... Empodere-se... Deixe que sua energia o inspire...

E deixe que a energia da sua nova escolha... reescreva neurologicamente os programas subconscientes em seu cérebro... e emocional e geneticamente em seu corpo... e faça que a energia dessa escolha seja mais poderosa que o passado e permita que sua energia modifique sua biologia... Inspire-se...

E agora... entregue essa crença para a inteligência superior... simplesmente deixe ir... devolvendo ao campo de possibilidades... para que volte a converter-se em energia...

Agora... em que você quer acreditar e o que quer perceber sobre si mesmo e sua vida?... E como você se sentiria?

Vamos lá, entre em um novo estado de ser... e permita que seu corpo seja elevado a uma nova mente... e deixe a energia dessa escolha... reescrever os circuitos em seu cérebro... e os genes em seu corpo... e permita que seu corpo seja liberado em um novo futuro... Você tem que sentir uma nova energia... para se tornar algo maior do que seu corpo, seu ambiente e o tempo... para que você tenha domínio sobre seu corpo, seu ambiente e o tempo... Tornando-se um pensamento que afeta a matéria...

Ensine seu corpo emocionalmente... como seria acreditar dessa maneira... ser empoderado... semocionar-se por sua própria grandeza... ter coragem... ser invencível... ser apaixonado pela vida... sentir-se ilimitado... viver como se suas preces já tivessem sido atendidas?... Vamos lá, dê ao seu corpo, como a mente inconsciente, uma amostra do seu futuro... sinalizando novos genes de novas maneiras... Sua energia é o epifenômeno da matéria... mude sua energia e mude seu corpo... Vamos lá, faça de sua mente a matéria...

E como você viverá nesse novo estado de ser?... Se você acredita nisso, que escolhas vai fazer?... Que comportamentos você poderá demonstrar?... E que experiências você poderá observar a partir deste novo estado de ser?... E como será... ficar curado, livre, acreditar em si mesmo e nas possibilidades?... Deixe-se levar...

Abençoe esse futuro com a sua energia... Isso significa... que você está conectado a um novo destino... pois, onde você coloca sua atenção sua atenção, você coloca sua energia... Investindo no seu futuro... e sendo definido por seu futuro e não por seu passado... Abra seu coração e permita que seu corpo seja inspirado por sua experiência interior... e lembre-se de que o que quer que você verdadeiramente experimente no mundo do desconhecido... e abrace emocionalmente... por fim diminuirá a frequência como energia... manifestando-se em três dimensões como matéria...

E agora solte e entregue... e permita que uma inteligência superior se ocupe de manifestar o que é mais adequado para você...

E agora... erga sua mão esquerda e coloque-a sobre o seu coração... quero que você abençoe o seu corpo... para que o seu corpo seja elevado a uma nova mente... e abençoe a sua vida... para que a sua vida seja uma extensão da sua mente... abençoe o seu futuro... para que o seu futuro jamais seja o seu passado... abençoe o seu passado... para que o seu passado se torne sabedoria... abençoe as adversidades em sua vida... para que as adversidades lhe permitem conhecer sua grandeza... e que você enxergue o significado oculto por trás de todas as coisas... abençoe sua alma... para que sua alma o desperte desse sonho... e abençoe o divino que habita em você... para que você perceba a presença do divino em seu interior... e que ele se expressa através de você... que se move ao seu redor... e que te mostre a razão de sua existência...

Por fim... quero que você dê graças por uma nova vida antes que ela se manifeste... para que que o seu corpo, como a mente inconsciente, comece a experimentar esse futuro agora... Pois a assinatura emocional da gratidão significa que o evento já aconteceu... Pois a gratidão é... o estado final de recebimento...

E agora simplesmente memorize esse sentimento... traga sua consciência... de volta a um novo corpo... a um novo ambiente... e a um tempo inteiramente novo... e, quando sentir que está pronto, abra os olhos.

Posfácio

Tornando-se sobrenatural

Alguns críticos podem classificar este trabalho como cura pela fé. Na verdade, fico numa boa com essa acusação a essa altura da vida, porque o que é fé senão acreditar no pensamento mais do que em qualquer outra coisa? Não é quando aceitamos um pensamento, independentemente das condições em nosso ambiente, e depois nos rendemos ao resultado a tal ponto que vivemos como se nossas preces já tivessem sido atendidas? Soa como uma fórmula para o placebo. Sempre fomos o placebo.

Talvez não seja tão importante rezar rigorosamente todos os dias para que nossas preces sejam atendidas, mas sim levantar da meditação como se nossas preces já tivessem sido atendidas. Se realizamos isso todos os dias, estamos em um nível mental em que realmente vivemos o desconhecido e esperamos o inesperado. E é aí que o mistério bate à nossa porta.

A resposta ao placebo consiste em ser curado apenas pelo pensamento. O pensamento por si só, no entanto, é uma emoção não manifestada. Quando abraçamos esse pensamento emocionalmente, ele começa a se tornar real, isto é, se torna realidade. Um pensamento sem assinatura emocional é vazio de experiência e, portanto, latente, esperando tornar-se conhecido a partir do desconhecido. Quando damos início à transformação de um pensamento em experiência e depois em sabedoria, evoluímos como seres humanos.

Quando você olha no espelho, vê seu reflexo e sabe que o que está vendo é o seu eu físico. Mas como o verdadeiro eu, o ego e a alma se veem? Sua vida é a imagem espelhada de sua mente, sua consciência e de quem você realmente é.

Não existem escolas de antiga sabedoria espiritual encarapitadas no topo de montanhas no Himalaia esperando para nos iniciar a fim de nos tornarmos místicos e santos. Nossas vidas são nossa iniciação à grandeza. Talvez devamos ver a vida como uma oportunidade de alcançar níveis cada vez maiores de nós mesmos para que possamos superar nossas limitações com níveis de consciência mais expandidos. É assim que um pragmatista, em vez de uma vítima, enxerga.

Abandonar a maneira familiar com que nos acostumamos a pensar sobre a vida, a fim de abraçar novos paradigmas, parecerá antinatural no começo. Para ser franco, requer esforço e é desconfortável. Por quê? Porque, quando mudamos, não nos sentimos mais como nós mesmos. Minha definição de "gênio", por isso, é ficar desconfortável e numa boa com o desconforto.

Quantas vezes na história indivíduos admiráveis que lutaram contra crenças ultrapassadas, vivendo fora de suas zonas de conforto, foram considerados hereges e tolos e mais tarde despontaram como gênios, santos ou mestres? Com o tempo, tornaram-se sobrenaturais.

Mas como você e eu nos tornamos sobrenaturais? Temos de começar a fazer o que não é natural, ou seja, doar em meio à crise, quando todos estiverem sentindo-se carentes e pobres; amar quando todos estiverem zangados e julgando os outros; demonstrar coragem e paz quando todos os outros estiverem com medo; mostrar bondade quando outros demonstrarem hostilidade e agressividade; render-se à possibilidade quando o resto do mundo estiver pressionando agressivamente para chegar primeiro, tentando controlar os resultados e competindo ferozmente em um esforço sem fim para chegar ao topo; sorrir deliberadamente diante das adversidades; e cultivar a sensação de integridade quando formos diagnosticados como doentes.

Parece muito antinatural fazer esse tipo de escolha em meio a tais condições, mas, se tivermos sucesso repetidas vezes, com o tempo transcenderemos a norma e também seremos sobrenaturais. O mais importante é que, sendo sobrenatural, você dá aos outros permissão para fazer o mesmo. Os neurônios-espelhos disparam quando observamos outra pessoa executando uma ação. Nossos neurônios refletem os neurônios dessa outra pessoa, como se estivéssemos realizando a mesma ação. Por exemplo, quando você vê um dançarino profissional dançando a salsa, você vai dançar a salsa melhor do que antes. Se você assistir a Serena Williams bater uma bola de tênis, baterá na bola melhor do que antes. Se você observar alguém liderando uma comunidade com amor e compaixão, liderará sua vida da mesma maneira. E se você testemunhar alguém se curando de uma doença alterando seus processos de pensamento, estará mais propenso a fazer o mesmo.

Espero que, depois de ler este livro, você perceba que a crença suprema é a crença em si mesmo e no campo das infinitas possibilidades e que, quando funde a crença em si mesmo como uma consciência subjetiva com sua crença em uma consciência objetiva, você está equilibrando intenção e entrega. Só que isso é complicado. Se você fica por demais na intenção (o que se chama de "tentar"), entrava a si mesmo e fica sempre aquém da sua visão. Se você se entrega demais, fica preguiçoso, apático e sem inspiração. Porém, se combinar uma intenção clara com uma confiança inabalável na possibilidade, entrará no desconhecido, e é aí que o sobrenatural começa a se desdobrar. Acho que eu e você estamos no nosso melhor quando estamos nesse estado de ser.

Quando esses dois estados se fundem, acredito que bebemos de um poço mais profundo. Quando a plenitude, a satisfação pessoal e o amor-próprio realmente vêm de dentro porque você se aventurou além do que acreditava ser possível e superou as limitações autoimpostas, o incomum ocorre. Ser feliz consigo mesmo no momento presente, mantendo um sonho do seu futuro, é uma grande receita para a manifestação.

Quando você se sente tão pleno que não se importa mais se "aquilo" vai acontecer, é quando coisas incríveis se materializam diante de seus olhos. Aprendi que ser pleno é o estado perfeito da criação. Vi isso muitas e muitas vezes ao testemunhar curas verdadeiras em pessoas ao redor do mundo. Elas se sentem tão completas que não desejam mais, não sentem mais necessidade e não tentam mais fazer sozinhas. Elas largam de mão, e, para sua surpresa, algo maior do que elas responde, e elas riem da simplicidade do processo.

Espero que este livro e minha pesquisa sejam um começo, e não um fim. Com certeza serei o primeiro a levantar a mão para confessar que não sei tudo. Minha maior alegria, porém, é quando de alguma forma contribuo para o crescimento pessoal de alguém. Já vi a transformação em muitas faces e posso dizer que, independentemente de cultura, raça ou gênero, todos parecemos iguais quando nos libertamos dos grilhões de nossas crenças autolimitantes.

Na biologia há um princípio que eu adoro chamado emergência. Você já viu um cardume nadando na mesma direção ao mesmo tempo? Ou um bando de centenas de pássaros em voo, todos se movendo juntos como uma só consciência, como uma mente única? Ao observar esse fenômeno, você pode pensar que todos os indivíduos do grupo estão seguindo um líder que mostra o caminho. Parece que os movimentos sincronizados de centenas ou mesmo de milhares de organismos individuais fazendo a mesma coisa ao mesmo tempo são um fenômeno de cima para baixo. Mas não é isso o que realmente acontece.

Esse nível de unidade ocorre como um fenômeno de baixo para cima. Na verdade o grupo não tem líder, todo mundo lidera. Todos fazem parte da mesma consciência coletiva, fazendo a mesma coisa ao mesmo tempo. É como se o todo estivesse conectado em um campo de informações além do espaço e do tempo. Uma comunidade se apresenta como uma mente única. Um organismo é criado a partir dos indivíduos que se tornam um. Existe poder na quantidade numérica.

Fomos programados e condicionados para a crença subconsciente de que, se liderarmos com paixão excessiva e mudarmos o mundo, com certeza seremos assassinados. A maioria dos grandes líderes que alteraram o curso da história com uma mensagem profunda se "deram mal" no fim. Quer estejamos falando de Martin Luther King, Mahatma Gandhi, John Lennon, Joana D'Arc, William Wallace, Jesus de Nazaré ou de Abraham Lincoln, existe um estigma inconsciente que sugere que todos os líderes visionários devem dar a vida pela verdade. Mas talvez enfim tenhamos chegado ao momento da história em que é mais importante viver pela verdade do que morrer por ela.

Se centenas, milhares ou mesmo milhões de seres humanos adotarem uma nova consciência baseada na possibilidade, alinharem suas ações com suas intenções e viverem de acordo com as leis universais maiores do amor, da bondade e da compaixão, uma nova consciência emergirá, e experimentaremos a verdadeira unidade. Então talvez tenhamos líderes demais para remover.

Portanto, se você se compromete todos os dias a demonstrar o seu melhor eu e a superar os estados mentais egoístas causados pelos hormônios do estresse, e eu estou fazendo o mesmo, juntos estamos mudando o mundo ao mudar a nós mesmos. Se um número suficiente de nós estiver se aprimorando como seres humanos mais inteiros, à medida que as comunidades em que vivemos surgirem ao redor do mundo, consumirão a atual mentalidade de realidade baseada no medo, na competição, na carência, na hostilidade, na ganância e na enganação. Com o tempo, o velho será completamente consumido pelo novo. Uma preocupação minha é vivermos em um mundo em que a pesquisa científica está misturada com interesses particulares e com frequência é influenciada pelos lucros, por isso questiono se estão nos dizendo a verdade sobre como as coisas realmente são. Cabe a nós, portanto, descobrir a verdade por nós mesmos.

Imagine um mundo habitado por bilhões de humanos vivendo como um só, como um cardume, com todos adotando pensamentos edificantes semelhantes conectados a possibilidades ilimitadas, pensamentos que permitam às pessoas fazer escolhas mais inspiradas, demonstrar comportamentos mais altruístas e criar experiências mais esclarecedoras. As pessoas não mais viveriam movidas pelas emoções baseadas na sobrevivência com as quais estão tão familiarizadas hoje, sentindo-se mais como matéria do que energia, separadas da possibilidade. Em vez disso, viveriam com emoções mais amplas, altruístas e sinceras, sentindo-se mais energia do que matéria, conectadas a algo maior.

Se pudéssemos fazer isso, um mundo completamente diferente surgiria e viveríamos por um novo credo baseado no coração aberto. É isso que vejo quando fecho os olhos para meditar.

Apêndice

Roteiro da meditação para mudar as crenças e percepções

Se você quiser fazer uma gravação da meditação guiada em vez de comprar um dos CDs de áudio ou das versões MP3 do meu *site*, sinta-se à vontade para gravar um dos dois roteiros a seguir. O primeiro é para a meditação de uma hora, que envolve a mudança de duas crenças ou percepções; o segundo é uma meditação de 45 minutos, que envolve a alteração de apenas uma crença ou percepção.

Se você for gravar a sua meditação, faça uma pausa de um ou dois segundos nas reticências e de pelo menos cinco segundos completos entre as frases. Como você verá, adicionei uma nota após a segunda parte de cada meditação, lembrando-o de incluir um período de silêncio em sua gravação, para que possa permanecer no desconhecido antes de começar a última parte da meditação, na qual mudará uma ou duas crenças ou percepções.

Versão de uma hora

Agora... você consegue repousar sua consciência...
no espaço... entre seus olhos... no espaço?

E consegue sentir... a energia do espaço...
entre seus olhos... no espaço?

E agora... você consegue ter consciência... do
espaço... entre suas têmporas... no espaço?

E consegue sentir... o volume do espaço...
entre suas têmporas... no espaço?

E agora... você consegue ter consciência... do
espaço... que suas narinas... ocupam no espaço?

E consegue sentir... o volume do espaço... que o
interior do seu nariz ocupa... no espaço?

E agora... você consegue ter consciência... do espaço...
entre sua língua e o fundo da sua garganta... no espaço?

E consegue sentir... o volume do espaço... que o
fundo da sua garganta ocupa... no espaço?

E agora... você consegue sentir... a energia do
espaço... ao redor dos seus ouvidos... no espaço?

E consegue sentir... a energia do espaço...
além dos seus ouvidos... no espaço?

E consegue ter consciência... do espaço...
embaixo do seu queixo... no espaço?

E consegue sentir... o volume do espaço... em
volta do seu pescoço... no espaço?

E agora... você consegue sentir... o espaço...
além do seu peito... no espaço?

E consegue sentir... a energia do espaço...
ao redor do seu peito... no espaço?

E agora... você consegue ter consciência... do volume
de espaço... além dos seus ombros... no espaço?

E consegue sentir... a energia do espaço... em torno dos seus ombros... no espaço?

E agora... você consegue ter consciência... do espaço... atrás das suas costas... no espaço?

E consegue sentir... a energia do espaço... além da sua espinha dorsal ou coluna vertebral... no espaço?

E agora... você consegue repousar... sua consciência... no espaço... entre suas coxas... no espaço?

E consegue sentir... a energia do espaço... conectando seus joelhos... no espaço?

E agora... você consegue sentir... o volume do espaço... em torno dos seus pés... no espaço?

E consegue sentir... a energia do espaço... além dos seus pés... no espaço?

E consegue ter consciência... do espaço... ao redor de todo o seu corpo... no espaço?

E consegue sentir... a energia do espaço... além do seu corpo... no espaço?

E agora... você consegue ter consciência... do espaço entre o seu corpo e as paredes da sala... no espaço?

E consegue sentir... o volume de espaço... que a sala inteira ocupa... no espaço?

E agora... você consegue ter consciência... do espaço... que todo o espaço ocupa... no espaço?

E consegue sentir... o espaço... que todo o espaço ocupa... no espaço?

E agora... é hora... de se tornar ninguém... coisa nenhuma... nada... lugar algum... em tempo algum... tornar-se...

consciência pura... tornar-se uma consciência no campo infinito de potenciais... e de investir sua energia no desconhecido... E quanto mais você permanece no desconhecido... mais atrai uma nova vida para si... Simplesmente torne-se um pensamento na escuridão do infinito... e coloque sua atenção em coisa alguma... em ninguém... em tempo algum...

E se você... como observador quântico... percebe sua mente retornando ao conhecido... ao familiar... às pessoas... às coisas... ou aos lugares de sua realidade familiar conhecida... ao seu corpo... à sua identidade, às suas emoções... ao tempo... ao passado... ou ao futuro previsível... simplesmente tome consciência de que está observando o conhecido... e entregue sua consciência de volta ao vazio de possibilidades... e torne-se ninguém... coisa nenhuma... nada... lugar nenhum... em tempo algum... Expanda-se no reino imaterial dos potenciais quânticos... Quanto mais você se torna consciência na possibilidade... mais você cria possibilidades e oportunidades em sua vida... Fique presente...

[Reserve de 5 a 20 minutos para permanecer nesse estágio, dependendo de quanto tempo você tenha para meditar.]

Agora... qual foi a primeira crença... ou percepção... que você quis mudar a seu respeito e a respeito de sua vida?

Você quer continuar a acreditar e perceber da mesma maneira?

Caso não queira... quero que você tome uma decisão... com uma intenção tão firme... que a amplitude gerada por essa decisão... crie um nível de energia maior do que os programas gravados em seu cérebro... e do que os vícios emocionais em seu corpo... e que permita que seu corpo responda a uma nova mente...

Permita que essa escolha se torne uma experiência inesquecível... ou essa escolha que você jamais esquecerá esqueça... e que essa experiência... produza uma emoção de tamanha energia... que reescreva os programas... e mude sua biologia... Saia do seu estado de acomodação e mude sua energia... de modo que sua biologia seja alterada por sua energia...

Agora é hora de entregar o passado de volta ao campo da possibilidade... e permitir que o campo infinito das possibilidades o resolva da maneira mais adequada para você... Entregue-o.

Agora... em que você quer acreditar e o que quer perceber a respeito de si e da sua vida... e como você se sentiria?

Vamos lá... é hora de entrar em um novo estado de ser... e permitir que seu corpo responda a uma nova mente... mude sua energia combinando uma intenção clara com uma emoção elevada para que a matéria seja elevada a uma nova mente...

Deixe a escolha... trazer uma amplitude de energia... maior do que qualquer experiência do passado... e e que seu corpo seja alterado por sua consciência, por sua energia... adquirindo um novo estado de ser... e faça com que este momento te defina e deixe esse pensamento intencional se tornar uma experiência interna tão poderosa... trazendo uma energia emocional tão elevada, que se torne uma memória que você jamais esquecerá... substituindo a memória do passado por uma nova memória no seu cérebro e no seu corpo... Vamos lá! Empodere-se... Inspire-se... Faça da escolha uma decisão que você jamais esquecerá...

Agora... dê a seu corpo uma amostra do futuro que você deseja, mostrado a ele como será acreditar dessa maneira... e deixe seu corpo responder a uma nova mente...

Como você viverá a partir desse estado de ser?... Que escolhas você fará?... Como você se comportará?... Que experiências existem no seu futuro?... Como você viverá?... Como se sentiria?... Como você amará?... Permita que infinitas ondas de possibilidades colapsem na experiência que você deseja em sua vida...

Você consegue ensinar emocionalmente ao seu corpo

como é estar nesse novo futuro?... Vamos lá... abra seu coração... e acredite em possibilidade... Eleve-se... apaixone-se pelo momento... e experimente o futuro agora...

Agora, entregue sua criação a uma mente superior... porque o que você pensa e experimenta nesse campo de possibilidades... se for realmente sentido... se manifestará em algum tempo futuro... de ondas de possibilidades para partículas na realidade... de imaterial para material... de pensamento para energia, tornando-se matéria...

Agora... entregue sua nova crença para o campo de consciência que já sabe como organizar o resultado da maneira mais perfeita para você... plantando uma semente em possibilidade...

Agora... qual foi a segunda crença ou percepção sobre si mesmo e sua vida que você quis mudar?... É bom para você continuar acreditando e percebendo... da mesma maneira?

Caso não, é hora de tomar uma decisão com uma intenção tão firme... que a amplitude dessa decisão... traga um nível de energia tão poderoso que faça com que seu corpo responda a uma nova mente... e com que a escolha que você fizer seja definitiva... e que sua decisão se torne uma experiência que você jamais esqueça... Saia do seu estado acomodado familiar e mude sua energia para que a matéria seja elevada a uma nova mente... Vamos lá! Continue... Empodere-se... Empodere-se... deixe que sua energia o inspire...

E deixe que a energia da sua nova escolha... reescreva neurologicamente os programas subconscientes em seu cérebro... e emocional e geneticamente em seu corpo... e faça que a energia dessa escolha seja mais poderosa que o passado... e permita que que sua energia modifique sua biologia... Inspire-se...

E agora... entregue essa crença a uma inteligência superior... simplesmente deixe ir... devolva ao campo de possibilidades... para que volte a converter-se em energia...

Agora... em que você quer acreditar e o que quer perceber sobre si mesmo e sua vida?... E como você se sentiria?

Vamos lá, entre em um novo estado de ser... e permita que seu corpo seja elevado a uma nova mente... e deixe a energia dessa escolha... reescrever os circuitos em seu cérebro... e os genes em seu corpo... e permita que seu corpo seja liberado em um novo futuro... Você tem que sentir uma nova energia... para se tornar algo maior do que seu corpo, seu ambiente e o tempo... para que você tenha domínio sobre seu corpo, seu ambiente e o tempo... Tornando-se um pensamento que afeta a matéria...

Ensine seu corpo emocionalmente... como seria acreditar dessa maneira... ser empoderado... emocionar-se por sua própria grandeza... ter coragem... ser invencível... ser apaixonado pela vida... sentir-se ilimitado... viver como se suas preces já tivessem sido atendidas?... Vamos lá, dê ao seu corpo, como a mente inconsciente, uma amostra do seu futuro... sinalizando novos genes de novas maneiras... Sua energia é o epifenômeno da matéria... mude sua energia e mude seu corpo... Vamos lá, faça de sua mente a matéria...

E como você viverá nesse novo estado de ser?... Se você acredita nisso, que escolhas vai fazer?... Que comportamentos você poderá demonstrar?... E que experiências você poderá observar a partir desse novo estado de ser?... E como será... ficar curado, livre, acreditar em si mesmo e nas possibilidades?... Deixe-se levar...

Abençoe esse futuro com a sua energia... Isso significa... que você está conectado a um novo destino... pois, onde você coloca sua atenção, você coloca sua energia... Investindo no seu futuro... e sendo definido por seu futuro, e não por seu passado... Abra seu coração e permita que seu corpo seja inspirado por sua experiência interior... e lembre-se de que o que quer que você verdadeiramente experimente no mundo do desconhecido... e abrace emocionalmente... por fim diminuirá a frequência como energia... manifestando-se em três dimensões como matéria...

E agora solte e entregue... e permita que uma inteligência superior se ocupe de manifestar o que é mais adequado para você...

E agora... erga sua mão esquerda e coloque-a sobre o seu coração... quero que você abençoe o seu corpo... para que o seu corpo seja elevado a uma nova mente... e abençoe a sua vida... para que a sua vida seja uma extensão da sua mente... abençoe o seu futuro... para que o seu futuro jamais seja o seu passado... abençoe o seu passado... para que o seu passado se torne sabedoria... abençoe as adversidades em sua vida... para que as adversidades lhe permita conhecer sua grandeza... e que você enxergue o significado oculto por trás de todas as coisas... abençoe sua alma... para que sua alma o desperte desse sonho... e abençoe o divino que habita em você... para que você perceba a presença do divino em seu interior... que se expressa através de você... que se move ao seu redor... para que te mostre a razão de sua existência...

Por fim... quero que você dê graças por uma nova vida antes que ela se manifeste... para que o seu corpo, como a mente inconsciente, comece a experimentar esse futuro agora... Pois a assinatura emocional da gratidão significa que o evento já aconteceu... Pois a gratidão é... o estado final de recebimento...

E agora simplesmente memorize esse sentimento... traga sua consciência... de volta a um novo corpo... a um novo ambiente... e a um tempo inteiramente novo... e, quando sentir que está pronto, abra os olhos.

Versão de 45 minutos

Agora... você consegue repousar sua consciência... no espaço... entre seus olhos... no espaço?

E consegue sentir... a energia do espaço...

entre seus olhos... no espaço?

E agora... você consegue ter consciência... do espaço... entre suas têmporas... no espaço?

E consegue sentir... o volume do espaço... entre suas têmporas... no espaço?

E agora... você consegue ter consciência... do espaço... que suas narinas... ocupam no espaço?

E consegue sentir... o volume do espaço... que o interior do seu nariz ocupa... no espaço?

E agora... você consegue ter consciência... do espaço... entre sua língua e o fundo da sua garganta... no espaço?

E consegue sentir... o volume do espaço... que o fundo da sua garganta ocupa... no espaço?

E agora... você consegue sentir... a energia do espaço... ao redor dos seus ouvidos... no espaço?

E consegue sentir... a energia do espaço... além dos seus ouvidos... no espaço?

E consegue ter consciência... do espaço... embaixo do seu queixo... no espaço?

E consegue sentir... o volume do espaço... em volta do seu pescoço... no espaço?

E agora... você consegue sentir... o espaço... além do seu peito... no espaço?

E consegue sentir... a energia do espaço... ao redor do seu peito... no espaço?

E agora... você consegue ter consciência... do volume de espaço... além dos seus ombros... no espaço?

E consegue sentir... a energia do espaço... em torno dos seus ombros... no espaço?

E agora... você consegue ter consciência... do espaço... atrás das suas costas... no espaço?

E consegue sentir... a energia do espaço... além da sua espinha dorsal... no espaço?

E agora... você consegue repousar... sua consciência... no espaço... entre suas coxas... no espaço?

E consegue sentir... a energia do espaço... conectando seus joelhos... no espaço?

E agora... você consegue sentir... o volume do espaço... em torno dos seus pés... no espaço?

E consegue sentir... a energia do espaço... além dos seus pés... no espaço?

E consegue ter consciência... do espaço... ao redor de todo o seu corpo... no espaço?

E consegue sentir... a energia do espaço... além do seu corpo... no espaço?

E agora... você consegue ter consciência... do espaço entre o seu corpo e as paredes da sala... no espaço?

E consegue sentir... o volume de espaço... que a sala inteira ocupa... no espaço?

E agora... você consegue ter consciência... do espaço... que todo o espaço ocupa... no espaço?

E consegue sentir... o espaço... que todo o espaço ocupa... no espaço?

E agora... é hora... de se tornar ninguém... coisa nenhuma... nada... lugar algum... em tempo algum... tornar-se...

consciência pura... tornar-se uma consciência no campo infinito de potenciais... e de investir sua energia no desconhecido... E quanto mais você permanece no desconhecido... mais atrai uma nova vida para si... Simplesmente torne-se um pensamento na escuridão do infinito... e coloque sua atenção em coisa alguma... em ninguém... em tempo algum...

E se você... como observador quântico... percebe sua mente retornando ao conhecido... ao familiar... às pessoas... às coisas... ou aos lugares de sua realidade familiar conhecida... ao seu corpo... à sua identidade, às suas emoções... ao tempo... ao passado... ou ao futuro previsível... simplesmente tome consciência de que está observando o conhecido... e entregue sua consciência de volta ao vazio de possibilidades... e torne-se ninguém... coisa nenhuma... nada... lugar nenhum... em tempo algum... Expanda-se no reino imaterial dos potenciais quânticos... Quanto mais você se torna consciência na possibilidade... mais você cria possibilidades e oportunidades em sua vida... Fique presente...

[Reserve de 5 a 10 minutos para permanecer nesse estágio, dependendo de quanto tempo você tenha para meditar.]

Agora, qual foi a crença ou percepção que você quis mudar a seu respeito e a respeito de sua vida?... Você quer continuar a acreditar e perceber da mesma maneira?... Caso não queira... é hora de tomar uma decisão com uma intenção tão firme... que a amplitude gerada por esta decisão crie um nível de energia maior do que os programas gravados em seu cérebro e do que os vícios emocionais em seu corpo... e permita que seu corpo responda a uma nova mente... e permita que essa escolha se torne uma experiência que você jamais esquecerá... e que esta experiência interior produza uma emoção com uma energia tão potente que reescreva os programas e mude sua biologia...

Saia do seu estado de acomodação e mude sua energia para poder mudar com ela, sua biologia... Deixe que isso te inspire e que essa escolha seja tão poderosa que transcenda seu passado. Se encha de inspiração, empodere-

se! Seja movido por sua energia... e agora entregue essa crença para uma inteligência superior... para uma mente superior... apenas solte e entregue ao campo de possibilidades, para que volte a converter-se em energia...

Agora, em que você quer acreditar e o que quer perceber a respeito de si e da sua vida... e como você se sentiria? Vamos lá... entre em um novo estado de ser... e permita que seu corpo seja elevado a uma nova mente... e deixe a energia dessa nova escolha reescrever os circuitos no seu cérebro e mudar os genes no seu corpo... e permita que o seu corpo seja liberado do passado em um novo futuro... Mude sua energia combinando uma intenção clara com uma emoção elevada para que a matéria seja elevada a uma nova mente... e deixe e deixe que essa decisão tenha um amplitude de energia mais poderosa do que qualquer experiência do passado... permitindo a seu corpo ser alterado por sua consciência, por sua energia... e entrando em um novo estado de ser... e faça com que este momento te defina... e deixe esse processo interno, essa experiência, trazer uma energia emocional tão elevada que se torne uma memória que você jamais esquecerá...

Agora, ensine seu corpo emocionalmente como seria acreditar dessa maneira... estar empoderado... emocionar-se por sua própria grandeza... ser invencível... ter coragem... ser apaixonado pela vida... sentir-se ilimitado... viver como se suas preces já tivessem sido atendidas?... Deixe que seu corpo saboreie este futuro, sinalizando novos genes de novas maneiras. Sua energia é o que afeta a matéria, e, quando você muda sua energia, você muda seu corpo... Vamos lá, faça de sua mente a matéria... e, a partir desse novo estado de ser, como você viverá... que escolhas vai fazer... que comportamentos vai demonstrar e como se sentirá ao acreditar nessa possibilidade... acreditar em si mesmo... ficar curado... ser livre... ser inspirado pelo espírito? Vamos lá, de vida a seu futuro... Crie-o; apaixone-se por ele. A partir desse estado de ser, nutra esse futuro com a sua atenção... pois, onde você coloca sua atenção, você coloca sua energia... Invista no seu futuro observando-o... e seja definido por esse novo futuro, e não por seu passado... Abra seu coração e permita que seu corpo seja inspirado por sua experiência interior... pois o que quer que você verdadeiramente experimente no campo das possibilidades e abrace emocionalmente... por fim o encontrará em algum momento futuro... De um pensamento... para energia... transformando-se em matéria... e agora solte e entregue... para uma inteligência superior... e permita que seja executado da maneira correta para você...

E agora erga sua mão esquerda e coloque-a sobre o seu coração... quero que você abençoe o seu corpo... para que o seu corpo seja elevado a uma nova mente... E abençoe a sua vida... para que a sua vida seja uma extensão da sua mente... E abençoe o seu futuro... para que o seu futuro jamais seja o seu passado... abençoe o seu passado... para que o seu passado se torne sabedoria... abençoe as adversidades em sua vida... para que lhe permita conhecer a sua grandeza... abençoe sua alma... para que sua alma o desperte desse sonho e seja seu guia... e que abençõe a energia divina que vive dentro de você... para que essa energia possa fluir em você... através de você... e ao seu redor... que a mente dela se torne a sua mente... que a natureza dela... se torne a sua natureza... que a vontade dela... se torne a sua vontade... e que o amor dela pela vida... se torne o seu amor pela vida... e que ela se apresente em sua vida, sinalizando a você... de alguma maneira em sua vida... para que você saiba que ela é real... E agora, se é pelo pensamento que você envia o sinal, e pelo sentimento verdadeiro e intenso que você atrai a situação para você... quero que entre em um estado de gratidão... e dê graças... por uma nova vida antes que ela se manifeste... Pois a assinatura emocional da gratidão significa... que o evento já aconteceu... e quanto mais você permanece em gratidão... mais atrai sua nova vida para você... pois a gratidão já que gratidão é o estado por excelência de quem recebe... Agora traga sua consciência de volta a um novo corpo... a uma nova vida... e a um tempo futuro inteiramente novo... e quando se sentir pronto... abra os olhos.

Agradecimentos

Depois que terminei meu segundo livro, tive certeza de que bastava de escrever. A quantidade de esforço necessário apenas para arranjar tempo para escrever e pesquisar enquanto administro uma clínica de saúde integrada muito movimentada e viajo quase todas as semanas, sem falar de ter tempo para a família, reuniões de equipe e até mesmo dormir e comer, não me dá folga para perder o olhar apreciando a natureza pela janela enquanto reflito sobre o próximo pensamento que estou prestes a digitar.

Aprendi que trazer uma ideia imaterial para a realidade material requer muita persistência, determinação, foco, resistência, energia, tempo, criatividade e, o mais importante, apoio. Pessoalmente, a única maneira de conseguir isso é com o amor incondicional, o incentivo, a assistência e a cooperação de meus relacionamentos profissionais, minha equipe, meus amigos e minha família. A eles sou eternamente grato.

Gostaria de expressar minha gratidão à equipe da Hay House por sua crença em mim mais uma vez. Sinto-me honrado e abençoado por fazer parte de uma família tão bacana. Obrigado, Reid Tracy, Stacey Smith, Shannon Littrell, Alex Freemon, Christy Salinas e restante da equipe. Espero ter contribuído com cada um de vocês de alguma forma.

De vez em quando, um anjo nos abençoa em nossa vida. Esses anjos geralmente são humildes, altruístas, poderosos e muito devotados. Tive a sorte de encontrar um verdadeiro anjo ao escrever este livro. Minha querida editora e agora amiga, Katy Koontz, é a personificação da excelência, da magia, do encanto e da humildade. Katy, estou profundamente honrado por ter trabalhado com você nesse projeto. Obrigado por ser tão incansável, sábia, sincera e por dar tanto.

Sally Carr, agradeço seu envolvimento com meu manuscrito. Sinto-me tão abençoado por você arranjar tempo para mim a qualquer momento para me ajudar quando eu precisava. Você foi muito generosa.

Também gostaria de citar Paula Meyer, minha assistente executiva e gerente, que se tornou uma verdadeira líder e uma voz da razão em minha vida. Obrigado por estar tão comprometida com a mesma causa. Sua luz brilha. Estou muito impressionado com quem você se tornou.

Dana Reichel é a gerente do escritório de nossa clínica e minha assistente pessoal. Dana, agradeço o quanto você tem sido fundamental na supervisão da equipe e por garantir que todos sejam amados e cuidados. Não posso elogiá-la o bastante por sua inteligência emocional, sua sabedoria simples, sua coragem e pela alegria que você traz para tantos, inclusive eu. Por favor, continue assim.

Obrigado, Trina Greenbury. Nunca conheci uma pessoa tão organizada, profissional, honesta e íntegra. Obrigado por continuar a jornada comigo. Acho você incrível.

Minha cunhada, Katina Dispenza, tem sido fundamental em muitos aspectos criativos. Katina, tenho muita sorte de você ser tão dedicada e trabalhar para mim. Todos os detalhes especiais que você adiciona ao me representar pelo mundo nunca passam despercebidos. Você é maravilhosa.

Um agradecimento especial também a Rhadell Hovda, Adam Boyce, Katie Horning, Elaina Clauson, Tobi Perkins, Bruce Armstrong, Amy Schefer, Kathy Lund, Keren Retter, Dr. Mark Bingel e Dr. Marvin Kunikiyo. Todos vocês contribuíram para minha vida de muitas maneiras magníficas, e sou grato.

John Dispenza, meu irmão e melhor amigo, sempre me emociono com sua mente criativa. Obrigado pelo *design* da capa e pelos gráficos, mas, o mais importante, obrigado por seu amor e orientação ao longo da minha vida.

Dr. Jeffrey Fannin, o nosso neurocientista quântico, me ajudou de inúmeras maneiras na medição das mudanças. Jeffrey, é por sua causa que estamos fazendo história. Respeito sem limites tudo o que você fez por mim.

Dr. Dawson Church, um gênio e amigo leal, é tão apaixonado por ciência e misticismo quanto eu. Dawson, estou honrado por suas lindas palavras no Prefácio deste livro. Espero que trabalhemos juntos no futuro.

Beth Wolfson é a gerente dos meus treinadores e uma líder corporativa dedicada. Obrigado, Beth, por criar o modelo de negócios para transformação comigo e por ser tão infinitamente apaixonada na crença nessa mensagem. Meus treinadores corporativos ao redor do mundo, que trabalham tão diligentemente para se tornar o exemplo vivo de mudança e liderança para muitos, sou inspirado por seu compromisso com esse trabalho.

Um agradecimento especial a John Collinsworth e Jonathan Swartz, que prestaram consultoria e aconselhamento profissional para eu entender melhor o funcionamento dos negócios.

Aos meus filhos, Jace, Gianna e Shen, que estão crescendo para se tornar jovens respeitáveis, obrigado por me permitirem ser bem esquisitão.

E a minha amada Roberta Brittingham, você é meu placebo.

Sobre o autor

Joe Dispenza chamou a atenção do público pela primeira vez como um dos cientistas participantes do premiado filme *Quem somos nós?* Desde o lançamento do filme, em 2004, o trabalho do Dr. Dispenza se expandiu, aprofundou e diversificou em direções-chaves, todas refletindo sua paixão por explorar como as pessoas podem usar as mais recentes descobertas da neurociência e da física quântica não só para curar doenças, mas também desfrutar de uma vida mais feliz e realizada. O Dr. Joe é motivado pela convicção de que cada um de nós tem potencial para grandeza e habilidades ilimitadas.

Como professor e palestrante, o Dr. Joe foi convidado para falar em mais de 26 países em seis continentes, instruindo milhares de pessoas com seu estilo característico, fácil de entender, encorajador e compassivo, detalhando como elas podem reconectar o cérebro e recondicionar o corpo para fazer mudanças duradouras. Além de oferecer uma variedade de cursos *on-line*, ele ensina pessoalmente em *workshops* progressivos de três dias e *workshops* avançados de cinco dias nos Estados Unidos e outros países. Dr. Joe é membro do corpo docente da Universidade Internacional quântica de Medicina Integrativa em Honolulu, do Instituto Omega em Rhinebeck, Nova York, e do Centro Kripalu de Ioga e Saúde em Stockbridge, Massachusetts. Também é convidado do comitê de pesquisa da Universidade Life em Atlanta, Geórgia.

Como pesquisador, Dr. Joe explora a ciência por trás das remissões espontâneas e como as pessoas se curam de problemas crônicos e até de doenças terminais. Mais recentemente, começou parcerias com outros cientistas para empreender uma extensa pesquisa sobre os efeitos da meditação durante seus *workshops* avançados. Ele e sua equipe realizam o mapeamento cerebral com eletroencefalogramas

(EEG) e testes individuais de campo de energia com uma máquina de visualização da descarga de gás (GDV), além de medir a coerência do coração com monitores HeartMath e a energia presente no ambiente antes, durante e após os *workshops* com um sensor GDVSputnik. Planeja incluir em breve testes epigenéticos nessa pesquisa.

Como consultor corporativo, Dr. Joe realiza palestras e *workshops* em empresas e corporações interessadas em usar princípios neurocientíficos para aumentar a criatividade, inovação e produtividade dos funcionários. Seu programa corporativo também inclui treinamento privado para gestores de primeiro escalão. Treinou pessoalmente um grupo de quarenta treinadores corporativos que ensinam seu modelo de transformação em empresas de todo o mundo. Recentemente, começou a certificar treinadores independentes no uso de seu modelo de mudança.

Como autor, Dr. Joe escreveu *Evolve Your Brain*, seguido de *Quebrando o hábito de ser você mesmo*, que detalham a neurociência da mudança e a epigenética. *Você é o placebo*, baseado no trabalho anterior, é seu terceiro livro.

Joe Dispenza recebeu o doutorado em Quiropraxia pela Universidade Life, graduando-se com honras. Seu treinamento de pós-graduação abrangeu neurologia, neurociência, função e química cerebral, biologia celular, formação de memória, envelhecimento e longevidade. Quando não está lecionando ou escrevendo, Dr. Joe atende pacientes em sua clínica de quiropraxia perto de Olympia, Washington. Pode ser contatado em www.drjoedispenza.com.

NOTAS

Capítulo 1

1 C. K. Meador, “Hex Death: Voodoo Magic or Persuasion?”; *Southern Medical Journal*, vol. 85, n. 3, p. 244–247 (1992).

2 R. R. Reeves, M. E. Ladner, R. H. Hart et al., “Nocebo Effects with Antidepressant Clinical Drug Trial Placebos”, *General Hospital Psychiatry*, vol. 29, n. 3: p. 275–277 (2007); C. K. Meador, *True Medical Detective Stories* (North Charleston: CreateSpace, 2012).

3 A. F. Leuchter, I. A. Cook, E. A. Witte et al., “Changes in Brain Function of Depressed Subjects during Treatment with Placebo”, *American Journal of Psychiatry*, vol. 159, n. 1: p. 122–129 (2002).

4 B. Klopfer, “Psychological Variables in Human Cancer”, *Journal of Protective Techniques*, vol. 21, n. 4: p. 331–340 (1957).

5 J. B. Moseley Jr., N. P. Wray, D. Kuykendall et al., “Arthroscopic Treatment of Osteoarthritis of the Knee: A Prospective, Randomized, Placebo-Controlled Trial. Results of a Pilot Study”, *American Journal of Sports Medicine*, vol. 24, n. 1: p. 28–34 (1996).

6 Discovery Health Channel, Discovery Networks Europe, Discovery Channel University et al., *Placebo: Mind Over Medicine?*, dirigido por J. Harrison, exibido em 2002 (Princeton, NJ: Films for the Humanities & Sciences, 2004), DVD.

7 J. B. Moseley Jr., K. O’Malley, N. J. Petersen et al., “A Controlled Trial of Arthroscopic Surgery for Osteoarthritis of the Knee”, *New England Journal of Medicine*, vol. 347, n. 2: pp. 81–88 (2002); note-se também que o estudo independente a seguir mostrou resultados semelhantes: A. Kirkley, T. B.

Birmingham, R. B. Litchfield et al., "A Randomized Trial of Arthroscopic Surgery for Osteoarthritis of the Knee", *New England Journal of Medicine*, vol. 359, n. 11: p. 1097–1107 (2008).

8 L. A. Cobb, G. I. Thomas, D. H. Dillard et al., "An Evaluation of Internal-Mammary-Artery Ligation by a Double-Blind Technic", *New England Journal of Medicine*, vol. 260, n. 22: p. 1.115–1.118 (1959); E. G. Diamond, C. F. Kittle e J. E. Crockett, "Comparison of Internal Mammary Artery Ligation and Sham Operation for Angina Pectoris" , *American Journal of Cardiology*, vol. 5, n. 4: p. 483–486 (1960).

9 T. Maruta, R. C. Colligan, M. Malinchoc et al., "Optimism-Pessimism Assessed in the 1960s and Self-Reported Health Status 30 Years Later", *Mayo Clinic Proceedings*, vol. 77, n. 8: p. 748–753 (2002).

10 T. Maruta, R. C. Colligan, M. Malinchoc et al., "Optimists vs. Pessimists: Survival Rate Among Medical Patients over a 30-Year Period", *Mayo Clinic Proceedings*, vol. 75, n. 2: p. 140–143 (2000).

11 B. R. Levy, M. D. Slade, S. R. Kunkel et al., "Longevity Increased by Positive Self Perceptions of Aging", *Journal of Personality and Social Psychology*, vol. 83, n. 2: p. 261– 270 (2002).

12 I. C. Siegler, P. T. Costa, B. H. Brummett et al., "Patterns of Change in Hostility from College to Midlife in the UNC Alumni Heart Study Predict High-Risk Status", *Psychosomatic Medicine*, vol. 65, n. 5: p. 738–745 (2003).

13 J. C. Barefoot, W. G. Dahlstrom e R. B. Williams Jr., "Hostility, CHD Incidence, and Total Mortality: A 25-Year Follow-Up Study of 255 Physicians", *Psychosomatic Medicine*, vol. 45, n. 1: 59–63 (1983).

14 D. M. Becker, L. R. Yanek, T. F. Moy et al., "General Well-Being Is Strongly Protective Against Future Coronary Heart Disease Events in an Apparently Healthy High-Risk Population", Abstract #103966, apresentado nas Sessões Científicas da Associação Americana do Coração em Anaheim, Califórnia (12 de novembro de 2001).

15 National Cancer Institute, "Anticipatory Nausea and Vomiting (Emesis)" (2013), www.cancer.gov/cancertopics/pdq/supportivecare/nausea/HealthProfessional/page4#Reference4.2.

16 J. T. Hickok, J. A. Roscoe e G. R. Morrow, "The Role of Patients' Expectations in the Development of Anticipatory Nausea Related to Chemotherapy for Cancer", *Journal of Pain and Symptom Management*, vol. 22, n. 4: p. 843–850 (2001).

17 R. de la Fuente-Fernández, T. J. Ruth, V. Sossi et al., "Expectation and Dopamine Release: Mechanism of the Placebo Effect in Parkinson's Disease", *Science*, vol. 293, n. 5.532: p. 1164- 1166 (2001).

18 C. R. Hall, "The Law, the Lord, and the Snake Handlers: Why a Knox County Congregation Defies the State, the Devil, and Death", *Louisville Courier Journal* (21 de agosto de 1988).

19 K. Dolak, "Teen Daughters Lift 3,000-Pound Tractor Off Dad", ABC News (10 de abril de 2013), http://abcnews.go.com/blogs/headlines/2013/04/teen-daughters-lift-3000-pound-tractor-off-dad.

20 Ver nota 1.

Capítulo 2

21 H. K. Beecher, "The Powerful Placebo", *Journal of the American Medical Association*, vol. 159, n. 17: p. 1602–1606 (1955).

22 W. B. Cannon, "Voodoo Death", *American Anthropologist*, vol. 44, n. 2: p. 169–181 (1942).

23 O termo "placebo" foi usado pela primeira vez no trecho do Salmo 116, que abre os serviços católicos para os mortos. Na Idade Média, era comum a família do finado contratar pranteadores para entoar esses versos, e, como o falso luto às vezes era por demais exagerado, a palavra placebo passou a significar "bajulador" ou "lambe-botas". No começo do século 19, os médicos começaram a prescrever tônicos, pílulas e outros tratamentos inertes para acalmar pacientes que não podiam ajudar ou que buscavam atenção médica para moléstias imaginárias; esses médicos adotaram o termo placebo e deram a ele o atual significado.

24 Y. Ikemi e S. Nakagawa, "A Psychosomatic Study of Contagious Dermatitis", *Kyoshu Journal of Medical Science*, vol. 13: p. 335–350 (1962).

25 T. Luparello, H. A. Lyons, E. R. Bleecker et al., "Influences of Suggestion on Airway Reactivity in Asthmatic Subjects", *Psychosomatic Medicine*, vol. 30, n. 6: p. 819–829 (1968).

26 J. D. Levine, N. C. Gordon e H. L. Fields, "The Mechanism of Placebo Analgesia", *Lancet*, vol. 2, n. 8.091: p. 654–657 (1978); J. D. Levine, N. C. Gordon, R. T. Jones et

al., "The Narcotic Antagonist Naloxone Enhances Clinical Pain", *Nature*, vol. 272, n. 5.656: p. 826–827 (1978).

27 R. Ader e N. Cohen, "Behaviorally Conditioned Immunosuppression", *Psychosomatic Medicine*, vol. 37, n. 4: p. 333–340 (1975).

28 H. Benson, *The Relaxation Response* (Nova York: Morrow, 1975).

29 N. V. Peale, *The Power of Positive Thinking* (Nova York: Prentice-Hall, 1952).

30 N. Cousins, "Anatomy of an Illness (as Perceived by the Patient)", *New England Journal of Medicine*, vol. 295, n. 26: p. 1.458–1.463 (1976).

31 N. Cousins, *Anatomy of an Illness as Perceived by the Patient: Reflections on Healing and Regeneration* (Nova York: W. W. Norton and Company, 1979).

32 T. Hayashi, S. Tsujii, T. Iburi et al., "Laughter Up-Regulates the Genes Related to NK Cell Activity in Diabetes", *Biomedical Research* (Tóquio, Japão), vol. 28, n. 6: p. 281–285 (2007).

33 N. Cousins, *Anatomy of an Illness as Perceived by the Patient: Reflections on Healing and Regeneration* (Nova York: Norton, 1979), p. 56.

34 B. S. Siegel, *Love, Medicine, and Miracles: Lessons Learned About Self-Healing from a Surgeon's Experience with Exceptional Patients* (Nova York: Harper and Row, 1986).

35 I. Kirsch e G. Sapirstein, "Listening to Prozac but Hearing Placebo: A Meta-analysis of Antidepressant Medication", *Prevention and Treatment*, vol. 1, n. 2: artigo 00002a (1998).

36 I. Kirsch, B. J. Deacon, T. B. Huedo-Medina et al., "Initial Severity and Antidepressant Benefits: A Meta-analysis of Data Submitted to the Food and Drug Administration", *PLOS Medicine*, vol. 5, n. 2: p. e45 (2008).

37 B. T. Walsh, S. N. Seidman, R. Sysko et al., "Placebo Response in Studies of Major Depression: Variable, Substantial, and Growing", *Journal of the American Medical Association*, vol. 287, n. 14: p. 1840–1847 (2002).

38 R. de la Fuente-Fernández, T. J. Ruth, V. Sossi et al., "Expectation and Dopamine Release: Mechanism

of the Placebo Effect in Parkinson's Disease", *Science*, vol. 293, n. 5.532: p. 1164- 1166 (2001).

39 F. Benedetti, L. Colloca, E. Torre et al., "Placebo-Responsive Parkinson Patients Show Decreased Activity in Single Neurons of the Subthalamic Nucleus", *Nature Neuroscience*, vol. 7, n. 6: 587–588 (2004).

40 F. Benedetti, A. Pollo, L. Lopiano et al., "Conscious Expectation and Unconscious Conditioning in Analgesic, Motor, and Hormonal Placebo/Nocebo Responses", *Journal of Neuroscience*, vol. 23, n. 10: p. 4.315–4.323 (2003).

41 F. Benedetti, H. S. Mayberg, T. D. Wager et al., "Neurobiological Mechanisms of the Placebo Effect", *Journal of Neuroscience*, vol. 25, n. 45: p. 10.390–10.402 (2005).

42 F. Benedetti, M. Amanzio, S. Baldi et al., "Inducing Placebo Respiratory Depressant Responses in Humans via Opioid Receptors", *European Journal of Neuroscience*, vol. 11, n. 2: p. 625–631 (1999).

43 T. J. Kaptchuk, E. Friedlander, J. M. Kelley et al., "Placebos Without Deception: A Randomized Controlled Trial in Irritable Bowel Syndrome", *PLOS ONE*, vol. 5, n. 12: p. e15591 (2010).

44 A. J. Crum e E. J. Langer, "Mind-Set Matters: Exercise and the Placebo Effect", *Psychological Science*, vol. 18, n. 2: p. 165–171 (2007).

45 R. Desharnais, J. Jobin, C. Côté et al., "Aerobic Exercise and the Placebo Effect: A Controlled Study", *Psychosomatic Medicine*, vol. 55, n. 2: p. 149–154 (1993).

46 B. Blackwell, S. S. Bloomfield e C. R. Buncher, "Demonstration to Medical Students of Placebo Responses and Non-drug Factors", *Lancet*, vol. 299, n. 7.763: p. 1.279–1.282 (1972).

47 I. Dar-Nimrod e S. J. Heine, "Exposure to Scientific Theories Affects Women's Math Performance", *Science*, vol. 314, n. 5.798: p. 435 (2006).

48 C. Jencks e M. Phillips, eds., *The Black-White Test Score Gap* (Washington, D.C.: Brookings Institution Press, 1998).

49 C. M. Steele e J. Aronson, "Stereotype Threat and the Intellectual Test Performance of African Americans", *Journal of Personality and Social Psychology*, vol. 69, n. 5: p. 797–811 (1995).

50 A. L. Geers, S. G. Helfer, K. Kosbab et al., "Reconsidering the Role of Personality in Placebo Effects: Dispositional Optimism, Situational Expectations, and the Placebo Response", *Journal of Psychosomatic Research*, vol. 58, n. 2: p. 121–127 (2005); A. L. Geers, K. Kosbab, S. G. Helfer et al., "Further Evidence for Individual Differences in Placebo Responding: An Interactionist Perspective", *Journal of Psychosomatic Research*, vol. 62, n. 5: p. 563–570 (2007).

51 D. R. Hamilton, *How Your Mind Can Heal Your Body* (Carlsbad: Hay House, 2010), p. 19.

52 D. Goleman, B. H. Lipton, C. Pert et al., *Measuring the Immeasurable: The Scientific Case for Spirituality* (Boulder, CO: Sounds True, 2008), p. 196; B. H. Lipton e S. Bhaerman, *Spontaneous Evolution: Our Positive Future (and a Way to There from Here)* (Carlsbad: Hay House, 2009), p. 25.

Capítulo 3

53 A. Vickers, *People v. the State of Illusion*, dirigido por S. Cervine (Phoenix: Exalt Films, 2012), filme.

54 L. R. Squire e E. R. Kandel, *Memory: From Mind to Molecules* (Nova York: Scientific American Library, 1999); ver também D. Church, *The Genie in Your Genes: Epigenetic Medicine and the New Biology of Intention* (Santa Rosa: Elite Books, 2007), p. 94.

55 Também conhecido como regra ou lei de Hebb; ver D. O. Hebb, *The Organization of Behavior: A Neuropsychological Theory* (Nova York: John Wiley & Sons, 1949).

56 K. Aydin, A. Ucar, K. K. Oguz et al., "Increased Gray Matter Density in the Parietal Cortex of Mathematicians: A Voxel-Based Morphometry Study", *American Journal of Neuroradiology*, vol. 28, n. 10: p. 1.859–1.864 (2007).

57 V. Sluming, T. Barrick, M. Howard et al., "Voxel-Based Morphometry Reveals Increased Gray Matter Density in Broca's Area in Male Symphony Orchestra Musicians", *NeuroImage*, vol. 17, n. 3: p. 1.613–1.622 (2002).

58 M. R. Rosenzweig e E. L. Bennett, "Psychobiology of Plasticity: Effects of Training and Experience on Brain and Behavior", *Behavioural Brain Research*, vol. 78, n. 1: p. 57–65 (1996); E. L.

Bennett, M. C. Diamond, D. Krech et al., "Chemical and Anatomical Plasticity Brain", *Science*, vol. 146, n. 3.644: p. 610–619 (1964).

Capítulo 4

59 E. J. Langer, *Mindfulness* (Reading: Addison-Wesley, 1989); E. J. Langer, *Counterclockwise: Mindful Health and the Power of Possibility* (Nova York: Ballantine Books, 2009).

60 C. Feinberg, "The Mindfulness Chronicles: On the 'Psychology of Possibility'", Harvard Magazine, https://harvardmagazine.com/2010/09/the-mindfulness-chronicles.

61 J. Medina, *The Genetic Inferno: Inside the Seven Deadly Sins* (Cambridge: Cambridge University Press, 2000), p. 4.

62 F. Crick, "Central Dogma of Molecular Biology", *Nature*, vol. 227, n. 5.258: p. 561–563 (1970).

63 M. Ho, "Death of the Central Dogma", Institute of Science in Society (9 de março de 2004), http://www.i-sis.org.uk/DCD.php.

64 S. C. Segerstrom e G. E. Miller, "Psychological Stress and the Human Immune System: A Meta-analytic Study of 30 Years of Inquiry", *Psychological Bulletin*, vol. 130, n. 4: p. 601– 630 (2004); M. S. Kopp e J. Réthelyi, "Where Psychology Meets Physiology: Chronic Stress and Premature Mortality – The Central-Eastern European Health Paradox", *Brain Research Bulletin*, vol. 62, n. 5: p. 351–367 (2004); B. S. McEwen e T. Seeman, "Protective and Damaging Effects of Mediators of Stress. Elaborating and Testing the Concepts of Allostasis and Allostatic Load", *Annals of the New York Academy of Sciences*, vol. 896: p. 30–47 (1999).

65 J. L. Oschman, "Trauma Energetics", *Journal of Bodywork and Movement Therapies*, vol. 10, n. 1: p. 21–34 (2006).

66 K. Richardson, *The Making of Intelligence* (Nova York: Columbia University Press, 2000), citado por E. L. Rossi, *The Psychobiology of Gene Expression: Neuroscience and Neurogenesis in Hypnosis and the Healing Arts* (Nova York: W. W. Norton and Company, 2002), p. 50.

67 E. L. Rossi, *The Psychobiology of Gene Expression: Neuroscience and Neurogenesis in Hypnosis and the Healing Arts* (Nova York: W. W. Norton and Company, 2002), p. 9.

68 D. Church, *The Genie in Your Genes: Epigenetic Medicine and the New Biology of Intention* (Santa Rosa: Elite Books, 2007), p. 32.

69 Ver http://www.epigenome.org.

70 J. Cloud, "Why Your DNA Isn't Your Destiny", revista *Time* (6 de janeiro de 2010), http://content.time.com/time/magazine/article/0,9171,1952313,00.html#ixzz2eN2VCb1W.

71 M. F. Fraga, E. Ballestar, M. F. Paz et al., "Epigenetic Differences Arise During the Lifetime of Monozygotic Twins", *Proceedings of the National Academy of Sciences USA*, vol. 102, n. 30: p. 10.604–10.609 (2005).

72 D. Ornish, M. J. Magbanua, G. Weidner et al., "Changes in Prostate Gene Expression in Men Undergoing an Intensive Nutrition and Lifestyle Intervention", *Proceedings of the National Academy of Sciences*, vol. 105, n. 24: p. 8.369–8.374 (2008).

73 L. Stein, "Can Lifestyle Changes Bring out the Best in Genes", *Scientific American* (17 de junho 2008), https://www.scientificamerican.com/article/can-lifestyle-changes-bring-out-the-best-in-genes/.

74 T. Rönn, P. Volkov, C. Davegårdh et al., "A Six Months Exercise Intervention Influences the Genome-Wide DNA Methylation Pattern in Human Adipose Tissue", *PLOS Genetics*, vol. 9, n. 6: p. e1003572 (2013).

75 D. Chow, "Why Your DNA May Not Be Your Destiny", *LiveScience* (4 de junho de 2013), http://www.livescience.com/37135-dna-epigenetics-disease-research.html; ver também a nota 12 acima.

76 M. D. Anway, A. S. Cupp, M. Uzumcu et al., "Epigenetic Transgenerational Actions of Endocrine Disruptors and Male Fertility", *Science*, vol. 308, n. 5.727: p. 1.466–1.469 (2005).

77 S. Roy, S. Khanna, P. E. Yeh et al., "Wound Site Neutrophil Transcriptome in Response to Psychological Stress in Young Men", *Gene Expression*, vol. 12, n. 4–6: p. 273–287 (2005).

78 M. Uddin, A. E. Aiello, D. E. Wildman et al., "Epigenetic and Immune Function Profiles Associated with Posttraumatic Stress Disorder", *Proceedings of the National Academy of Sciences*, vol. 107, n. 20: p. 9.470–9.475 (2010).

79 S. W. Cole, B. D. Naliboff, M. E. Kemeny et al., "Impaired Response to HAART in HIV Infected Individuals with High Autonomic Nervous System Activity", *Proceedings of the National Academy of Sciences*, vol. 98, n. 22: p. 12.695–12.700 (2001).

80 J. Kiecolt-Glaser, T. J. Loving, J. R. Stowell et al., "Hostile Marital Interactions, Proinflammatory Cytokine Production, and Wound Healing", *Archives of General Psychiatry*, vol. 62, n. 12: p. 1.377–1.384 (2005).

81 J. A. Dusek, H. H. Otu, A. L. Wohlhueter et al., "Genomic Counter-Stress Changes Induced by the Relaxation Response", *PLOS ONE*, vol. 3, n. 7: p. e2576 (2008).

82 M. K. Bhasin, J. A. Dusek, B. H. Chang et al., "Relaxation Response Induces Temporal Transcriptome Changes in Energy Metabolism, Insulin Secretion, and Inflammatory Pathways", *PLOS ONE*, vol. 8, n. 5: p. e62817 (2013).

Capítulo 5

83 S. Schmemann, "End Games End in a Huff", *New York Times* (20 de outubro de 1996), http://www.nytimes.com/1996/10/20/weekinreview/end-games-end-in-a-huff.html.

84 J. Corbett, "Aaron Rodgers Is a Superstar QB out to Join Super Bowl Club", *USA Today* (20 de janeiro de 2011), https://usatoday30.usatoday.com/sports/football/nfl/packers/2011-01-19-aaron-rodgers-cover_N.htm.

85 J. Nicklaus, *Golf My Way*, com K. Bowden (Nova York: Simon & Schuster, 2005), p. 79.

86 H. H. Ehrsson, S. Geyer e E. Naito, "Imagery of Voluntary Movement of Fingers, Toes, and Tongue Activates Corresponding Body-Part-Specific Motor Representations", *Journal of Neurophysiology*, vol. 90, n. 5: p. 3.304–3.316 (2003).

87 A. Pascual-Leone, D. Nguyet, L. G. Cohen et al., "Modulation of Muscle Responses Evoked by Transcranial Magnetic Stimulation during the Acquisition of New Fine Motor Skills", *Journal of Neurophysiology*, vol. 74, n. 3: p. 1.037–1.045 (1995).

88 V. K. Ranganathan, V. Siemionow, J. Z. Liu et al., "From Mental Power to Muscle Power: Gaining Strength by Using the Mind", *Neuropsychologia*, vol. 42, n. 7: p. 944–956 (2004); G. Yue e K. J. Cole, "Strength Increases from the Motor Program: Comparison of Training with Maximal Voluntary and Imagined Muscle Contractions", *Journal of Neurophysiology*, vol. 67, n. 5: p. 1.114–1.123 (1992).

89 P. Cohen, "Mental Gymnastics Increase Bicep Strength", *New Scientist*, vol. 172, n. 2.318: p. 17 (2001), http://www.newscientist.com/article/dn1591-mental-gymnastics-increase-bicepstrength.html#.Ui03PLzk_Vk.

90 A. Guillot, F. Lebon, D. Rouffet et al., "Muscular Responses during Motor Imagery as a Function of Muscle Contraction Types", *International Journal of Psychophysiology*, vol. 66, n. 1: p. 18–27 (2007).

91 I. Robertson, *Mind Sculpture: Unlocking Your Brain's Untapped Potential* (Nova York: Bantam Books, 2000); S. Begley, "God and the Brain: How We're Wired for Spirituality", *Newsweek* (7 de maio de 2001), p. 51–57; A. Newburg, E. D'Aquili e V. Rause, *Why God Won't Go Away: Brain Science and the Biology of Belief* (Nova York: Ballantine Books, 2001).

92 Rossi, *The Psychobiology of Gene Expression*.

93 Yue e Cole, "Strength Increases from the Motor Program"; N. Doidge, *The Brain That Changes Itself* (Nova York: Viking Penguin, 2007).

94 K. M. Dillon, B. Minchoff e K. H. Baker, "Positive Emotional States and Enhancement of the Immune System", *International Journal of Psychiatry in Medicine*, vol. 15, n. 1: p. 13–18 (1985–1986); S. Perera, E. Sabin, P. Nelson et al., "Increases in Salivary Lysozyme and IgA Concentrations and Secretory Rates Independent of Salivary Flow Rates Following Viewing of Humorous Videotape", *International Journal of Behavioral Medicine*, vol. 5, n. 2: p. 118–128 (1998).

95 B. E. Kok, K. A. Coffey, M. A. Cohn et al., "How Positive Emotions Build Physical Health: Perceived Positive Social Connections Account for the Upward Spiral Between Positive Emotions and Vagal Tone", *Psychological Science*, vol. 24, n. 7: p. 1123–1132 (2013).

96 T. Yamamuro, K. Senzaki, S. Iwamoto et al., "Neurogenesis in the Dentate Gyrus of the Rat Hippocampus Enhanced by Tickling Stimulation with Positive Emotion", *Neuroscience Research*, vol. 68, n. 4: p. 285–289 (2010).

97 T. Baumgartner, M. Heinrichs, A. Vonlanthen et al., "Oxytocin Shapes the Neural Circuitry of Trust and Trust Adaptation in Humans", *Neuron*, vol. 58, n. 4: p. 639–650 (2008).

98 M. G. Cattaneo, G. Lucci e L. M. Vicentini, "Oxytocin Stimulates in Vitro Angiogenesis via a Pyk-2/Src-Dependent Mechanism", *Experimental Cell Research*, vol. 315, n. 18: p. 3210–3219 (2009).

99 A. Szeto, D. A. Nation, A. J. Mendez et al., "Oxytocin Attenuates NADPH-Dependent Superoxide Activity and IL-6 Secretion in Macrophages and Vascular Cells", *American Journal of Physiology: Endocrinology and Metabolism*, vol. 295, n. 6: p. E1495–501 (2008).

100 H. J. Monstein, N. Grahn, M. Truedsson et al., "Oxytocin and Oxytocin-Receptor mRNA Expression in the Human Gastrointestinal Tract: A Polymerase Chain Reaction Study", *Regulatory Peptides*, vol. 119, n. (1–2): p. 39–44 (2004).

101 J. Borg, O. Melander, L. Johansson et al., "Gastroparesis Is Associated with Oxytocin Deficiency, Oesophageal Dysmotility with HyperCCKemia, and Autonomic Neuropathy with Hypergastrinemia", *BMC Gastroenterology*, vol. 9: p. 17 (2009).

Capítulo 6

102 Discovery Channel, "Brainwashed", quarto episódio da segunda temporada da série *Curiosity*, exibido em 28 de outubro de 2012.

Capítulo 7

103 A. Mardiyati, "Kuda Lumping: A Spirited, Glass-Eating Javanese Game of Horse", *Jakarta Globe* (16 de março de 2010), http://www.thejakartaglobe.com/archive/kuda-lumping-a-spiritedglass-eating-javanese-game-of-horse.

104 Dois estudos demonstram isso particularmente bem. No primeiro, os sujeitos usaram óculos especiais, de modo que, se olhavam para a esquerda, parecia tudo azul; se olhavam para a esquerda, tudo parecia amarelo. Depois de certo tempo, eles não viam mais os matizes azuis e amarelos; o mundo parecia como era antes porque eles não estavam mais enxergando com os olhos, mas com o cérebro, que preenchia a realidade com base nas memórias; ver I. Kohler, *The Formation and Transformation of the Perceptual World* (Nova York: International Universities Press, 1964). Em outro estudo, pessoas depressivas que viram duas imagens diferentes – uma festa comemorativa e um funeral – em rápida sucessão lembraram-se da cena fúnebre com mais frequência do que o mero acaso permitiria, indicando que temos a tendência de perceber o ambiente de uma maneira que reforça o

que sentimos; ver A. T. Beck, *Cognitive Therapy and The Emotional Disorders* (Nova York: International Universities Press, 1976).

105 D. P. Phillips, T. E. Ruth e L. M. Wagner, "Psychology and Survival", *Lancet*, vol. 342, n. 8.880: p. 1.142–1.145 (1993).

106 P. D. Rozée e G. van Boemel, "The Psychological Effects of War Trauma and Abuse on Older Cambodian Refugee Women", *Women and Therapy*, vol. 8, n. 4: p. 23–50 (1989); G. B. van Boemel e P. D. Rozée, "Treatment for Psychosomatic Blindness among Cambodian Refugee Women", *Women and Therapy*, vol. 13, n. 3: p. 239–266 (1992).

107 L. Siegel, "Cambodians' Vision Loss Linked to War Trauma", *Los Angeles Times* (15 de outubro de 1989), http://articles.latimes.com/1989-10-15/news/mn-232_1_vision-loss.

108 A. Kondo, "Blinding Horrors: Cambodian Women's Vision Loss Linked to Sights of Slaughter", *Los Angeles Times* (4 de junho de 1989), https://www.latimes.com/archives/la-xpm-1989-06-04-hl-2445-story.html.

109 P. Cooke, "They Cried until They Could Not See", *New York Times Magazine*, vol. 140: p. 24–25, 45–48 (23 de junho de 1991).

110 R. de la Fuente-Fernández, T. J. Ruth, V. Sossi et al., "Expectation and Dopamine Release: Mechanism of the Placebo Effect in Parkinson's Disease", *Science*, vol. 293, n. 5.532: p. 1.164– 1.166 (2001).

111 S. Siegel e B. M. C. Ramos, "Applying Laboratory Research: Drug Anticipation and the Treatment of Drug Addiction", *Experimental and Clinical Psychopharmacology*, vol. 10, n. 3: p. 162–183 (2002).

112 S. L. Assefi e M. Garry, "Absolut Memory Distortions: Alcohol Placebos Influence the Misinformation Effect", *Psychological Science*, vol. 14, n. 1: p. 77–80 (2003).

113 R. S. Ulrich, "View through a Window May Influence Recovery from Surgery", *Science*, vol. 224, n. 4.647: p. 420–421 (1984).

114 C. W. F. McClare, "Resonance in Bioenergetics", *Annals of the New York Academy of Sciences*, vol. 227: p. 74–97 (1974).

115 B. H. Lipton, *The Biology of Belief: Unleashing the Power of Consciousness, Matter & Miracles* (Carlsbad: Hay House, 2008), p. 111; A. R. Liboff, "Toward an Electromagnetic Paradigm for Biology and Medicine", *Journal of Alternative and Complementary Medicine*, vol. 10, n. 1: p. 41–47 (2004); R. Goodman e M. Blank, "Insights

into Electromagnetic Interaction Mechanisms", *Journal of Cellular Physiology*, vol. 192, n. 1: p. 16–22 (2002); L. B. Sivitz, "Cells Proliferate in Magnetic Fields", *Science News*, vol. 158, n. 13: p. 196–197 (2000); M. Jin, M. Blank e R. Goodman, "ERK1/2 Phosphorylation, Induced by Electromagnetic Fields, Diminishes during Neoplastic Transformation", *Journal of Cellular Biochemistry*, vol. 78, n. 3: p. 371–379 (2000); C. F. Blackman, S. G. Benane e D. E. House, "Evidence for Direct Effect of Magnetic Fields on Neurite Outgrowth", *FASEB Journal*, vol. 7, n. 9: p. 801–806 (1993); A. D. Rosen, "Magnetic Field Influence on Acetylcholine Release at the Neuromuscular Junction", *American Journal of Physiology*, vol. 262, n. 6, pt. 1: p. C1418—C1422 (1992); M. Blank, "Na,K-APTase Function in Alternating Electrical Fields", *FASEB Journal*, vol. 6, n. 7: p. 2,434–2.438 (1992); T. Y. Tsong, "Deciphering the Language of Cells", *Trends in Biochemical Sciences*, vol. 14, n. 3: p. 89–92 (1989); G. P. A. Yen-Patton, W. F. Patton, D. M. Beer et al., "Endothelial Cell Response to Pulsed Electromagnetic Fields: Stimulation of Growth Rate and Angiogenesis in Vitro", *Journal of Cellular Physiology*, vol. 134, n. 1: p. 37–46 (1988).

Capítulo 8

116 N. Bohr, "On the Constitution of Atoms and Molecules", *Philosophical Magazine*, vol. 26, n. 151: p. 1–25 (1913).

117 F. A. Popp, "Biophotons and Their Regulatory Role in Cells", *Frontier Perspectives*, vol. 7, n. 2: p. 13–22 (1998).

Capítulo 10

118 D. J. Siegel, *The Mindful Brain: Reflection and Attunement in the Cultivation of Well-Being* (Nova York: W. W. Norton and Company, 2007).

Capítulo 11

119 L. Fehmi e J. Robbins, *The Open-Focus Brain: Harnessing the Power of Attention to Heal Mind and Body* (Boston: Trumpeter Books, 2007).

ENCARTE COLORIDO

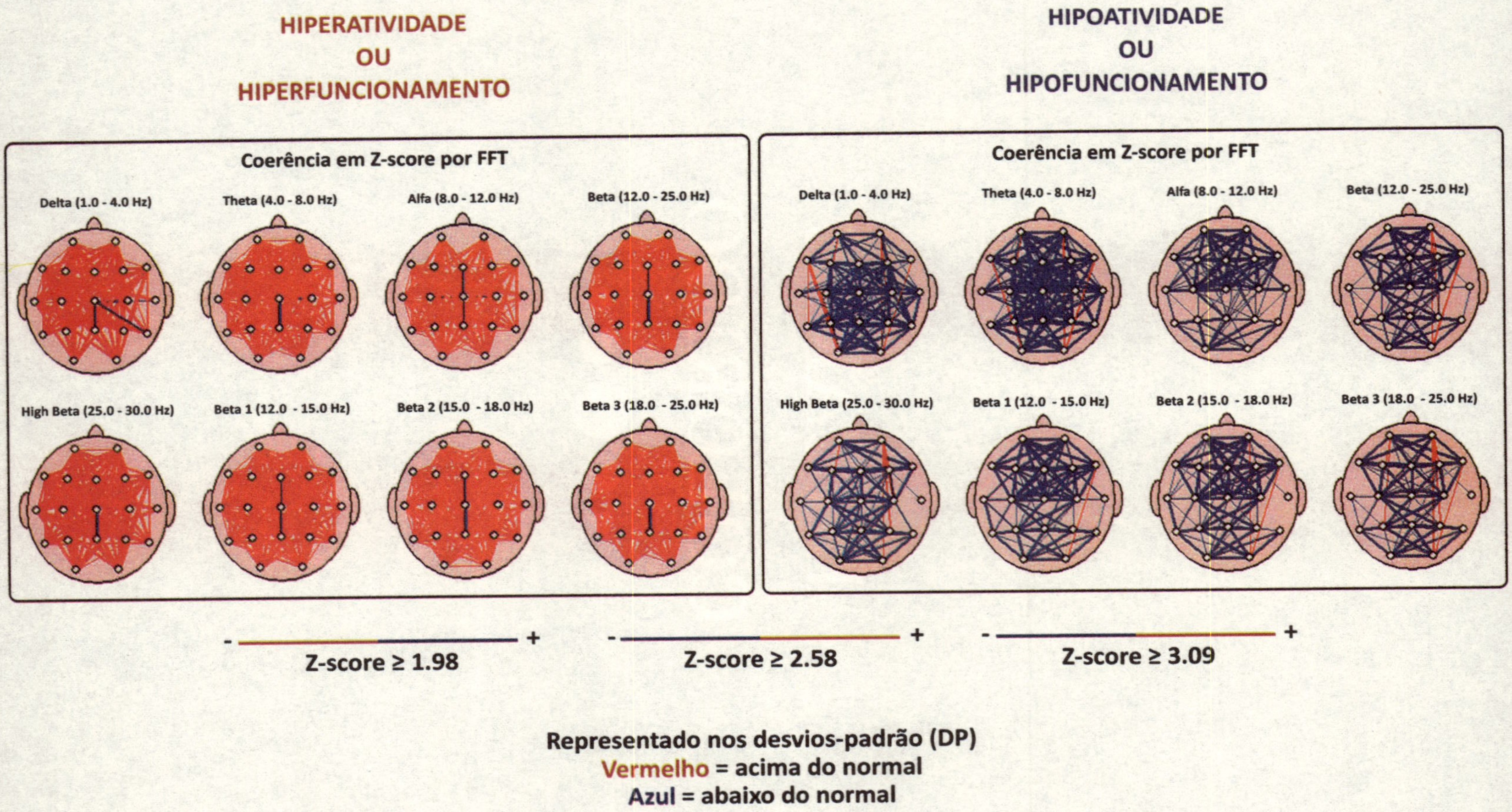
HIPERATIVIDADE
OU
HIPERFUNCIONAMENTO
HIPOATIVIDADE
OU
HIPOFUNCIONAMENTO
Coerência em Z-score por FFT
Delta (1.0 - 4.0 Hz)
Theta (4.0 - 8.0 Hz)
Alfa (8.0 - 12.0 Hz)
Beta (12.0 - 25.0 Hz)
High Beta (25.0 - 30.0 Hz)
Beta 1 (12.0 - 15.0 Hz)
Beta 2 (15.0 - 18.0 Hz)
Beta 3 (18.0 - 25.0 Hz)
Coerência em Z-score por FFT
Delta (1.0 - 4.0 Hz)
Theta (4.0 - 8.0 Hz)
Alfa (8.0 - 12.0 Hz)
Beta (12.0 - 25.0 Hz)
High Beta (25.0 - 30.0 Hz)
Beta 1 (12.0 - 15.0 Hz)
Beta 2 (15.0 - 18.0 Hz)
Beta 3 (18.0 - 25.0 Hz)
- +
Z-score ≥ 1.98
- +
Z-score ≥ 2.58
- +
Z-score ≥ 3.09
Representado nos desvios-padrão (DP)
Vermelho = acima do normal
Azul = abaixo do normal

FIGURA 10.2

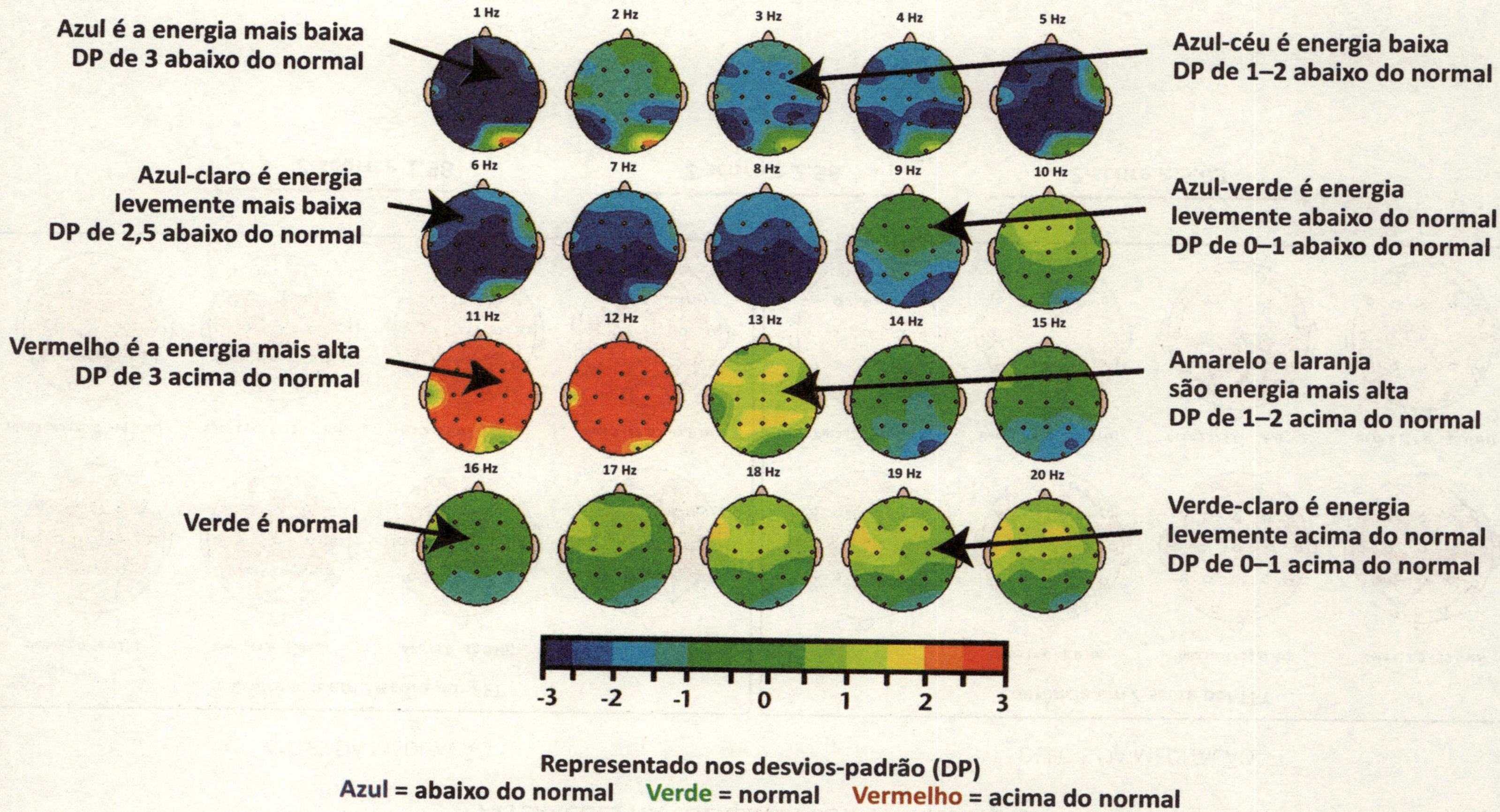

Azul é a energia mais baixa
DP de 3 abaixo do normal
Azul-claro é energia
levemente mais baixa
DP de 2,5 abaixo do normal
Vermelho é a energia mais alta
DP de 3 acima do normal
Verde é normal
Azul-céu é energia baixa
DP de 1–2 abaixo do normal
Azul-verde é energia
levemente abaixo do normal
DP de 0–1 abaixo do normal
Amarelo e laranja
são energia mais alta
DP de 1–2 acima do normal
Verde-claro é energia
levemente acima do normal
DP de 0–1 acima do normal
1 Hz
2 Hz
3 Hz
4 Hz
5 Hz
6 Hz
7 Hz
8 Hz
9 Hz
10 Hz
11 Hz
12 Hz
13 Hz
14 Hz
15 Hz
16 Hz
17 Hz
18 Hz
19 Hz
20 Hz
-3
-2
-1
0
1
2
3
Representado nos desvios-padrão (DP)
Azul = abaixo do normal
Verde = normal
Vermelho = acima do normal

FIGURA 10.3

ALTERAÇÕES NA COERÊNCIA COM A MEDITAÇÃO

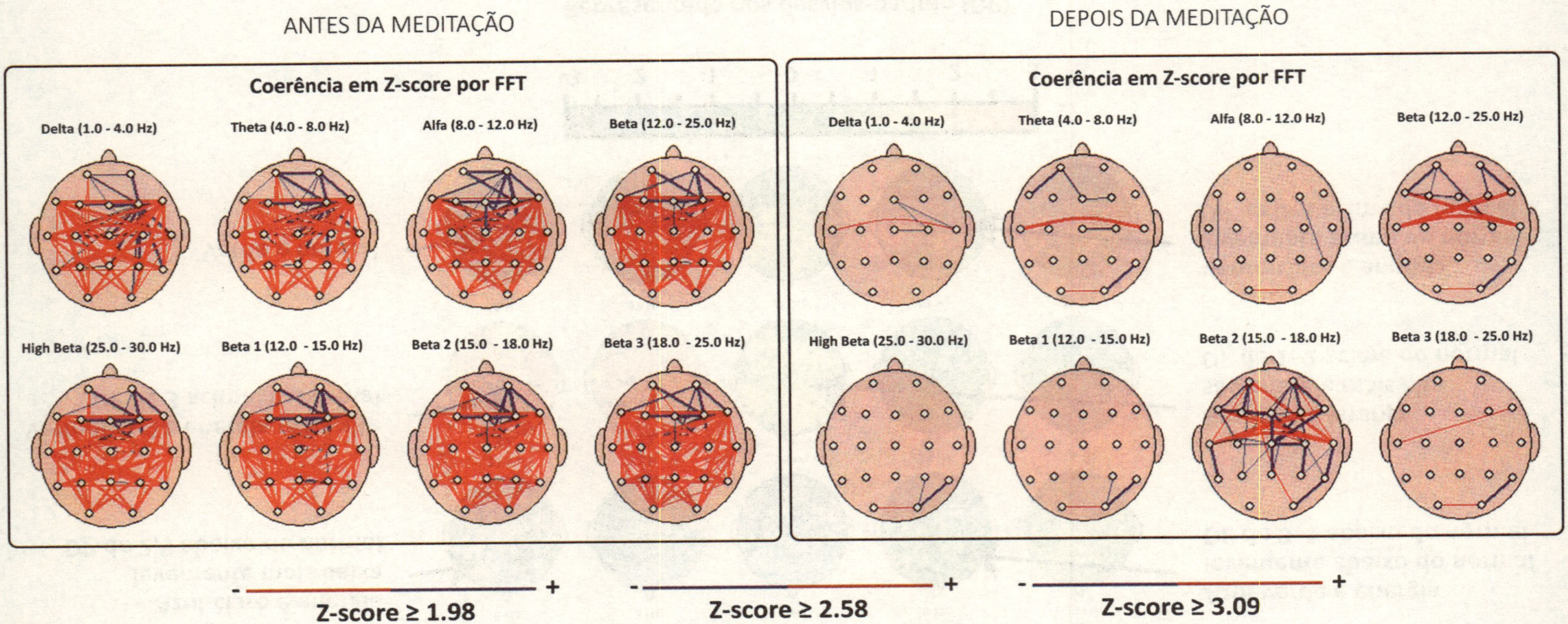

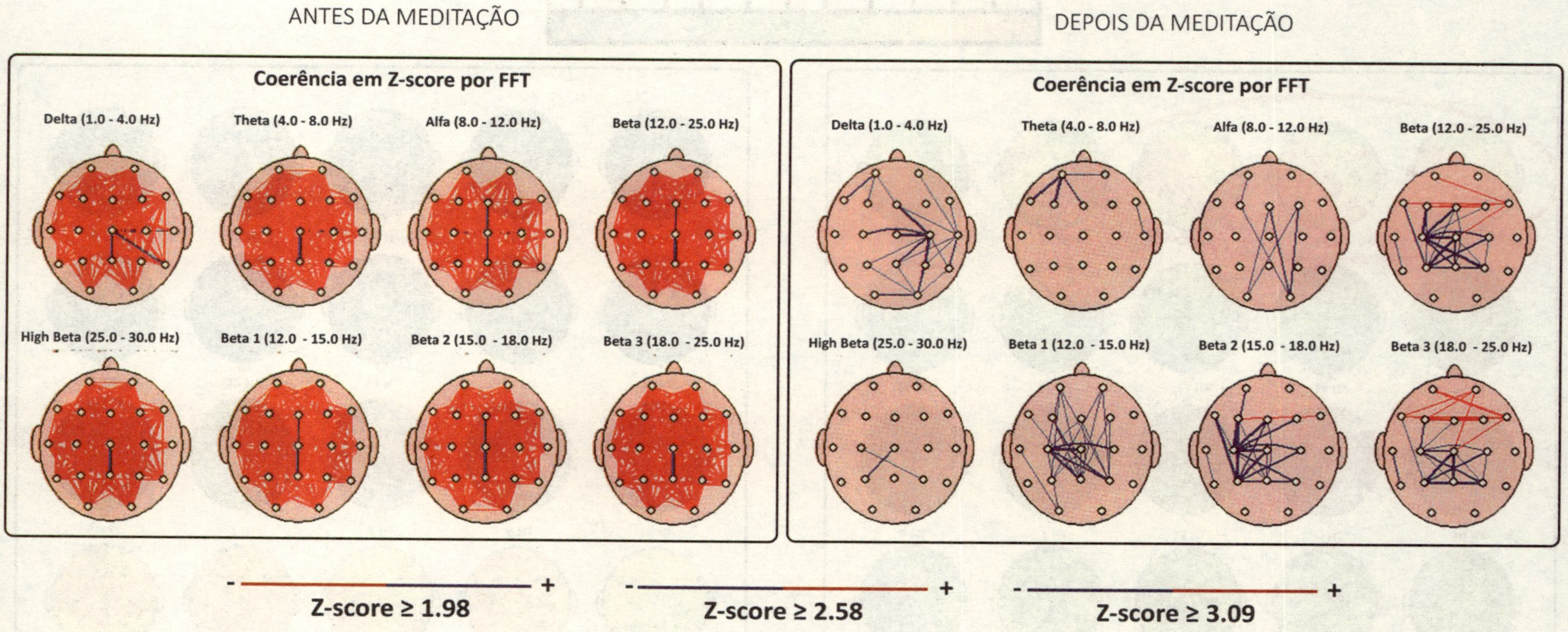
ANTES DA MEDITAÇÃO
DEPOIS DA MEDITAÇÃO
Coerência em Z-score por FFT
Delta (1.0 - 4.0 Hz)
Theta (4.0 - 8.0 Hz)
Alfa (8.0 - 12.0 Hz)
Beta (12.0 - 25.0 Hz)
High Beta (25.0 - 30.0 Hz)
Beta 1 (12.0 - 15.0 Hz)
Beta 2 (15.0 - 18.0 Hz)
Beta 3 (18.0 - 25.0 Hz)
Coerência em Z-score por FFT
Delta (1.0 - 4.0 Hz)
Theta (4.0 - 8.0 Hz)
Alfa (8.0 - 12.0 Hz)
Beta (12.0 - 25.0 Hz)
High Beta (25.0 - 30.0 Hz)
Beta 1 (12.0 - 15.0 Hz)
Beta 2 (15.0 - 18.0 Hz)
Beta 3 (18.0 - 25.0 Hz)
- +
Z-score ≥ 1.98
- +
Z-score ≥ 2.58
- +
Z-score ≥ 3.09

FIGURA 10.5

ALTERAÇÕES EM DOENÇA DE PARKINSON APÓS MEDITAÇÃO

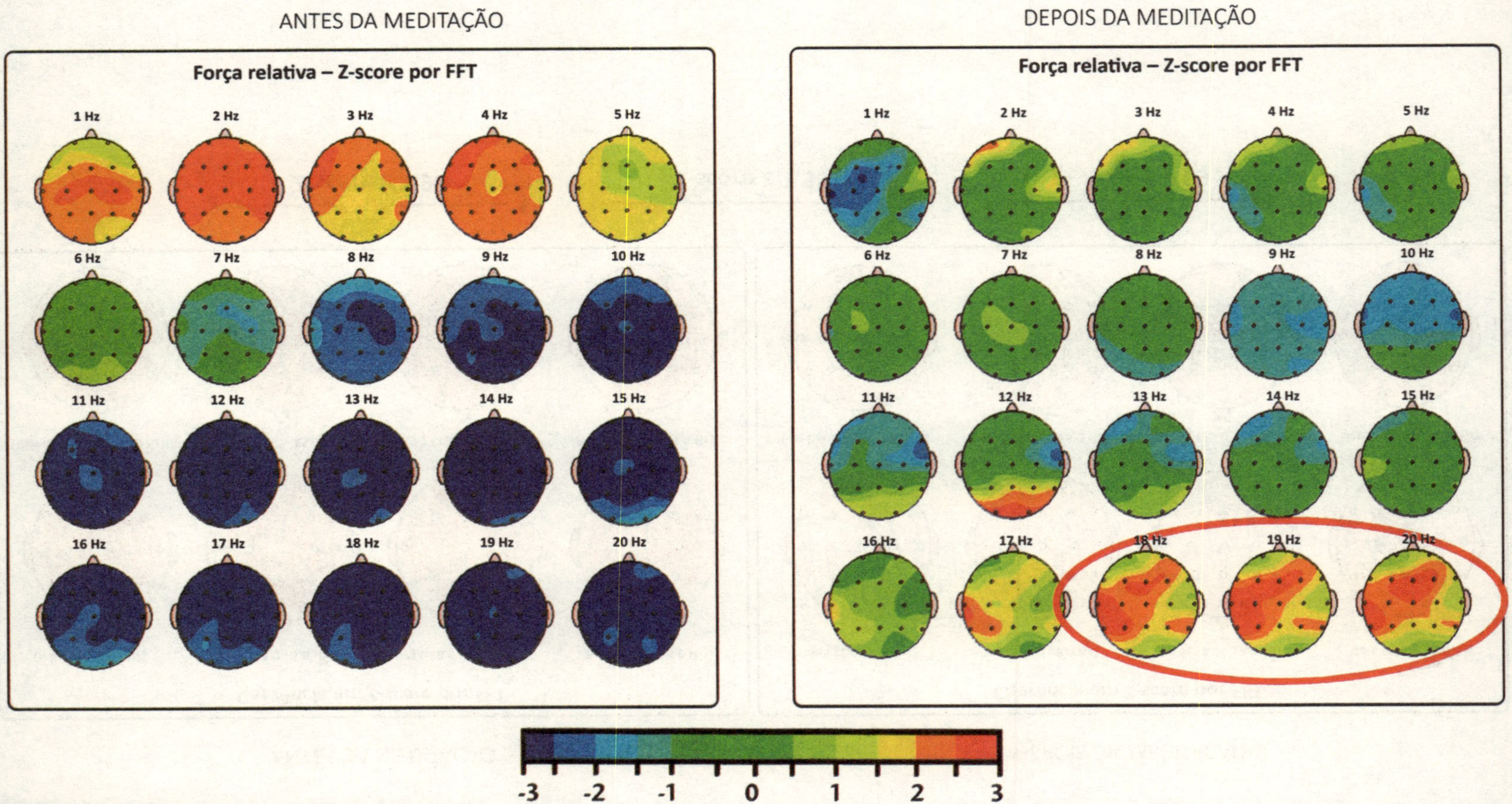

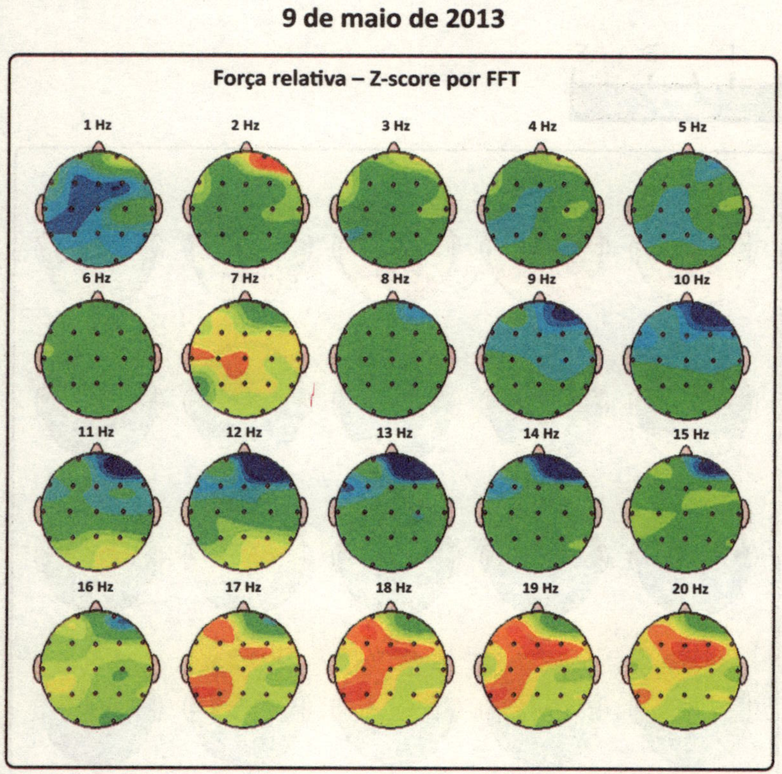

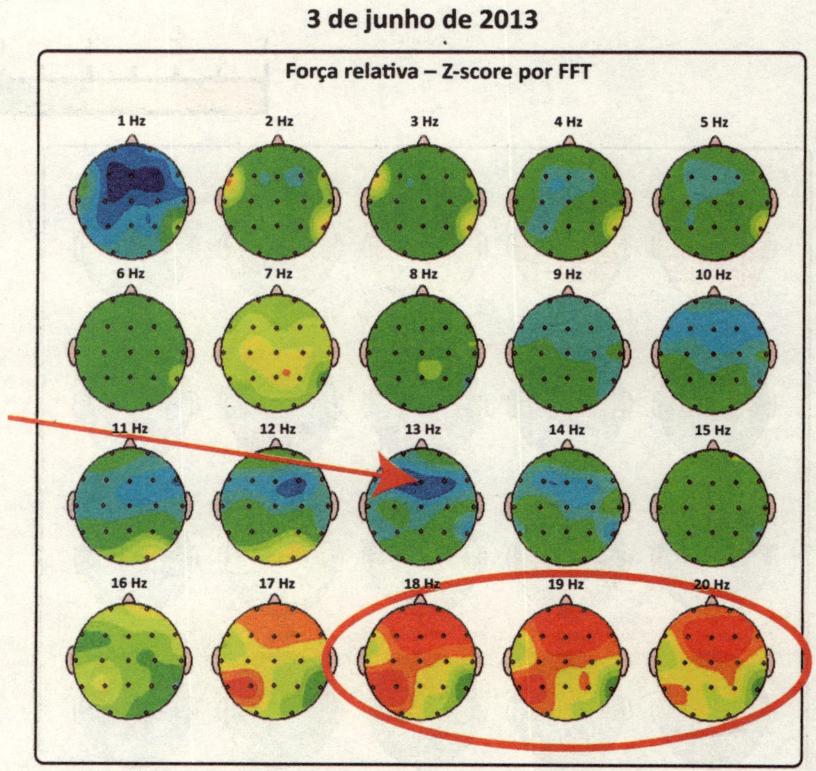

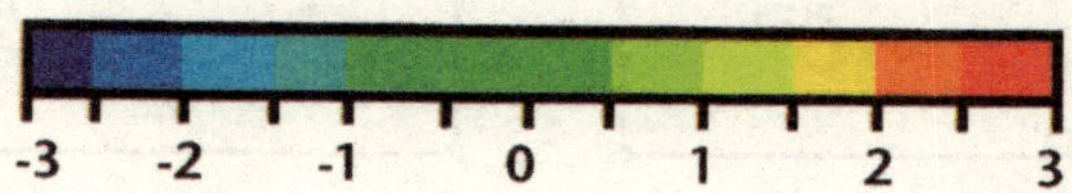

FIGURA 10.6B

FIGURA 10.6C

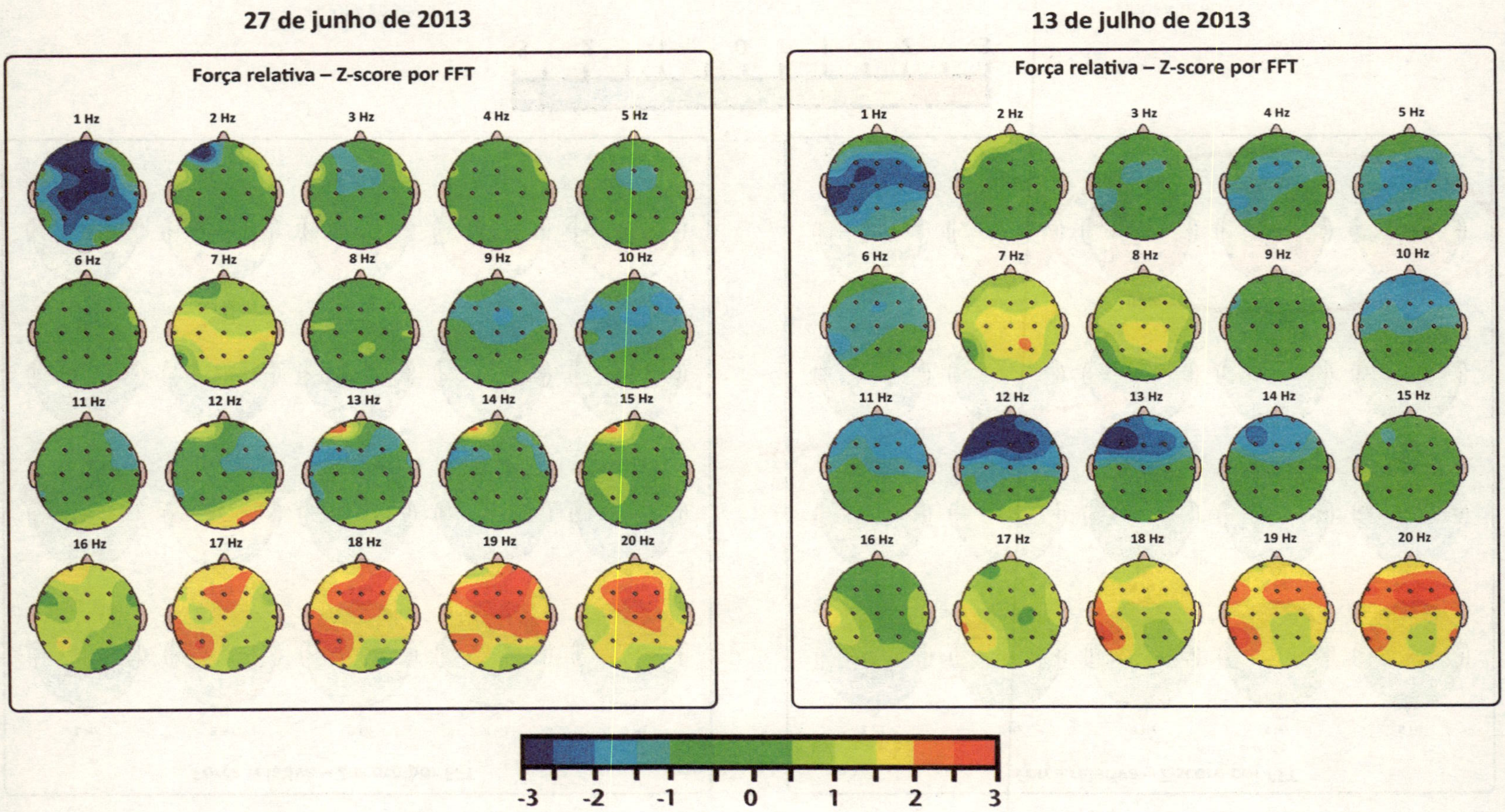
27 de junho de 2013
Força relativa – Z-score por FFT
1 Hz
2 Hz
3 Hz
4 Hz
5 Hz
6 Hz
7 Hz
8 Hz
9 Hz
10 Hz
11 Hz
12 Hz
13 Hz
14 Hz
15 Hz
16 Hz
17 Hz
18 Hz
19 Hz
20 Hz
13 de julho de 2013
Força relativa – Z-score por FFT
1 Hz
2 Hz
3 Hz
4 Hz
5 Hz
6 Hz
7 Hz
8 Hz
9 Hz
10 Hz
11 Hz
12 Hz
13 Hz
14 Hz
15 Hz
16 Hz
17 Hz
18 Hz
19 Hz
20 Hz
-3
-2
-1
0
1
2
3

ALTERAÇÕES DE LESÃO CEREBRAL TRAUMÁTICA DEPOIS DA MEDITAÇÃO

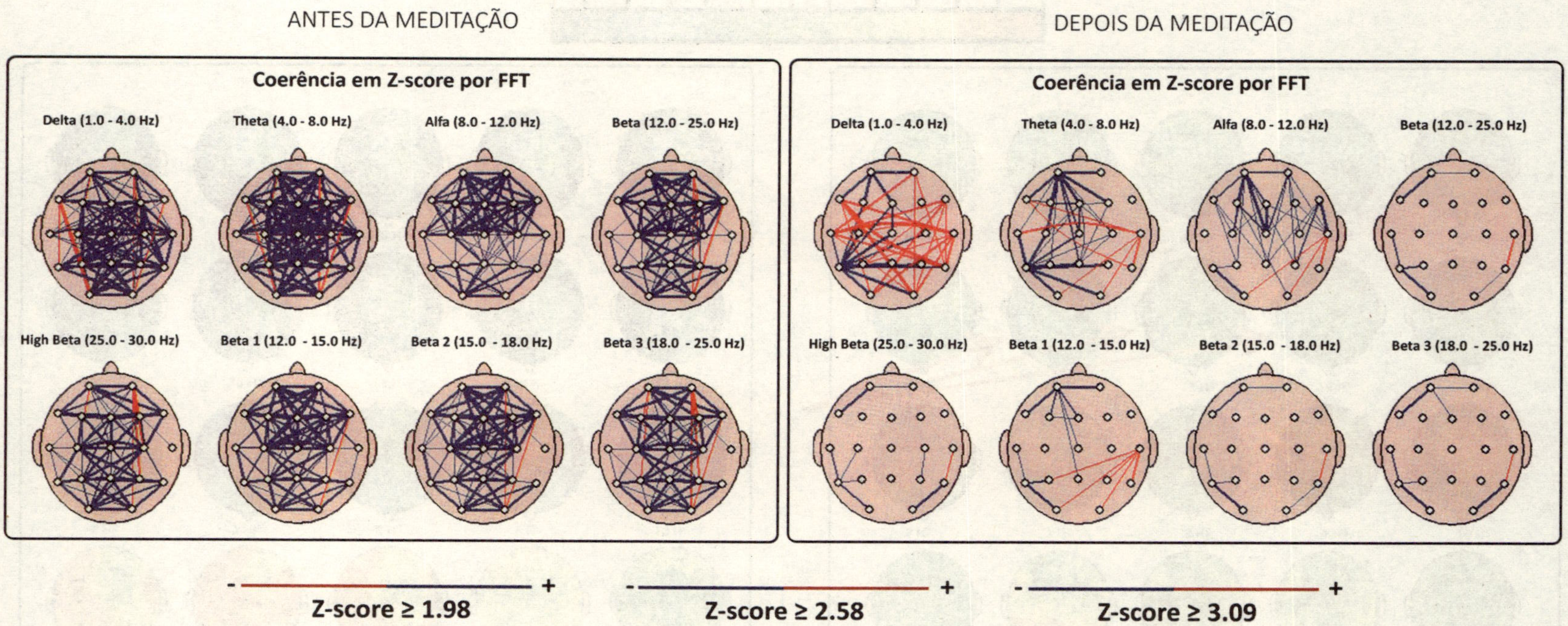

FIGURA 10.7

ALTERAÇÕES DE LESÃO CEREBRAL TRAUMÁTICA DEPOIS DA MEDITAÇÃO

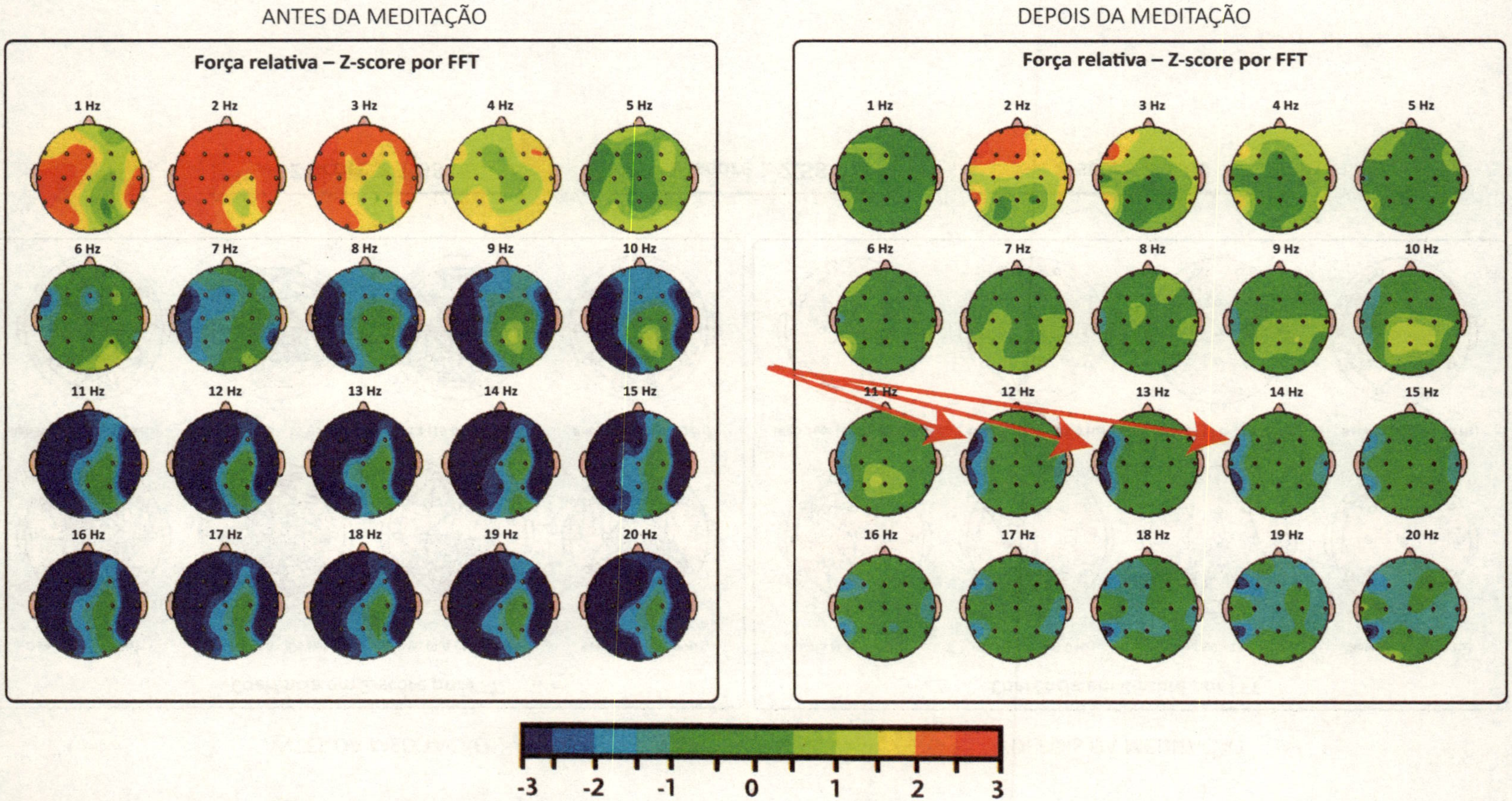

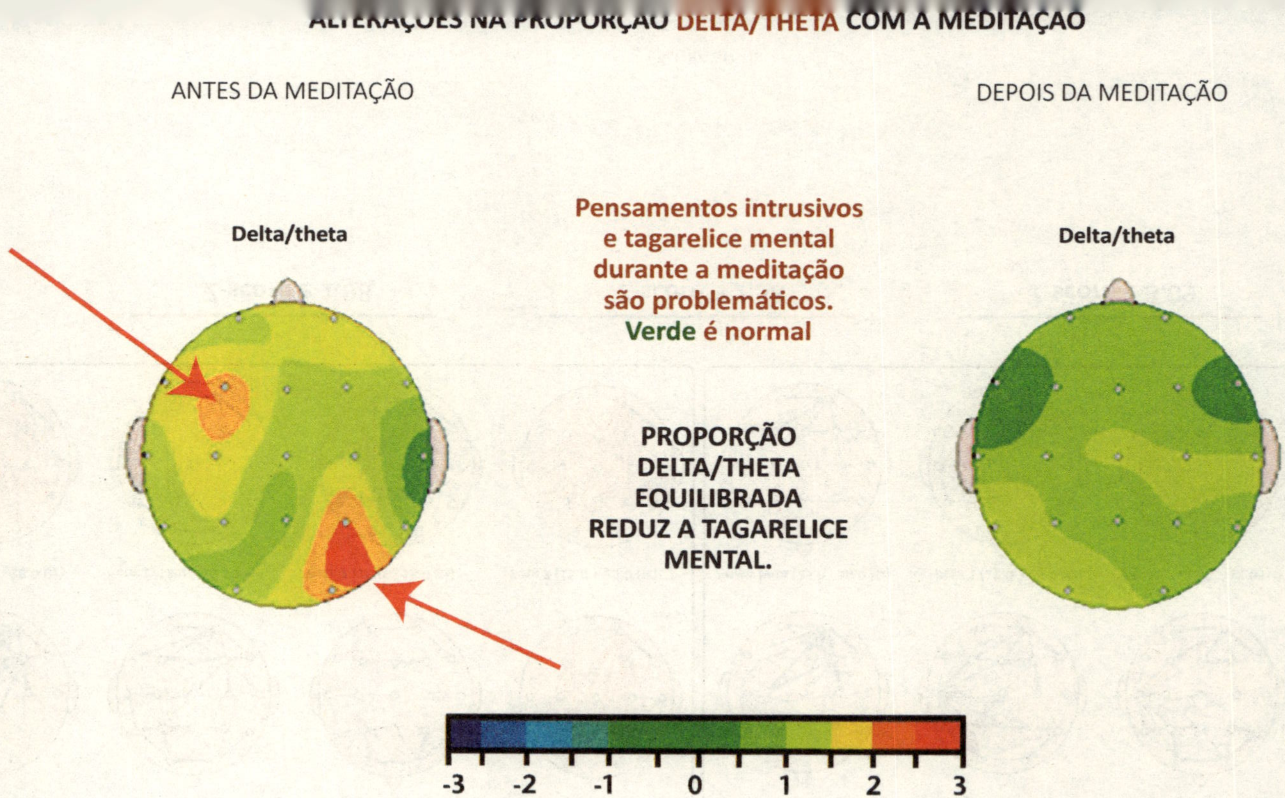
ALTERAÇÕES NA PROPORÇÃO DELTA/THETA COM A MEDITAÇÃO
ANTES DA MEDITAÇÃO
DEPOIS DA MEDITAÇÃO
Delta/theta
Pensamentos intrusivos e tagarelice mental durante a meditação são problemáticos. Verde é normal
Delta/theta
PROPORÇÃO DELTA/THETA EQUILIBRADA REDUZ A TAGARELICE MENTAL.
-3
-2
-1
0
1
2
3

FIGURA 10.9

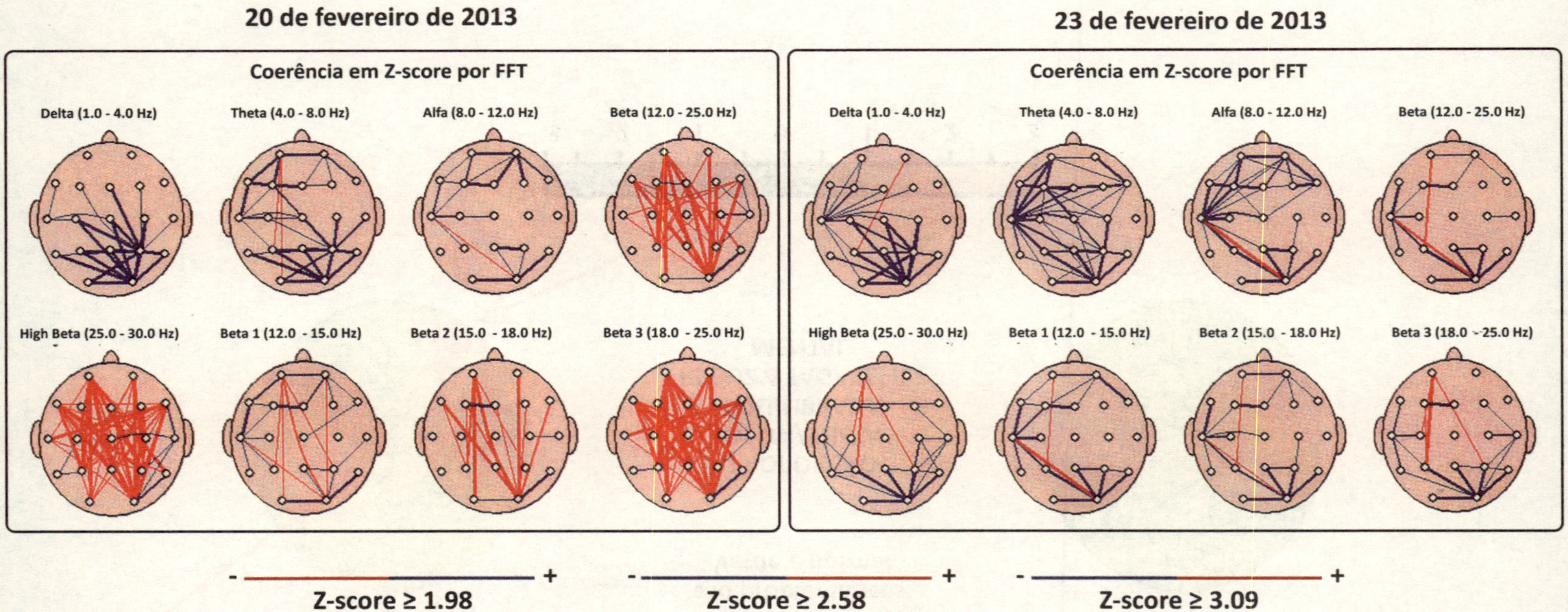
20 de fevereiro de 2013
Coerência em Z-score por FFT
Delta (1.0 - 4.0 Hz)
Theta (4.0 - 8.0 Hz)
Alfa (8.0 - 12.0 Hz)
Beta (12.0 - 25.0 Hz)
High Beta (25.0 - 30.0 Hz)
Beta 1 (12.0 - 15.0 Hz)
Beta 2 (15.0 - 18.0 Hz)
Beta 3 (18.0 - 25.0 Hz)
23 de fevereiro de 2013
Coerência em Z-score por FFT
Delta (1.0 - 4.0 Hz)
Theta (4.0 - 8.0 Hz)
Alfa (8.0 - 12.0 Hz)
Beta (12.0 - 25.0 Hz)
High Beta (25.0 - 30.0 Hz)
Beta 1 (12.0 - 15.0 Hz)
Beta 2 (15.0 - 18.0 Hz)
Beta 3 (18.0 - 25.0 Hz)
Z-score ≥ 1.98
Z-score ≥ 2.58
Z-score ≥ 3.09

FIGURA 10.10

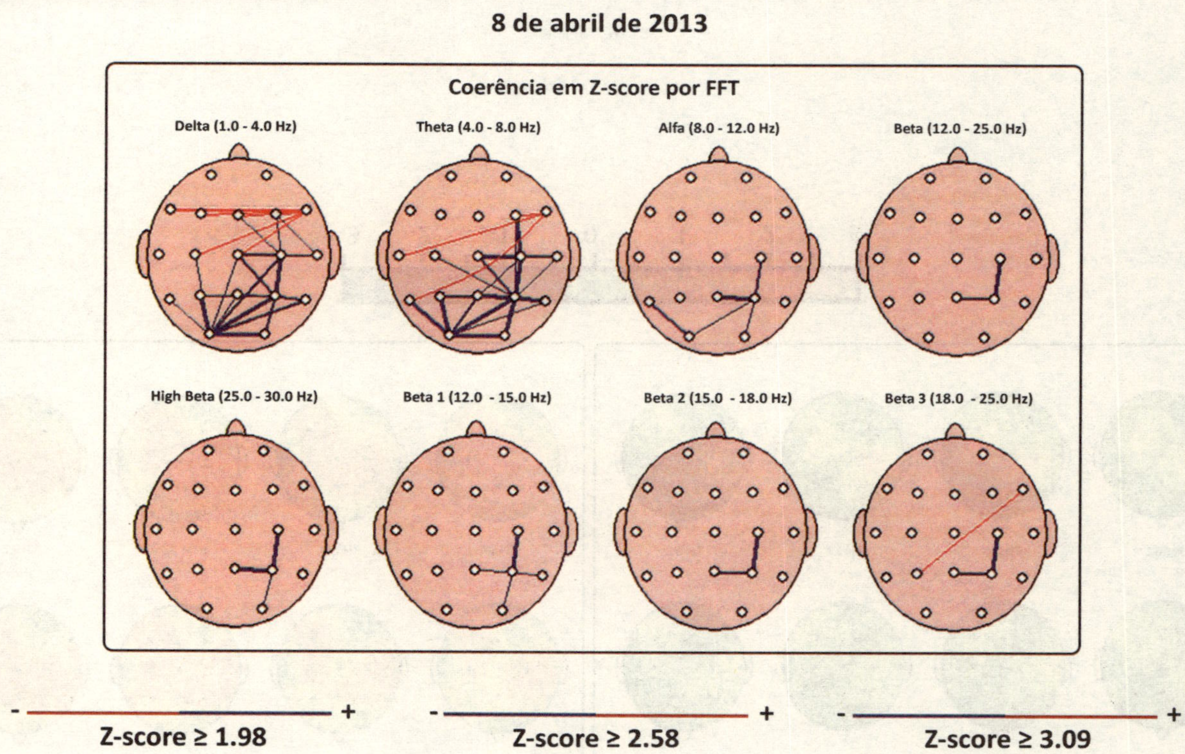
8 de abril de 2013
Coerência em Z-score por FFT
Delta (1.0 - 4.0 Hz)
Theta (4.0 - 8.0 Hz)
Alfa (8.0 - 12.0 Hz)
Beta (12.0 - 25.0 Hz)
High Beta (25.0 - 30.0 Hz)
Beta 1 (12.0 - 15.0 Hz)
Beta 2 (15.0 - 18.0 Hz)
Beta 3 (18.0 - 25.0 Hz)
- +
Z-score ≥ 1.98
- +
Z-score ≥ 2.58
- +
Z-score ≥ 3.09

FIGURA 10.11

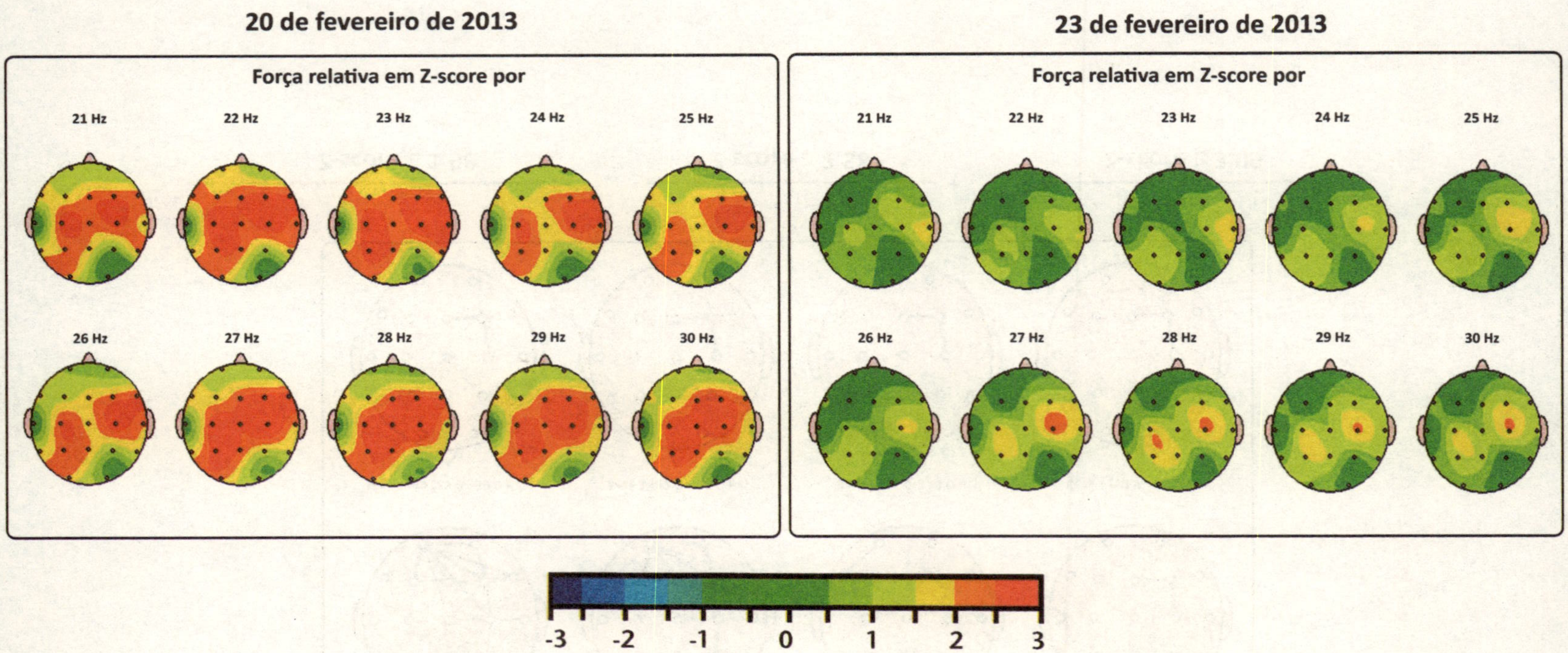
20 de fevereiro de 2013
Força relativa em Z-score por
21 Hz
22 Hz
23 Hz
24 Hz
25 Hz
26 Hz
27 Hz
28 Hz
29 Hz
30 Hz
23 de fevereiro de 2013
Força relativa em Z-score por
21 Hz
22 Hz
23 Hz
24 Hz
25 Hz
26 Hz
27 Hz
28 Hz
29 Hz
30 Hz
-3
-2
-1
0
1
2
3

FIGURA 10.12

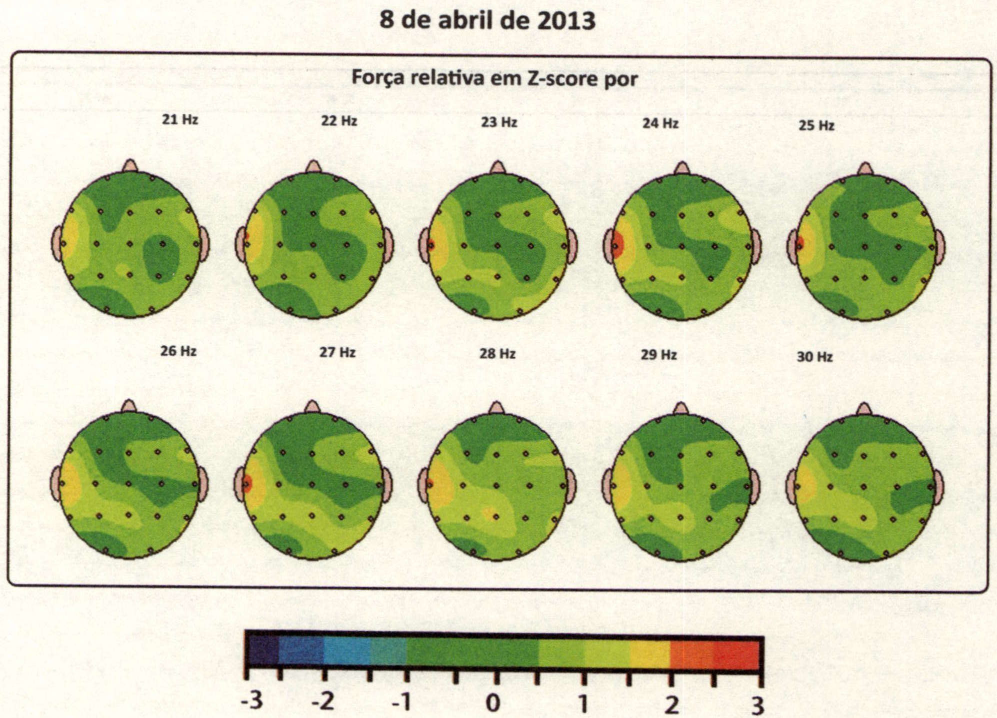
8 de abril de 2013
Força relativa em Z-score por
21 Hz
22 Hz
23 Hz
24 Hz
25 Hz
26 Hz
27 Hz
28 Hz
29 Hz
30 Hz
-3
-2
-1
0
1
2
3

FIGURA 10.13

EEG NORMAL

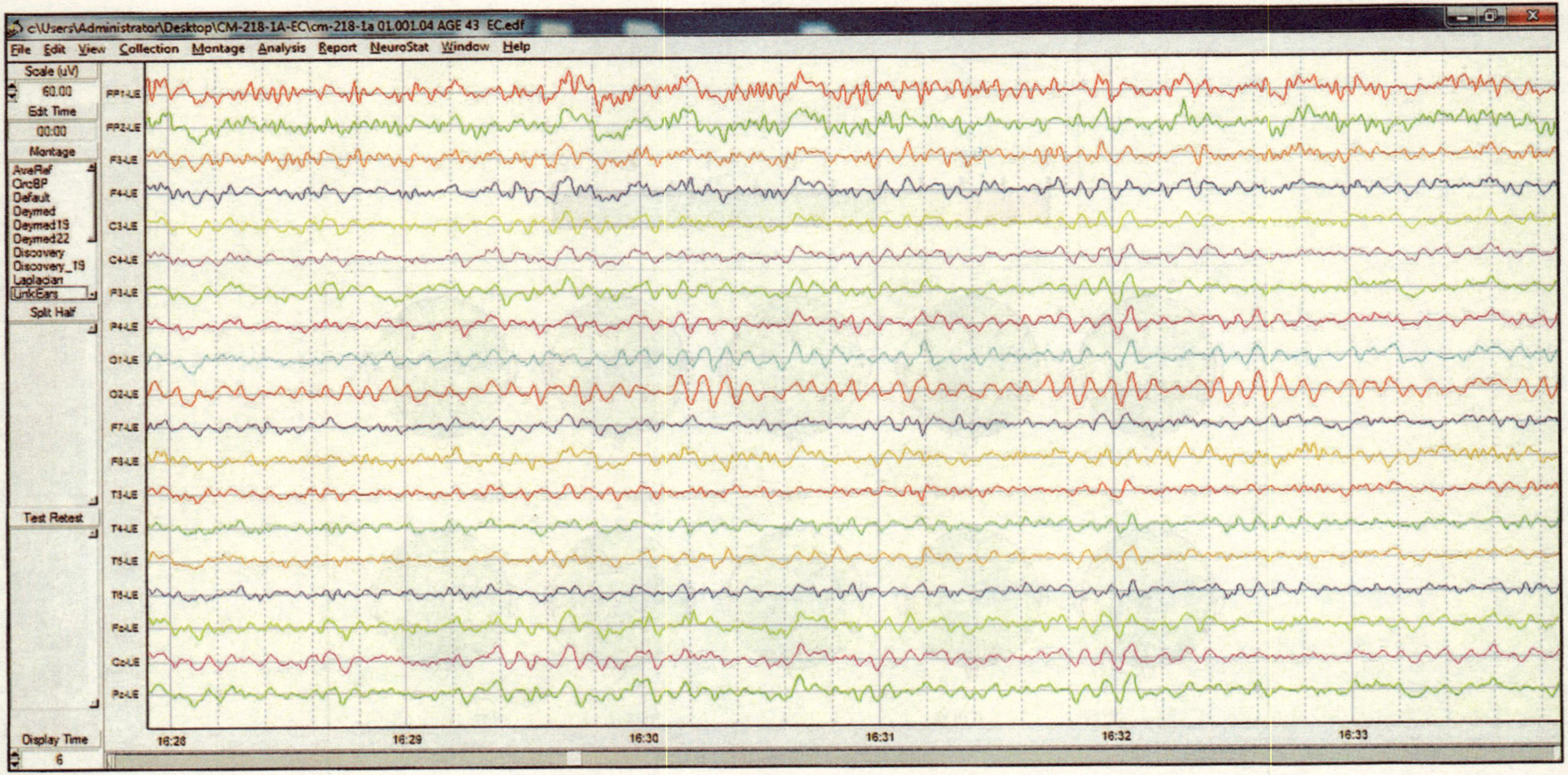

FIGURA 10.14

ATIVIDADE INTENSIFICADA NO LOBO FRONTAL

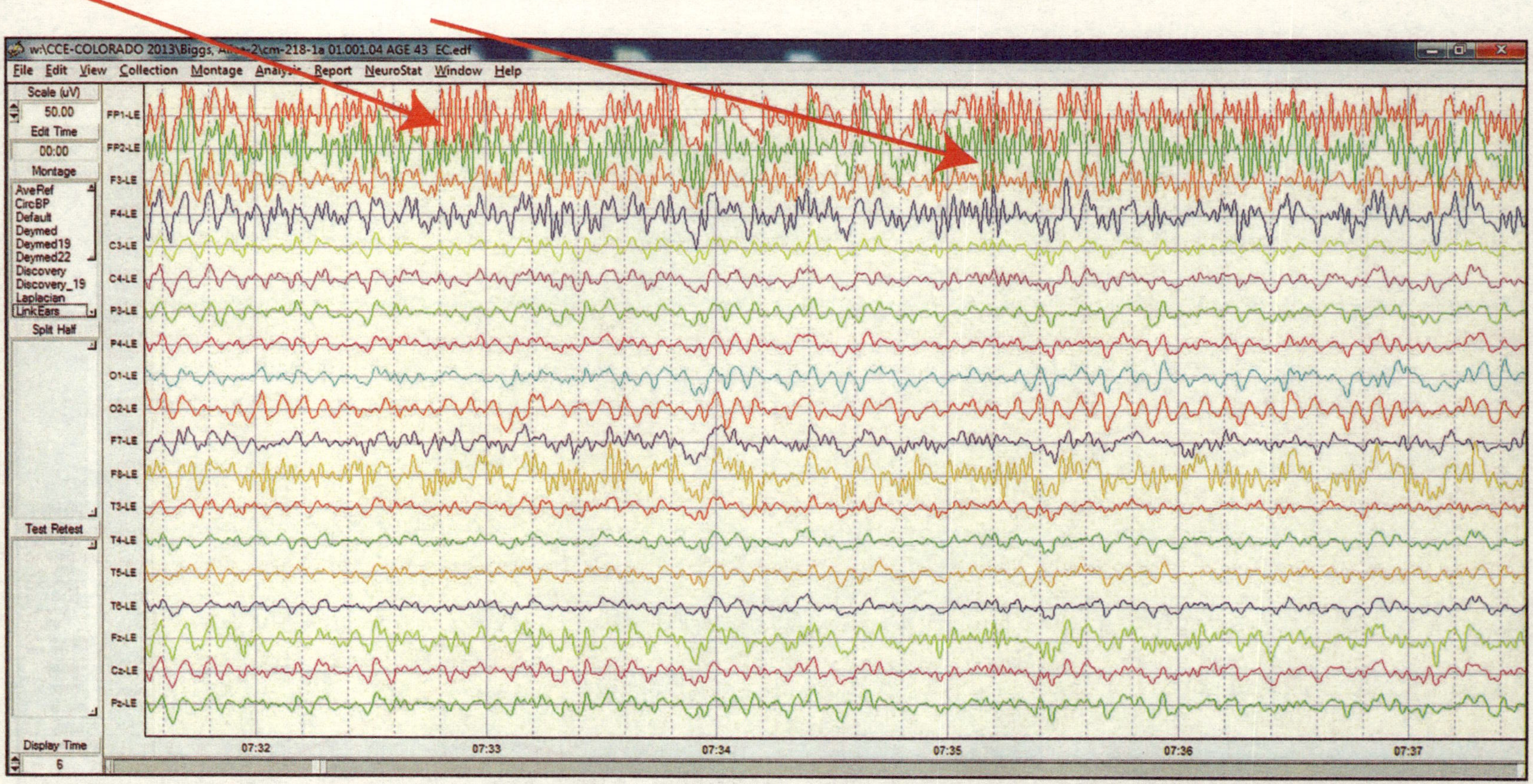

FIGURA 10.15A

ATIVIDADE INTENSIFICADA NO LOBO FRONTAL

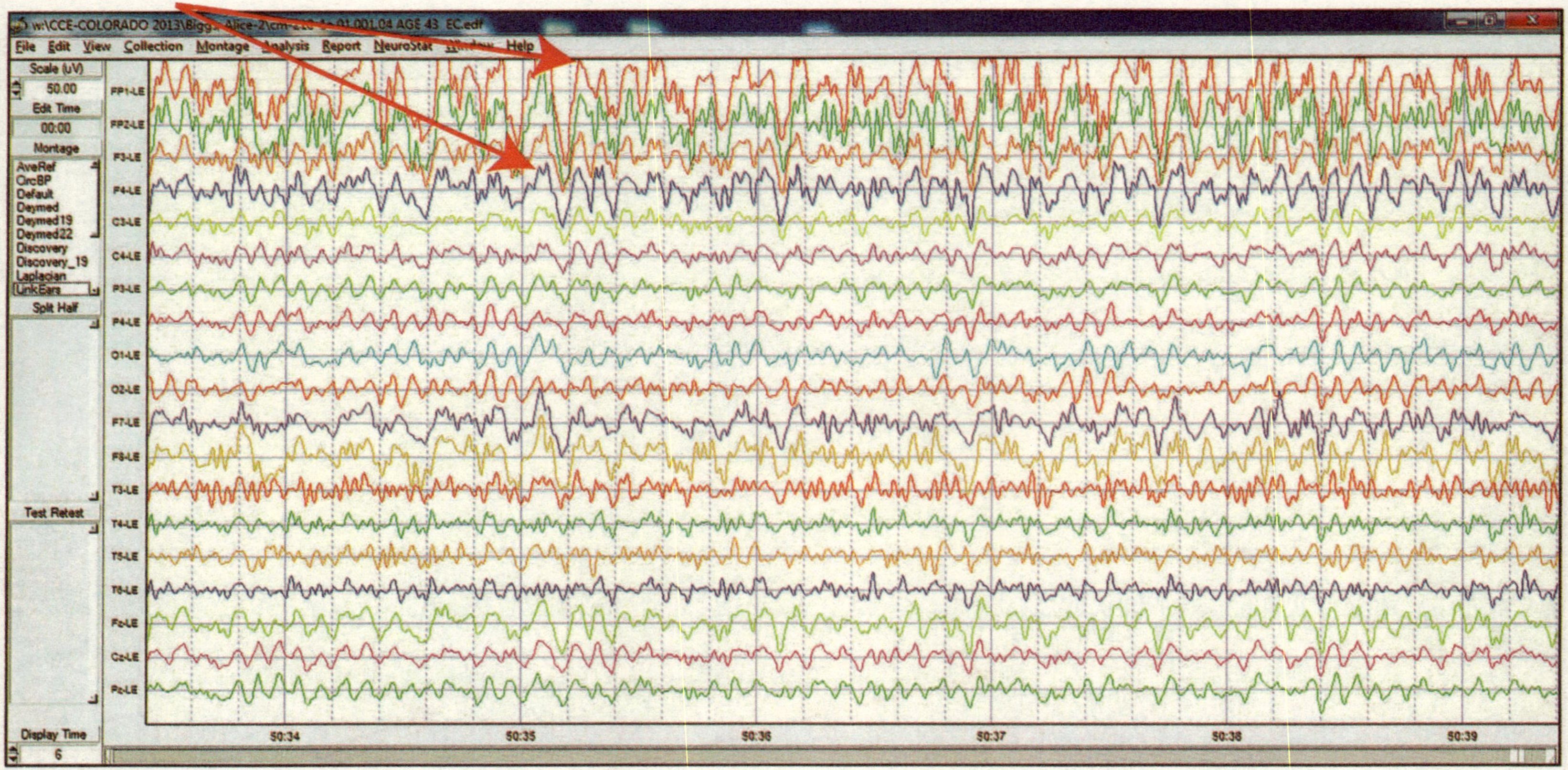

FIGURA 10.15B

ATIVIDADE INTENSIFICADA NO LOBO FRONTAL

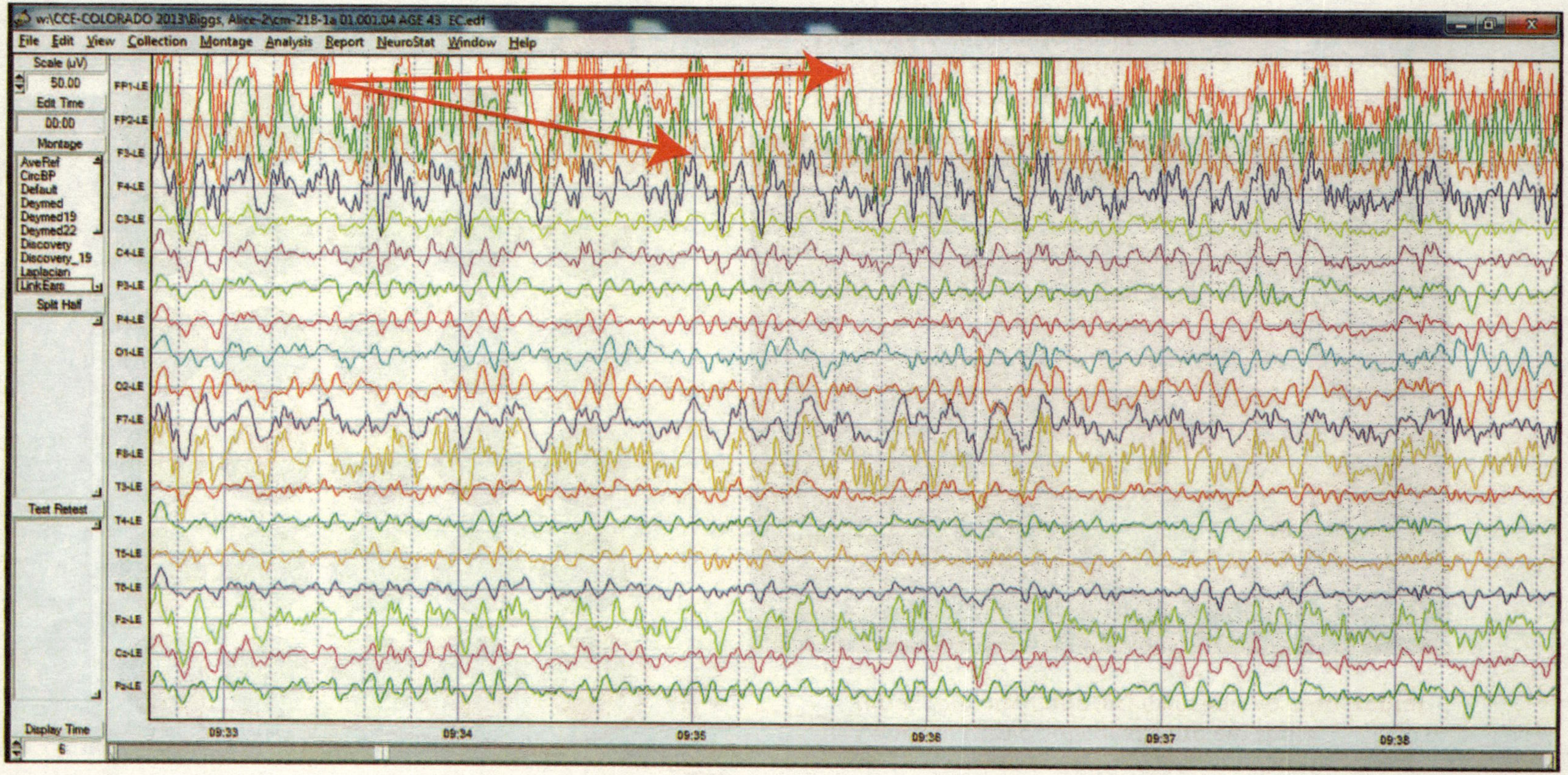

FIGURA 10.15C

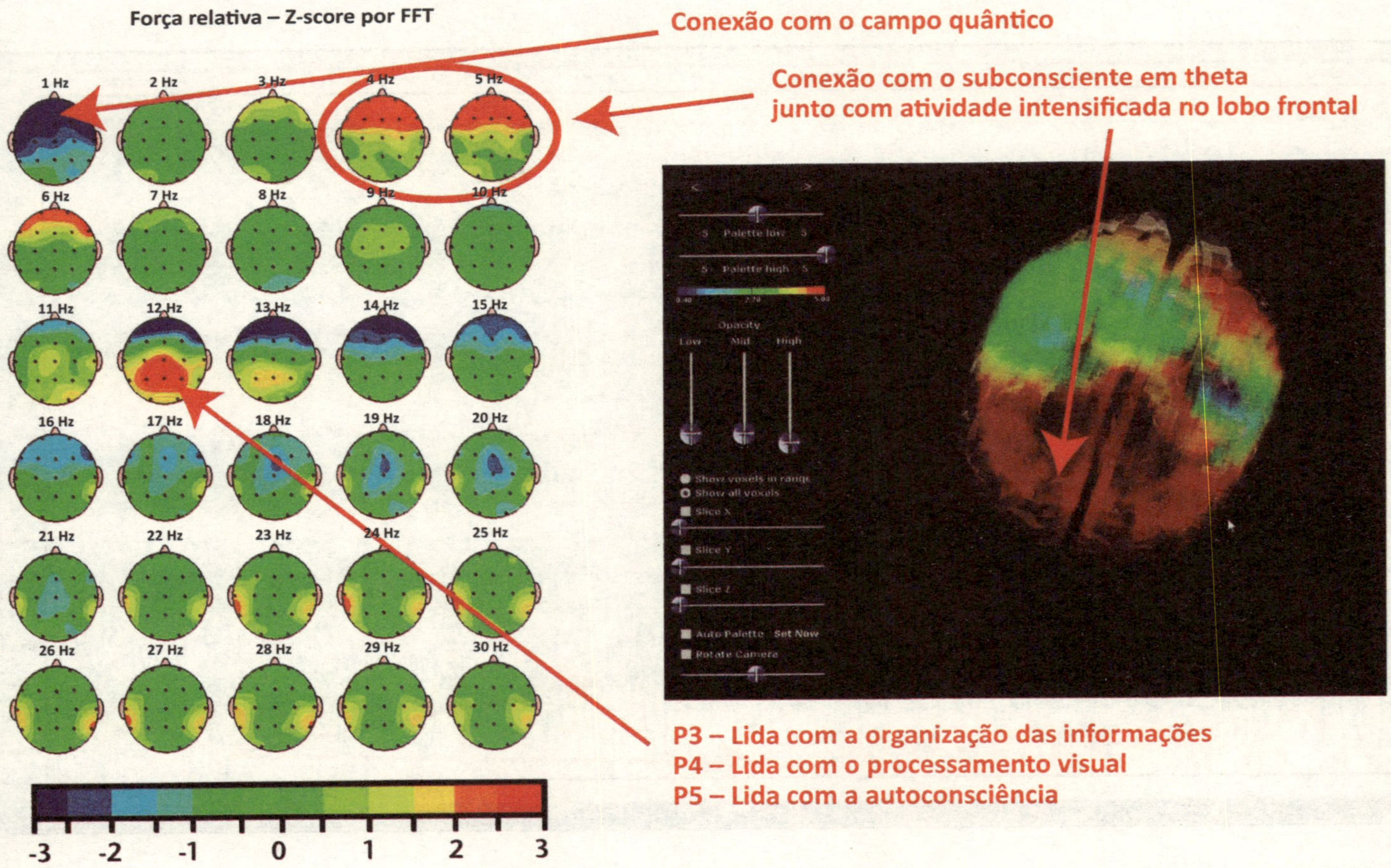

Força relativa – Z-score por FFT
Conexão com o campo quântico
Conexão com o subconsciente em theta
junto com atividade intensificada no lobo frontal
1 Hz
2 Hz
3 Hz
4 Hz
5 Hz
6 Hz
7 Hz
8 Hz
9 Hz
10 Hz
11 Hz
12 Hz
13 Hz
14 Hz
15 Hz
16 Hz
17 Hz
18 Hz
19 Hz
20 Hz
21 Hz
22 Hz
23 Hz
24 Hz
25 Hz
26 Hz
27 Hz
28 Hz
29 Hz
30 Hz
-3
-2
-1
0
1
2
3
P3 – Lida com a organização das informações
P4 – Lida com o processamento visual
P5 – Lida com a autoconsciência

FIGURA 10.16

EXPERIÊNCIA DE ÊXTASE DURANTE A MEDITAÇÃO

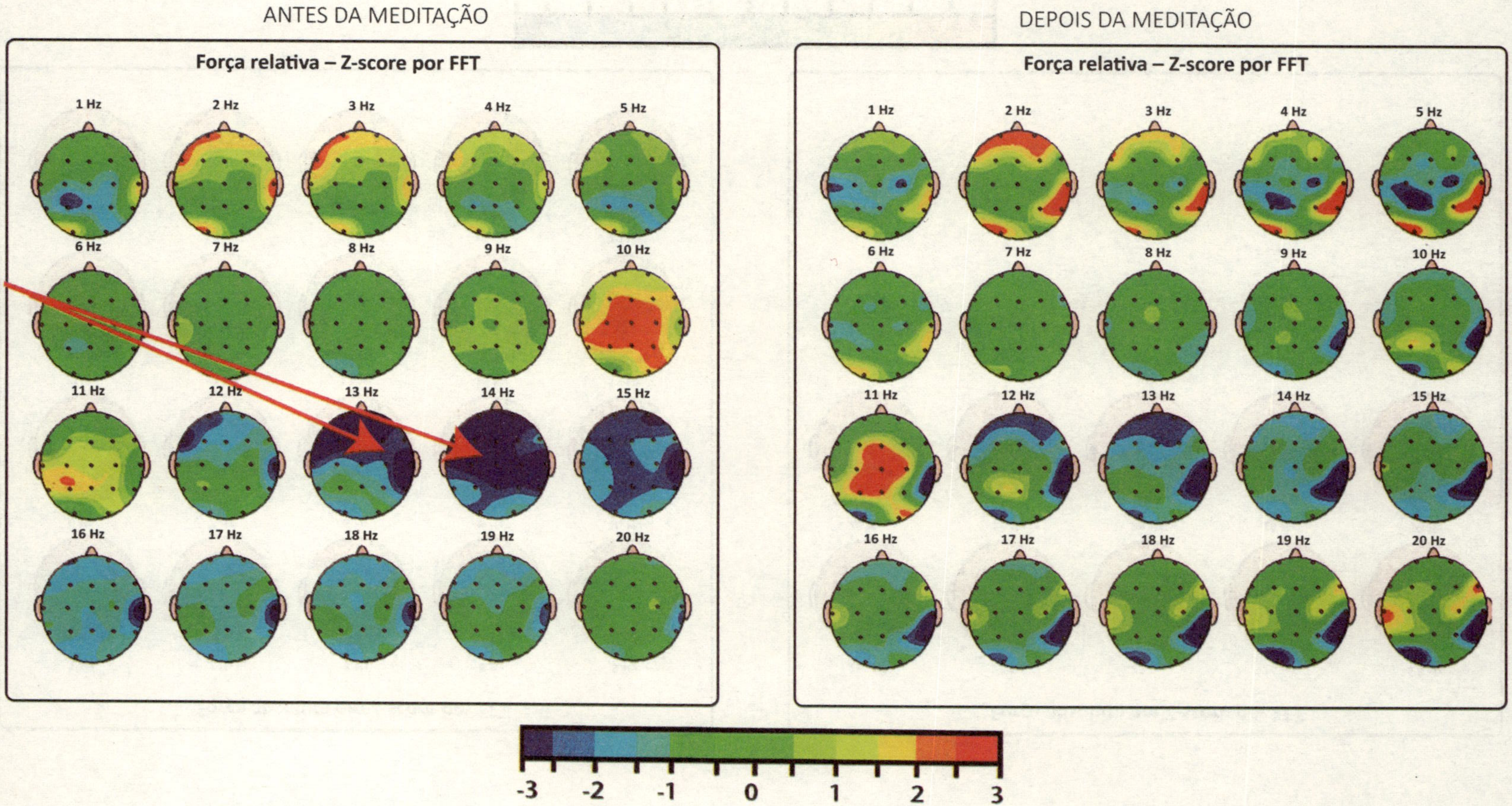

FIGURA 10.17

EXPERIMENTANDO ÊXTASE TOTAL DURANTE A MEDITAÇÃO

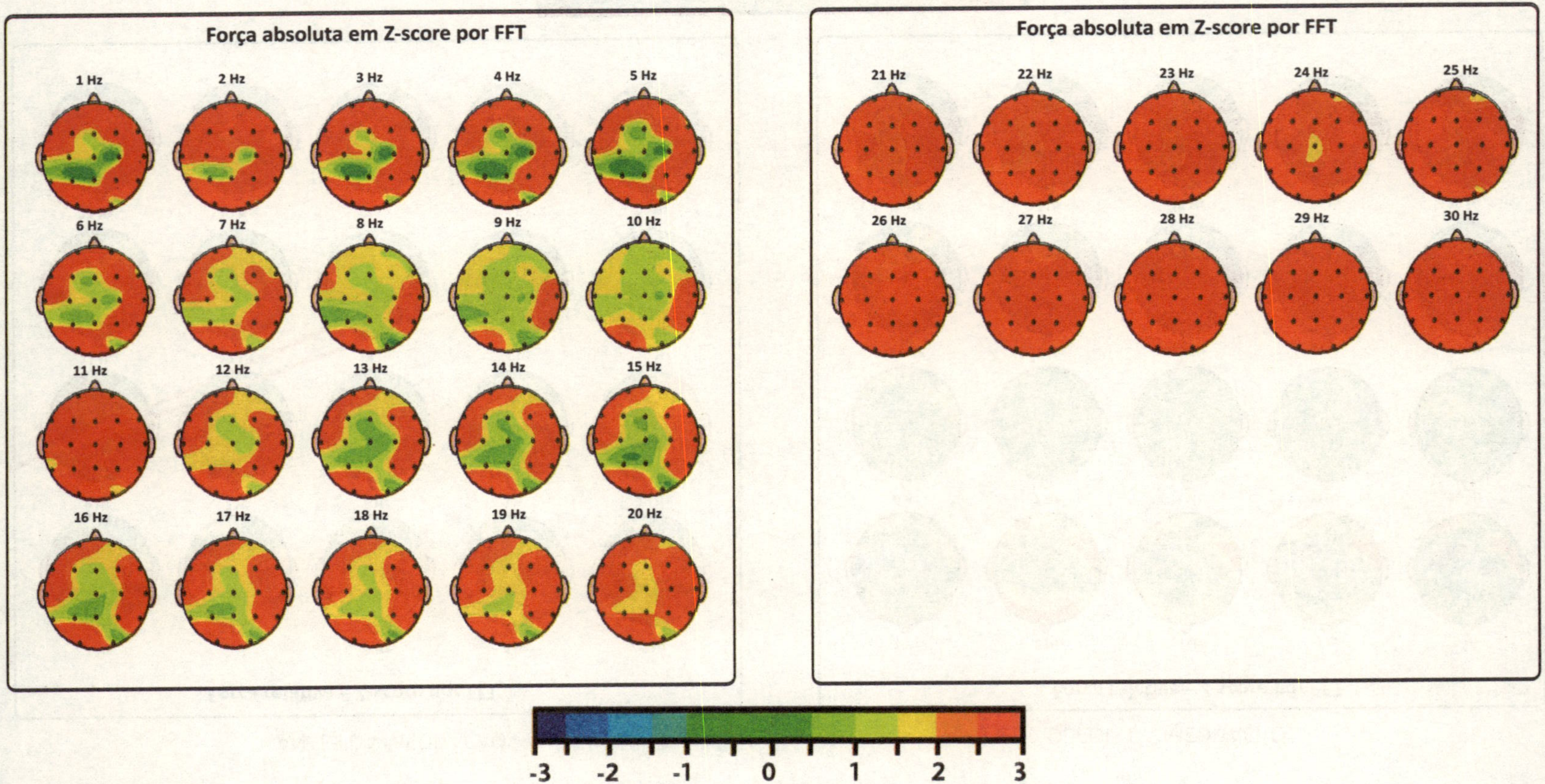

FIGURA 10.18

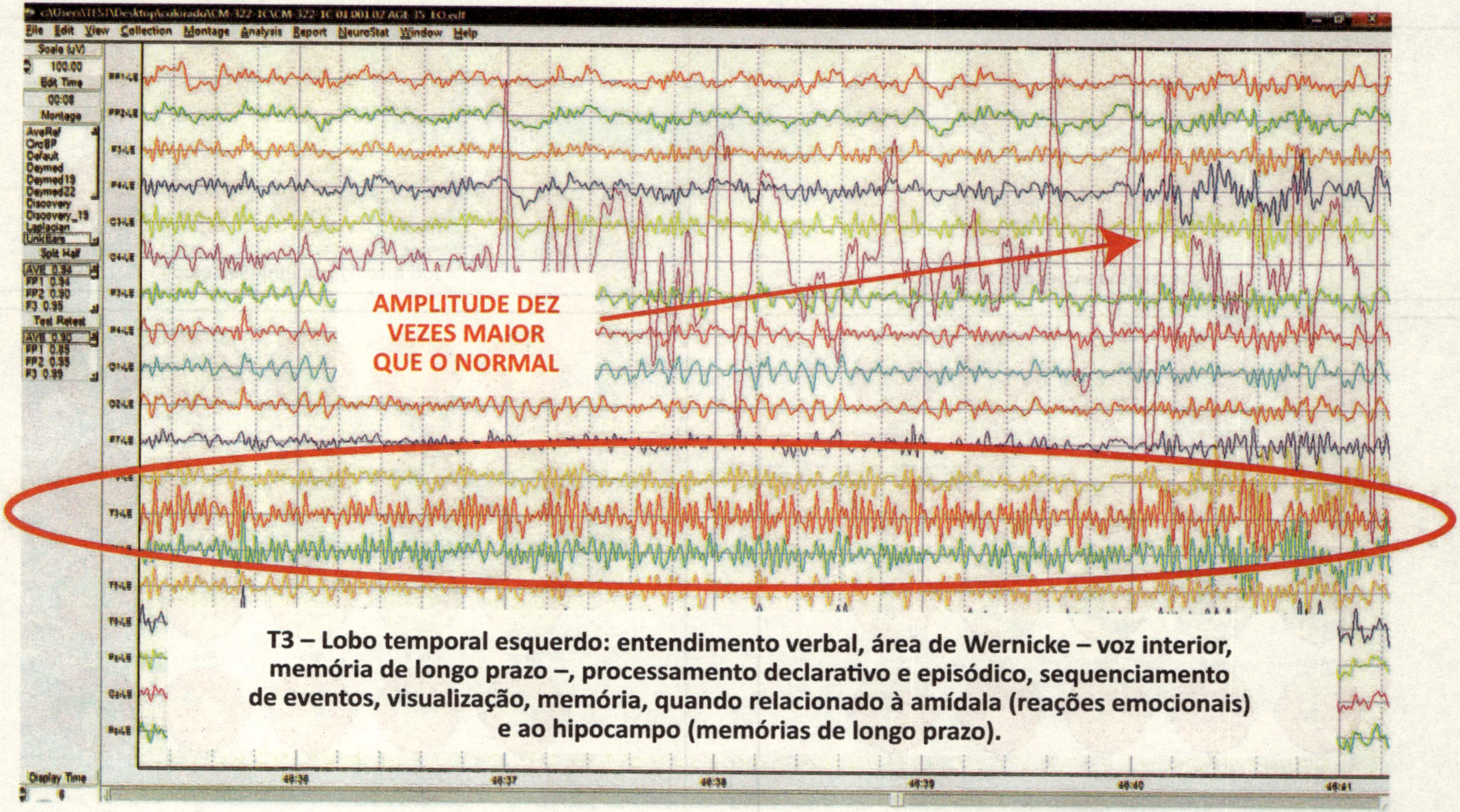
AMPLITUDE DEZ
VEZES MAIOR
QUE O NORMAL
T3 – Lobo temporal esquerdo: entendimento verbal, área de Wernicke – voz interior, memória de longo prazo –, processamento declarativo e episódico, sequenciamento de eventos, visualização, memória, quando relacionado à amídala (reações emocionais) e ao hipocampo (memórias de longo prazo).

FIGURA 10.19

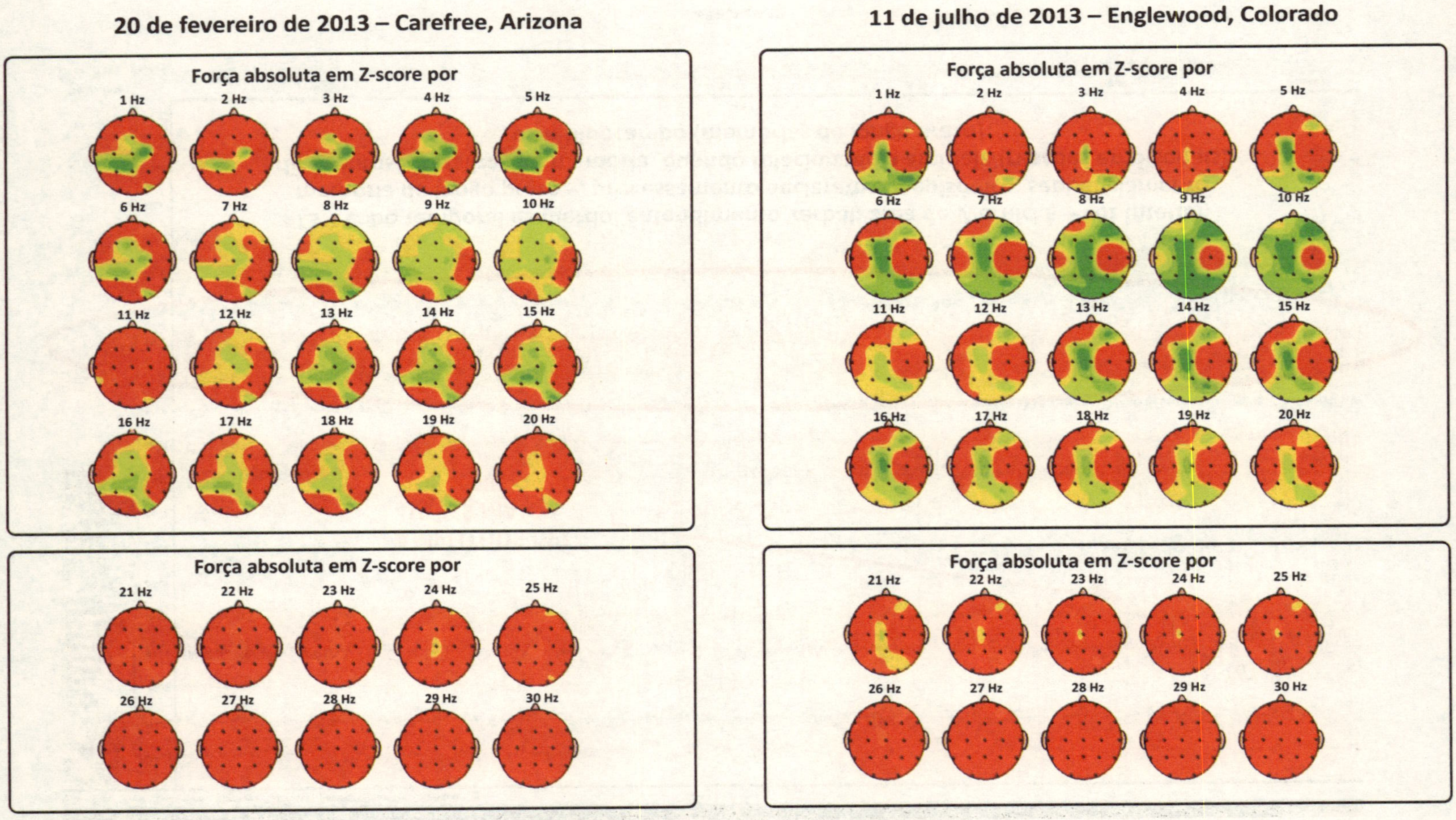

20 de fevereiro de 2013 – Carefree, Arizona
Força absoluta em Z-score por
1 Hz 2 Hz 3 Hz 4 Hz 5 Hz
6 Hz 7 Hz 8 Hz 9 Hz 10 Hz
11 Hz 12 Hz 13 Hz 14 Hz 15 Hz
16 Hz 17 Hz 18 Hz 19 Hz 20 Hz
Força absoluta em Z-score por
21 Hz 22 Hz 23 Hz 24 Hz 25 Hz
26 Hz 27 Hz 28 Hz 29 Hz 30 Hz
11 de julho de 2013 – Englewood, Colorado
Força absoluta em Z-score por
1 Hz 2 Hz 3 Hz 4 Hz 5 Hz
6 Hz 7 Hz 8 Hz 9 Hz 10 Hz
11 Hz 12 Hz 13 Hz 14 Hz 15 Hz
16 Hz 17 Hz 18 Hz 19 Hz 20 Hz
Força absoluta em Z-score por
21 Hz 22 Hz 23 Hz 24 Hz 25 Hz
26 Hz 27 Hz 28 Hz 29 Hz 30 Hz

FIGURA 10.20

ATIVIDADE DE ONDA CEREBRAL NORMAL

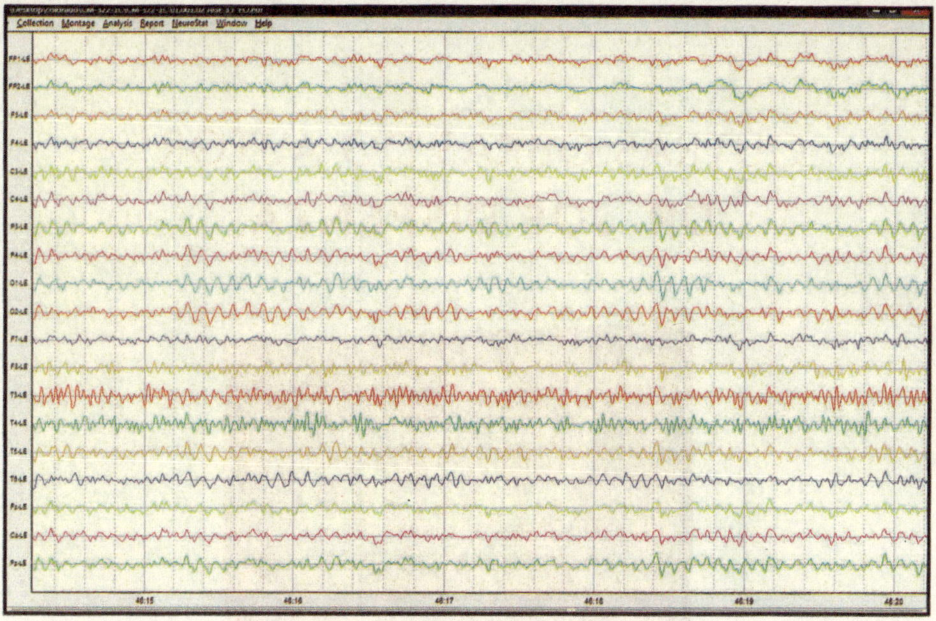

EXPERIÊNCIA DE ÊXTASE KUNDALINI

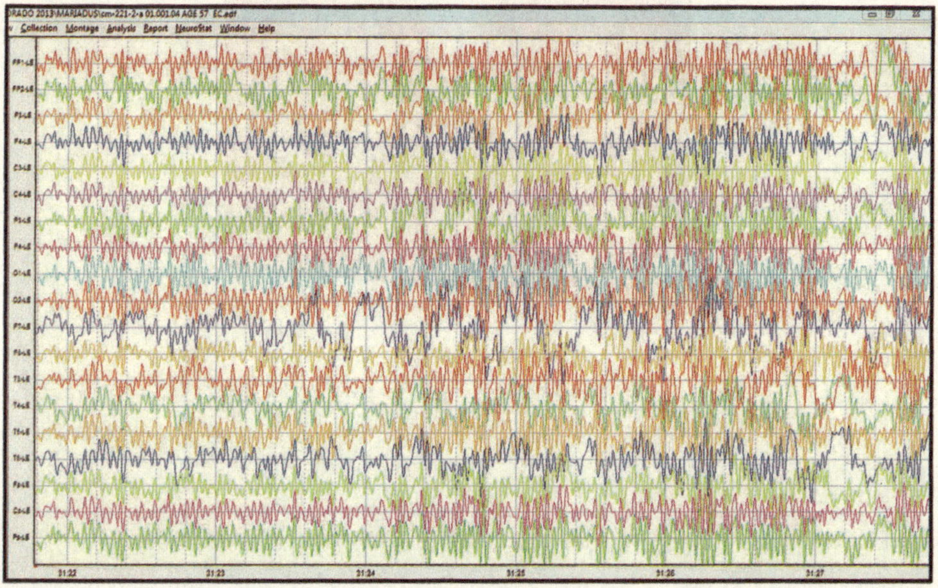

FIGURA 10.21

QUEBRANDO O HÁBITO DE SER VOCÊ MESMO

VOCÊ NÃO ESTÁ CONDENADO POR SEUS GENES A SER DE DETERMINADA MANEIRA PELO RESTO DA VIDA

Está surgindo uma nova ciência que habilita todos os seres humanos a criar a realidade que preferirem. Neste livro, o renomado autor, palestrante, pesquisador e quiroprático Dr. Joe Dispenza combina os campos da física quântica, neurociência, química cerebral, biologia e genética para mostrar o que é verdadeiramente possível.

Você não só vai obter o conhecimento necessário para alterar qualquer aspecto de si mesmo, como também receberá as ferramentas para aplicar passo a passo o que aprendeu, de modo a promover as mudanças necessárias em qualquer área de sua vida. Dr. Joe desmistifica antigas compreensões e preenche a lacuna entre ciência e espiritualidade. Mediante seus eficazes workshops e palestras, milhares de pessoas em 24 países utilizaram esses princípios para mudar de dentro para fora. Quando você quebrar o hábito de ser você mesmo e verdadeiramente mudar sua mente, sua vida jamais será a mesma!

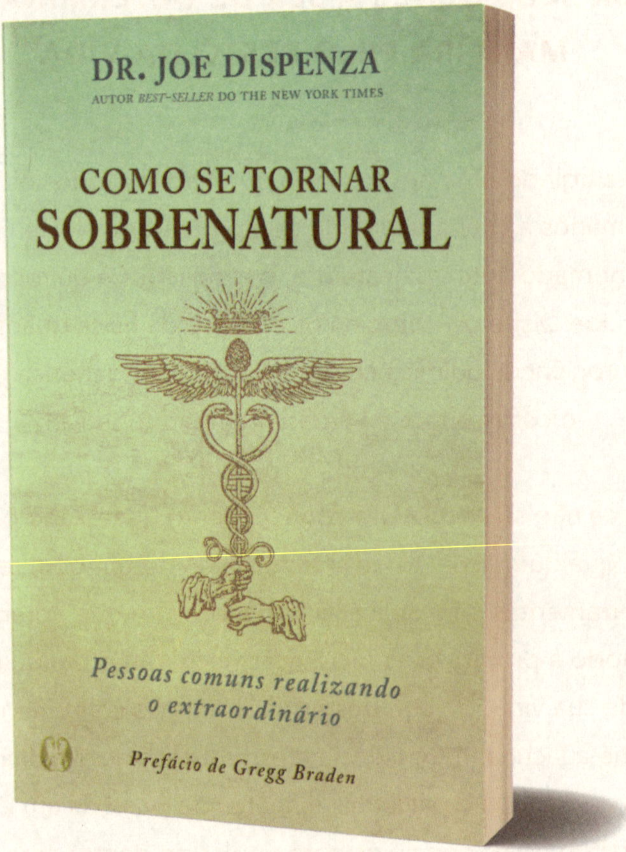
DR. JOE DISPENZA
AUTOR BEST-SELLER DO THE NEW YORK TIMES
COMO SE TORNAR
SOBRENATURAL
Pessoas comuns realizando
o extraordinário
Prefácio de Gregg Braden

COMO SE TORNAR SOBRENATURAL

Neste livro, Dr. Joe Dispenza baseia-se em pesquisas realizadas em seus workshops avançados desde 2012 para explorar como as pessoas comuns estão realizando o extraordinário para transformarem a si mesmos e suas vidas.

Depois dos fantásticos best-sellers Quebrando o hábito de ser você mesmo e Você é o placebo, Como se tornar sobrenatural une as informações científicas mais profundas e avançadas com a sabedoria antiga para mostrar como pessoas como você e eu podemos experimentar uma vida mais mística. Os leitores aprenderão que somos literalmente sobrenaturais por natureza se recebermos o conhecimento e as instruções apropriados.
Quando aprendermos a aplicar essas informações por meio de várias meditações, seremos capazes de experimentar uma expressão maior de nossas habilidades criativas; teremos a capacidade de sintonizar frequências além do nosso mundo material e receber fluxos de consciência e energia mais ordenados e coerentes; poderemos intencionalmente mudar a química do cérebro para iniciar experiências transcendentais profundamente místicas; e ainda, em um nível mais avançado, poderemos desenvolver a habilidade de criar um corpo mais eficiente, equilibrado e saudável, uma mente mais ilimitada e maior acesso aos reinos da verdade espiritual.
Usando ferramentas e disciplinas que vão da física de ponta aos exercícios práticos, como uma meditação andando, o Dr. Joe oferece nada menos que um programa para sair da nossa realidade física e entrar no campo quântico de infinitas possibilidades.